수능·내신 프리미엄 고등 영어 시리즈

구문독해

Supreme 수프림은

내신과 수능을 한 번에 잡아주는

프리미엄 고등 영어 브랜드입니다.

학습자의 마음을 읽는 동아영어콘텐츠연구팀

동아영어콘텐츠연구팀은 동아출판의 영어 개발 연구원, 현장 선생님, 그리고 전문 원고 집필자들이
공동연구를 통해 최적의 콘텐츠를 개발하는 연구조직입니다.

원고 개발에 참여하신 분들

김현아 오건석 최진영

교재 기획에 도움을 주신 분들

강군필 강선이 김민규 김설희 김하나 김호성 김효성 박지현 박형우 안태정 이성민 이지혜 임기애 정나래 조수진 최시은 한희정

수능·내신 프리미엄 고등 영어 시리즈

구문독해

Structure & Features 구성과 특징

구문 정리

영어 문장을 이루는 기본 요소인 각 문장 성분이 길어져 독해가 어려워지는 경우를 68개의 구문으로 정리하여 독해 실력이 빠르게 향상될 수 있도록 하였습니다. 각 예문은 수능과 모의평가에서 응용하거나 수능 수준으로 엄선하여 뽑았습니다.

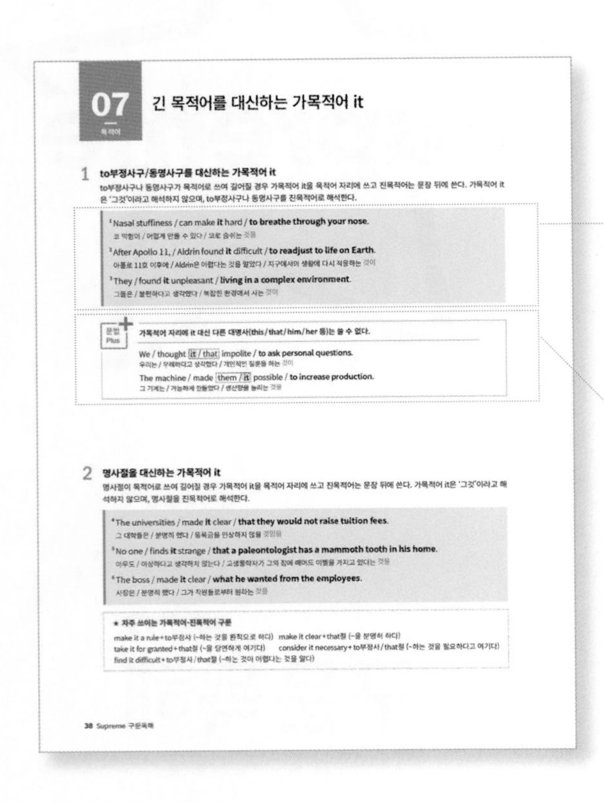

07 목적어

긴 목적어를 대신하는 가목적어 it

1 to부정사구/동명사구를 대신하는 가목적어 it

to부정사구나 동명사구가 목적어로 쓰여 길어질 경우 가목적어 it을 목적어 자리에 쓰고 진목적어는 문장 뒤에 쓴다. 가목적어 it은 '그것'이라고 해석하지 않으며, to부정사구나 동명사구를 진목적어로 해석한다.

1 Nasal stuffiness / can make **it** hard / **to breathe through your nose.**
코 막힘이 / 어렵게 만들 수 있다 / 코로 숨쉬는 것을

2 After Apollo 11, / Aldrin found **it** difficult / **to readjust to life on Earth.**
아폴로 11호 이후에 / Aldrin은 어렵다는 것을 알았다 / 지구에서의 생활에 다시 적응하는 것이

3 They / found **it** unpleasant / **living in a complex environment.**
그들은 / 불편하다고 생각했다 / 복잡한 환경에서 사는 것이

문법 Plus

가목적어 자리에 it 대신 다른 대명사(this/that/him/her 등)는 쓸 수 없다.

We / thought [it / that] impolite / to ask personal questions.
우리는 / 무례하다고 생각했다 / 개인적인 질문을 하는 것이

The machine / made [them / it] possible / to increase production.
그 기계는 / 가능하게 만들었다 / 생산량을 늘리는 것을

2 명사절을 대신하는 가목적어 it

명사절이 목적어로 쓰여 길어질 경우 가목적어 it을 목적어 자리에 쓰고 진목적어는 문장 뒤에 쓴다. 가목적어 it은 '그것'이라고 해석하지 않으며, 명사절을 진목적어로 해석한다.

4 The universities / made **it** clear / **that they would not raise tuition fees.**
그 대학들은 / 분명히 했다 / 등록금을 인상하지 않을 것임을

5 No one / finds **it** strange / **that a paleontologist has a mammoth tooth in his home.**
아무도 / 이상하다고 생각하지 않는다 / 고생물학자가 그의 집에 매머드 이빨을 가지고 있다는 것을

6 The boss / made **it** clear / **what he wanted from the employees.**
사장은 / 분명히 했다 / 그가 직원들로부터 원하는 것을

★ 자주 쓰이는 가목적어-진목적어 구문

make it a rule+to부정사 (~하는 것을 원칙으로 하다) make it clear+that절 (~을 분명히 하다)
take it for granted+that절 (~을 당연하게 여기다) consider it necessary+to부정사/that절 (~하는 것을 필요하다고 여기다)
find it difficult+to부정사/that절 (~하는 것이 어렵다는 것을 알다)

38 Supreme 구문독해

- **대표 예문**
  구조 파악이 용이하도록 예문에 끊어 읽기를 표시하고 바로 아래에 해당하는 한글 해석을 달아 놓아 직독직해 훈련을 할 수 있도록 하였습니다.

- **문법 PLUS**
  해당 구문을 이해하는 데 꼭 필요한 문법사항을 정리하여 해당 구문의 이해를 높일 수 있도록 하였습니다.

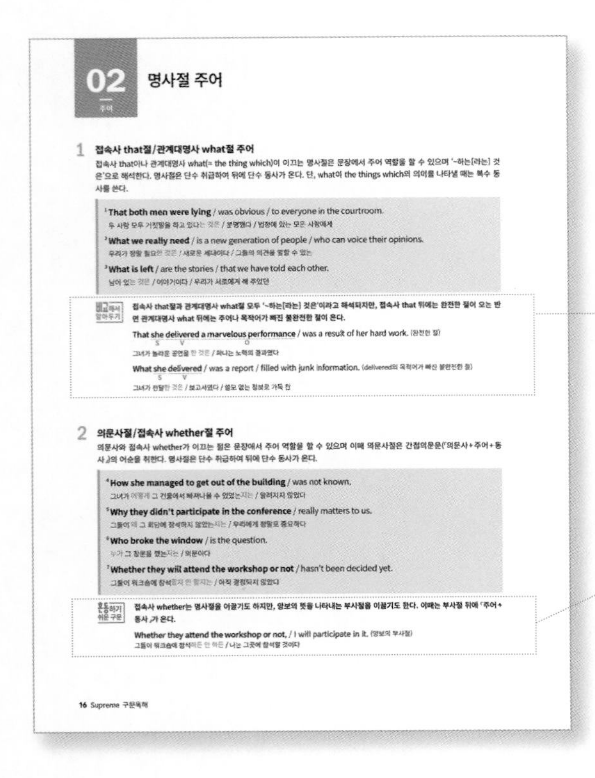

02 주어

명사절 주어

1 접속사 that절/관계대명사 what절 주어

접속사 that이나 관계대명사 what(= the thing which)이 이끄는 명사절은 문장에서 주어 역할을 할 수 있으며 '~하는[라는] 것은'으로 해석한다. 명사절은 단수 취급하여 뒤에 단수 동사가 온다. 단, what이 the things which의 의미를 나타낼 때는 복수 동사를 쓴다.

1 **That both men were lying** / was obvious / to everyone in the courtroom.
두 사람 모두 거짓말을 하고 있다는 것은 / 분명했다 / 법정에 있는 모든 사람에게

2 **What we really need** / is a new generation of people / who can voice their opinions.
우리가 정말 필요한 것은 / 새로운 세대이다 / 그들의 의견을 말할 수 있는

3 **What is left** / are the stories / that we have told each other.
남아 있는 것은 / 이야기이다 / 우리가 서로에게 해 주었던

비교해서 알아두기

접속사 that절과 관계대명사 what절 모두 '~하는[라는] 것은'이라고 해석되지만, 접속사 that 뒤에는 완전한 절이 오는 반면 관계대명사 what 뒤에는 주어나 목적어가 빠진 불완전한 절이 온다.

That she delivered a marvelous performance / was a result of her hard work. (완전한 절)
그녀가 놀라운 공연을 한 것은 / 피나는 노력의 결과였다

What she delivered / was a report / filled with junk information. (delivered의 목적어가 빠진 불완전한 절)
그녀가 전달한 것은 / 보고서였다 / 쓸모 없는 정보로 가득 찬

2 의문사절/접속사 whether절 주어

의문사와 접속사 whether가 이끄는 절은 문장에서 주어 역할을 할 수 있으며 이때 의문사절은 간접의문문(「의문사+주어+동사」)의 어순을 취한다. 명사절은 단수 취급하여 뒤에 단수 동사가 온다.

4 **How she managed to get out of the building** / was not known.
그녀가 어떻게 그 건물에서 빠져나올 수 있었는지는 / 알려지지 않았다

5 **Why they didn't participate in the conference** / really matters to us.
그들이 왜 그 회담에 참석하지 않았는지는 / 우리에게 정말로 중요하다

6 **Who broke the window** / is the question.
누가 그 창문을 깼는지는 / 의문이다

7 **Whether they will attend the workshop or not** / hasn't been decided yet.
그들이 워크숍에 참석할지 안 할지는 / 아직 결정되지 않았다

혼동하기 쉬운 구문

접속사 whether는 명사절을 이끌기도 하지만, 양보의 뜻을 나타내는 부사절을 이끌기도 한다. 이때는 부사절 뒤에 「주어+동사」가 온다.

Whether they attend the workshop or not, / I will participate in it. (양보의 부사절)
그들이 워크숍에 참석하든 안 하든 / 나는 그곳에 참석할 것이다

16 Supreme 구문독해

- **비교해서 알아두기**
  비교해서 알아둘 구문을 모아 해당 구문의 이해가 더 잘 되도록 정리하였습니다.

- **혼동하기 쉬운 구문**
  어순과 형태가 같아 혼동되는 구문을 대표 예문 바로 아래에 제시하여 정확한 독해를 하는데 도움이 될 수 있도록 하였습니다.

구문 연습

구문 정리에서 배운 내용을 해석과 영작, 수능 유형의 어법 문제에 적용해서 연습할 수 있습니다.

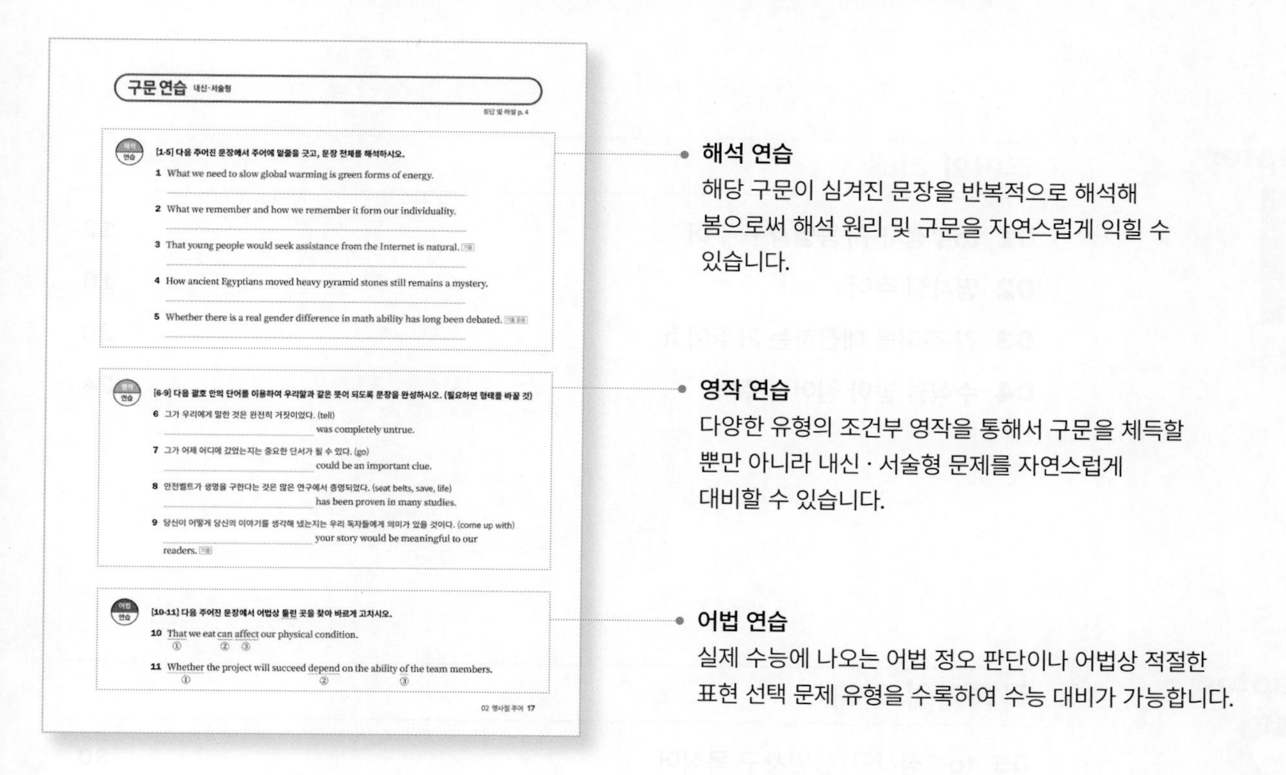

구문연습 내신·서술형

정답 및 해설 p. 4

해석 연습

[1-5] 다음 주어진 문장에서 주어에 밑줄을 긋고, 문장 전체를 해석하시오.

1 What we need to slow global warming is green forms of energy.

2 What we remember and how we remember it form our individuality.

3 That young people would seek assistance from the Internet is natural. 기출

4 How ancient Egyptians moved heavy pyramid stones still remains a mystery.

5 Whether there is a real gender difference in math ability has long been debated. 기출 응용

영작 연습

[6-9] 다음 괄호 안의 단어를 이용하여 우리말과 같은 뜻이 되도록 문장을 완성하시오. (필요하면 형태를 바꿀 것)

6 그가 우리에게 말한 것은 완전히 거짓이었다. (tell)
__________ was completely untrue.

7 그가 어제 어디에 갔었는지는 중요한 단서가 될 수 있다. (go)
__________ could be an important clue.

8 안전벨트가 생명을 구한다는 것은 많은 연구에서 증명되었다. (seat belts, save, life)
__________ has been proven in many studies.

9 당신이 어떻게 당신의 이야기를 생각해 냈는지는 우리 독자들에게 의미가 있을 것이다. (come up with)
__________ your story would be meaningful to our readers. 기출

어법 연습

[10-11] 다음 주어진 문장에서 어법상 틀린 곳을 찾아 바르게 고치시오.

10 ①That we eat ②can ③affect our physical condition.

11 ①Whether the project will succeed ②depend on the ability ③of the team members.

02 명사절 주어 17

해석 연습
해당 구문이 심겨진 문장을 반복적으로 해석해 봄으로써 해석 원리 및 구문을 자연스럽게 익힐 수 있습니다.

영작 연습
다양한 유형의 조건부 영작을 통해서 구문을 체득할 뿐만 아니라 내신 · 서술형 문제를 자연스럽게 대비할 수 있습니다.

어법 연습
실제 수능에 나오는 어법 정오 판단이나 어법상 적절한 표현 선택 문제 유형을 수록하여 수능 대비가 가능합니다.

구문 적용 독해

배운 구문이 심겨진 수능 유형의 독해 지문으로 실전 독해력을 기를 수 있습니다.

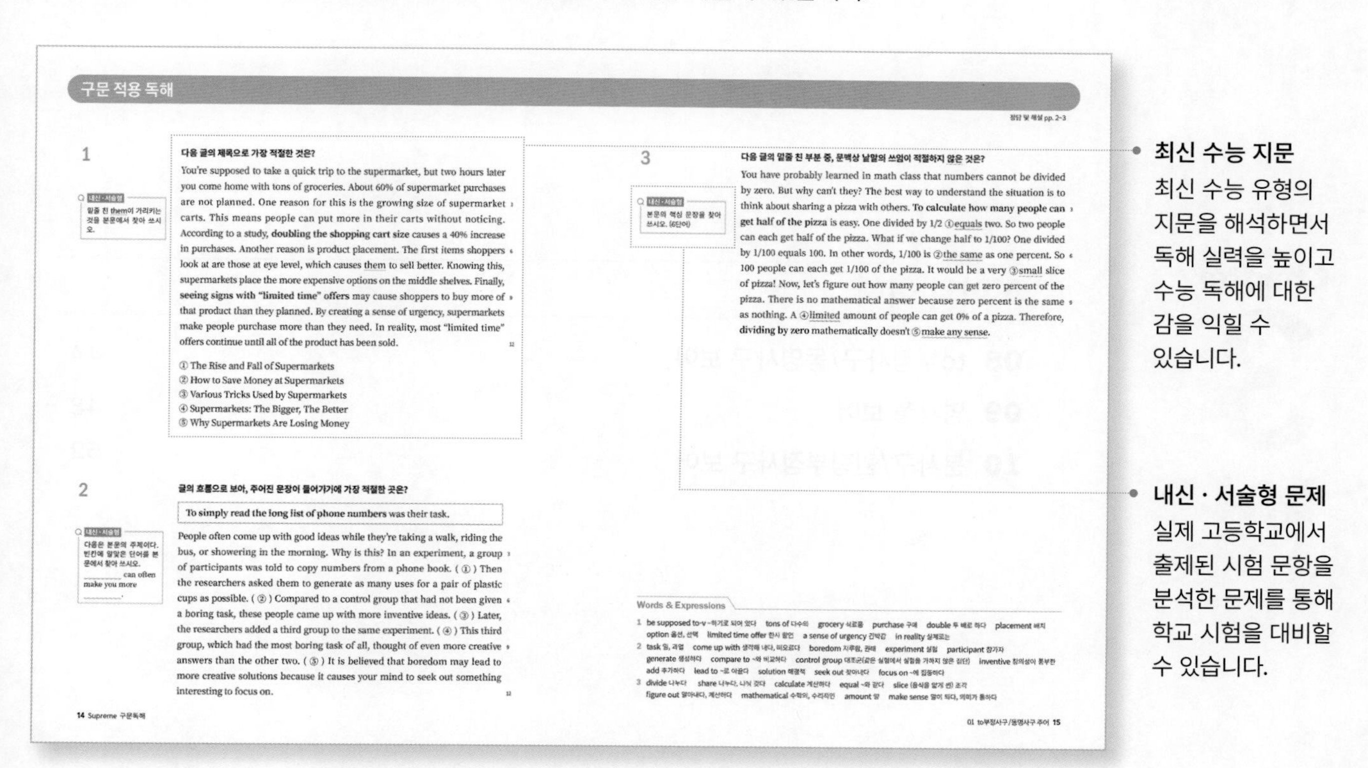

구문 적용 독해

정답 및 해설 pp. 2-3

1

다음 글의 제목으로 가장 적절한 것은?

You're supposed to take a quick trip to the supermarket, but two hours later you come home with tons of groceries. About 60% of supermarket purchases are not planned. One reason for this is the growing size of supermarket carts. This means people can put more in their carts without noticing. According to a study, **doubling the shopping cart size** causes a 40% increase in purchases. Another reason is product placement. The first items shoppers look at are those at eye level, which causes them to sell better. Knowing this, supermarkets place the more expensive options on the middle shelves. Finally, **seeing signs with "limited time" offers** may cause shoppers to buy more of that product than they planned. By creating a sense of urgency, supermarkets make people purchase more than they need. In reality, most "limited time" offers continue until all of the product has been sold.

① The Rise and Fall of Supermarkets
② How to Save Money at Supermarkets
③ Various Tricks Used by Supermarkets
④ Supermarkets: The Bigger, The Better
⑤ Why Supermarkets Are Losing Money

내신·서술형
밑줄 친 them이 가리키는 것을 본문에서 찾아 쓰시오.

2

글의 흐름으로 보아, 주어진 문장이 들어가기에 가장 적절한 곳은?

To simply read the long list of phone numbers was their task.

People often come up with good ideas while they're taking a walk, riding the bus, or showering in the morning. Why is this? In an experiment, a group of participants was told to copy numbers from a phone book. (①) Then the researchers asked them to generate as many uses for a pair of plastic cups as possible. (②) Compared to a control group that had not been given a boring task, these people came up with more inventive ideas. (③) Later, the researchers added a third group to the same experiment. (④) This third group, which had the most boring task of all, thought of even more creative answers than the other two. (⑤) It is believed that boredom may lead to more creative solutions because it causes your mind to seek out something interesting to focus on.

내신·서술형
다음은 본문의 주제이다. 빈칸에 알맞은 단어를 본문에서 찾아 쓰시오.
__________ can often make you more __________.

14 Supreme 구문독해

3

다음 글의 밑줄 친 부분 중, 문맥상 낱말의 쓰임이 적절하지 않은 것은?

You have probably learned in math class that numbers cannot be divided by zero. But why can't they? The best way to understand the situation is to think about sharing a pizza with others. **To calculate how many people can get half of the pizza** is easy. One divided by 1/2 ①equals two. So two people can each get half of the pizza. What if we change half to 1/100? One divided by 1/100 equals 100. In other words, 1/100 is ②the same as one percent. So 100 people can each get 1/100 of the pizza. It would be a very ③small slice of pizza! Now, let's figure out how many people can get zero percent of the pizza. There is no mathematical answer because zero percent is the same as nothing. A ④limited amount of people can get 0% of a pizza. Therefore, **dividing by zero** mathematically doesn't ⑤make any sense.

내신·서술형
본문의 핵심 문장을 찾아 쓰시오. (6단어)

Words & Expressions

1 be supposed to-v ~하기로 되어 있다 tons of 다수의 grocery 식료품 purchase 구매 double 두 배로 하다 placement 배치 option 옵션, 선택 limited time offer 한시 할인 a sense of urgency 긴박감 in reality 실제로는
2 task 일, 과업 come up with 생각해 내다, 떠오르다 boredom 지루함, 권태 experiment 실험 participant 참가자 generate 생성하다 compare to ~와 비교하다 control group 대조군(같은 실험에서 실험을 가하지 않은 집단) inventive 창의성이 풍부한 add 추가하다 lead to ~로 이끌다 solution 해결책 seek out 찾아내다 focus on ~에 집중하다
3 divide 나누다 share 나누다, 나눠 갖다 calculate 계산하다 equal ~와 같다 slice (음식을 얇게 썬) 조각 figure out 알아내다, 계산하다 mathematical 수학의, 수리적인 amount 양 make sense 말이 되다, 의미가 통하다

01 to부정사구/동명사구 주어 15

최신 수능 지문
최신 수능 유형의 지문을 해석하면서 독해 실력을 높이고 수능 독해에 대한 감을 익힐 수 있습니다.

내신 · 서술형 문제
실제 고등학교에서 출제된 시험 문항을 분석한 문제를 통해 학교 시험을 대비할 수 있습니다.

Contents 목차

Chapter 4

수식어구의 이해

Chapter 5

동사의 이해

Chapter 6

중요 구문의 이해

Basics 기본 설명

주요 품사

문장을 구성하는 요소에는 단어, 구, 절이 있다. 단어는 의미를 지니는 가장 작은 단위이며, 단어를 기능과 형태, 의미에 따라 나눈 것을 품사(品詞)라고 한다.

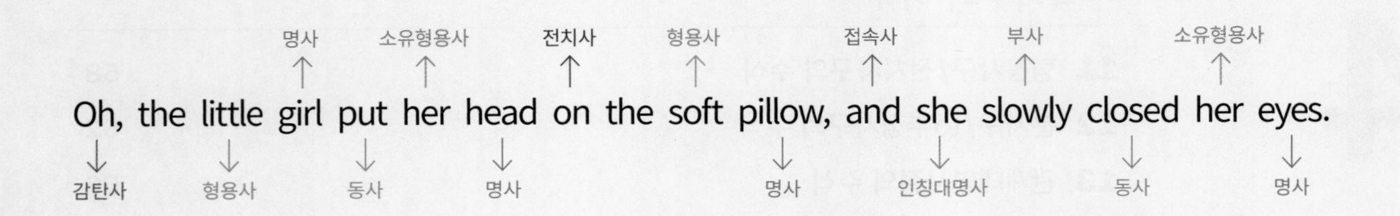

명사

사람이나 동물, 장소, 사물을 지칭하는 말이다. 크게 셀 수 있는 명사와 셀 수 없는 명사로 나뉜다.

Peter, rabbit, hospital, book, milk, water, oil, bread, beauty, happiness, peace

대명사

명사를 대신해서 쓰는 말이다. 인칭대명사, 소유대명사 등이 있다.

Peter likes playing golf. **He** has **his** own golf clubs.

동사

어떤 동작이나 상태를 나타내는 말이다. 동사는 주어의 수에 따라 단수형과 복수형이 있다.

She is **putting on** her makeup. (put on: 동작 동사)

She is **wearing** heavy makeup. (wear: 상태 동사)

형용사

명사나 대명사를 묘사하거나 의미를 설명하는 말이다.

The hunter caught a **white** rabbit, and it was still **alive**.

부사

동사, 형용사, 다른 부사, 문장 전체를 수식하여 좀 더 자세히 설명하는 말이다.

Strangely, the man **rarely** goes out. He **always** looks **completely** exhausted.

전치사

시간, 위치, 방향, 장소를 나타내는 말로 명사(구) 앞에 쓰는 말이다.

for twenty years, **at** the store, **toward** the mountain, **in** the office

접속사

단어와 단어, 절과 절을 서로 연결해주는 말로 등위접속사와 종속접속사가 있다.

If it didn't rain, Jack **and** Jill would go up the hill.

(If: 종속접속사, and: 등위접속사)

감탄사

단독으로 쓰이며, 놀람이나 감탄 등의 감정을 표현하는 말이다.

Wow, you look gorgeous today!

구와 절

구(phrase)

두 개 이상의 단어가 모이면 구를 이룬다. 한 문장은 여러 개의 구로 구성된다. 구에는 주어와 동사가 없으며 문장 내에서의 역할에 따라 명사구, 형용사구, 부사구로 나뉜다.

명사구	**Telling lies** can get you into deep trouble. (주어 역할) S V O OC
형용사구	He was wearing a necklace **made of gold**. (명사 수식) S V O
부사구	She always drives **with care**. (동사 수식) S V

절(clause)

「주어+동사」가 있으면서 문장의 일부에 포함되는 부분이다. 절은 쓰인 접속사의 종류에 따라 등위절과 종속절로 나뉜다.

Monica left the building, and Ted entered the building.
등위절1 등위절2

After Monica left the building, Ted entered the building.
종속절

등위절

등위접속사(and/but/or/so)로 연결되는 두 개의 대등한 절이다.

He is intelligent, and **she is honest**.
등위절1 등위절2

I like reading, but **my husband likes watching TV**.
등위절1 등위절2

종속절

종속접속사(that/whether/when/if/while 등)가 이끄는 절로, 주절의 일부가 되는 절이다. 종속절은 문장 내에서의 역할에 따라 명사절, 형용사절, 부사절로 나뉜다.

명사절	**Whether he comes or not** doesn't matter to us. (주어 역할) S V
형용사절	Sue is the woman **that I want to marry**. (명사 수식)
부사절	**If you need any help**, just tell me. (주절 수식)

문장의 구성 요소

문장은 크게 '~은/가'에 해당하는 주부(subject)와 '하다'에 해당하는 술부(predicate)로 나뉜다. 주부에 해당하는 것은 명사(+수식어구)이고, 술부에 해당하는 것은 동사(verb)를 포함한 나머지 부분이다. 문장을 구성하는 주요 요소를 문장 성분이라고 하는데 주어, 동사, 목적어, 보어가 주요 문장 성분이다.

The old car drove fast on the highway.
주부 술부

주어(Subject)

주어는 동작이나 상태를 나타내는 주체를 가리킨다. 주어 자리에는 주로 명사, 대명사가 오지만 동명사구, to부정사구, 절과 같이 긴 주어가 오기도 한다.

Mark is an engineer from London. / **To dine out with a baby** is not easy.

동사(Verb)

동사는 주어가 하는 동작이나 상태를 나타낸다. 동사는 보통 한 단어로 쓰이지만 전치사나 부사, 또는 명사와 결합하여 동사구를 이루기도 한다. 동사의 종류는 대표적으로 일반동사, be동사, 조동사가 있다.

Anna **drinks** milk every day. / He **is** a famous story writer.
They **can** speak Chinese.

목적어(Object)

목적어는 동사가 나타내는 동작의 대상이 된다. 목적어의 자리에 명사, 대명사가 올 수 있고, 긴 목적어의 경우에는 to부정사, 동명사, 명사절도 올 수 있다.

They bought **a new car.** / She wants **to be a mayor.**
He enjoys **collecting sneakers.**

보어(Complement)

보어는 주어나 목적어를 보충 설명한다. 주어를 설명하는 것을 주격보어, 목적어를 설명하는 것을 목적격보어라고 한다. 보어에는 명사(구), 대명사, 형용사(구), to부정사, 동명사, 분사(구), 원형부정사가 올 수 있다.

She became **a lawmaker.** / The movie made her **famous.**
I heard my name **called.**

수식어(Modifier)

수식어는 문장의 다른 요소들을 꾸며준다. 명사를 꾸미는 형용사 역할이나 동사, 형용사, 또는 문장 전체를 꾸미는 부사 역할을 한다.

This is a **good** example. / Voice training is **very** difficult.
We camped **near the lake.**

영어의 기본 문형

주어, 동사, 목적어, 보어가 문장을 구성하는 방식에 따라 문장의 종류를 5가지로 나누는데, 이를 5형식이라고 한다.
1, 2형식에는 목적어를 필요로 하지 않는 동사(자동사)가 쓰이고 3, 4, 5형식에는 목적어가 필요한 동사(타동사)가 쓰인다.

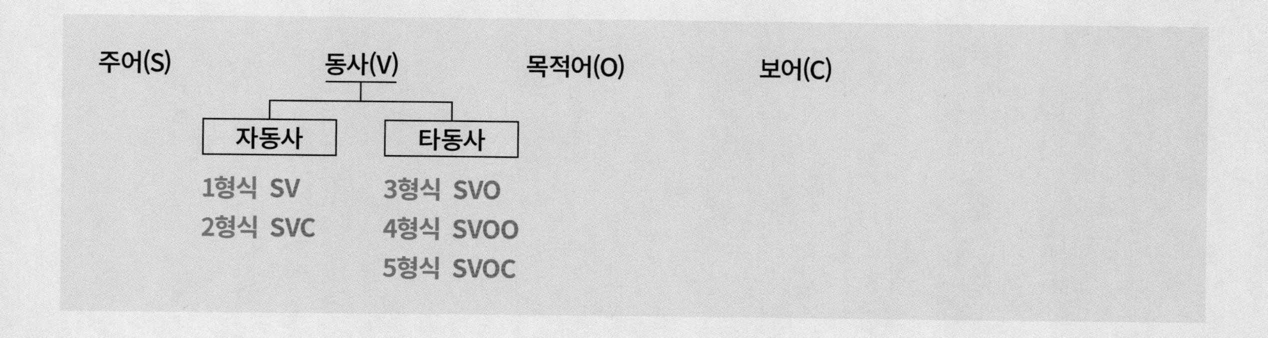

1형식 SV(+M) 주어 + 동사 (+ 수식어구)

주어와 동사만으로 구성된 기본 형식으로 수식어구가 함께 오기도 한다.

The baby (S) sleeps (V) (in the cradle).

2형식 SVC 주어 + 동사 + 주격보어

감각동사(look/feel/smell 등)나 상태를 나타내는 동사(be/seem/appear 등)가 쓰일 경우, 보어로 형용사가 온다.

She (S) is (V) a graphic designer (C).

My boss (S) looks (V) tired (C).

3형식 SVO 주어 + 동사 + 목적어

목적어 자리에는 명사(구), 대명사, to부정사(구), 동명사(구), 명사절 등이 온다.

He (S) knows (V) the answers (O) to the questions.

4형식 SVOO 주어 + 수여동사 + 간접목적어(IO) + 직접목적어(DO)

4형식 문장은 동사 다음에 목적어 두 개가 나란히 오는 문장으로 「직접목적어+전치사+간접목적어」 형태의 3형식 문장으로 바꿔 쓸 수 있다. 이때 간접목적어 앞에 전치사 to나 for가 필요하다.

The volunteer (S) showed (V) me (IO) some portfolios (DO).

→ The volunteer showed some portfolios to me.

5형식 SVOC 주어 + 동사 + 목적어 + 목적격보어(OC)

목적격보어 자리에는 명사(구), 형용사(구), to부정사(구), 분사(구), 원형부정사가 온다.

My daughter's smile (S) makes (V) me (O) happy (OC).

Supreme

Chapter

주어의 이해

- 주어는 문장에서 동사의 주체가 되는 말로 주요 문장 성분이다.
- 주어의 기본 형태는 명사/대명사이며 to부정사구/동명사구/명사절도 주어가 될 수 있다.
- 주어가 길어질 경우 가주어 it을 대신 쓰고 진주어는 뒤에 쓴다.
- 수식을 받아 길어진 주어의 경우 주부를 파악하는 것이 중요하다.

to부정사구/동명사구 주어

1 to부정사구 주어

to부정사구는 문장에서 주어 역할을 할 수 있으며 '~하는 것은'으로 해석한다. to부정사구는 단수 취급하여 뒤에 단수 동사가 온다.

[1] **To reduce social inequality** / is an aim / shared with many organizations.
사회적 불평등을 줄이는 것은 / 목표이다 / 많은 단체들에 의해 공유되는

[2] **To be courageous under all circumstances** / requires / strong determination.
모든 상황에서 용기를 내는 것은 / 필요로 한다 / 강한 결단력을

[3] **To spend quality time with children** / can be a challenge / for parents.
아이와 양질의 시간을 보내는 것은 / 도전이 될 수 있다 / 부모에게

혼동하기 쉬운 구문 **문장의 시작이 to-v라고 해서 반드시 주어는 아니다. 부사구 역할을 하여 '목적'의 의미로 해석될 수도 있다. 이때는 뒤에 「주어+동사」가 온다. (부사 역할을 하는 to부정사 → p.74)**

To spend quality time with children, / you(S) may have to give up(V) / a few things. (부사구)
아이와 양질의 시간을 보내기 위해 / 당신은 포기해야 할지도 모른다 / 몇 가지 것들을

2 동명사구 주어

동명사구는 문장에서 주어 역할을 할 수 있으며 '~하는 것은'으로 해석한다. 동명사구는 단수 취급하여 뒤에 단수 동사가 온다.

[4] **Taking many risks** / is helpful / for gaining experience.
많은 위험을 감수하는 것은 / 도움이 된다 / 경험을 쌓는 데

[5] **Apologizing to his classmate** / seemed difficult / for him.
반 친구에게 사과하는 것은 / 어려워 보였다 / 그에게

[6] **Walking with your dog** / is beneficial / for your mental and physical well-being.
개와 산책하는 것은 / 이롭다 / 너의 정신적이고 육체적인 행복에

혼동하기 쉬운 구문 **문장의 시작이 v-ing라고 해서 반드시 주어는 아니다. 분사구문으로 쓰여 부사구 역할을 하기도 하는데, 이때의 v-ing는 동명사가 아닌 현재분사이다. 이때는 뒤에 「주어+동사」가 온다. (분사구문 → p.114)**

Walking with my dog, / I(S) experienced(V) / something really strange. (부사구)
개와 산책하면서 / 나는 경험했다 / 정말 이상한 어떤 것을

구문 연습 내신·서술형

정답 및 해설 p. 2

[1-5] 다음 주어진 문장에서 주어에 밑줄을 긋고, 문장 전체를 해석하시오.

1 To drink coffee before going to sleep is a bad idea.

____

2 To wait for people who are never punctual makes me angry.

____

3 Creating a friendly working environment can increase productivity.

____

4 To build a strong relationship, you should get into the habit of listening.

____

5 Reading and listening to others' thoughts contributes to a solid understanding of the concept. 기출 응용

____

[6-9] 다음 괄호 안의 단어를 우리말과 같은 뜻이 되도록 배열하여 문장을 완성하시오.

6 진실을 받아들이는 것은 때때로 힘들다. (truth, accept, the, to)

______________________________ is sometimes difficult.

7 자신을 다른 사람들과 비교하는 것은 자극이 될 수 있다. (with, yourself, comparing, others)

______________________________ can be encouraging.

8 두 개 이상의 언어를 말하는 것은 장점이 될 것이다. (more, languages, two, to, speak, than)

______________________________ will be an advantage.

9 다양한 문화에 대해 배우는 것은 우리가 다른 사람들을 이해하고 제대로 알도록 도와준다. (about, learning, diverse, cultures)

______________________________ helps us to understand and appreciate others.

[10-11] 다음 주어진 문장에서 어법상 틀린 곳을 찾아 바르게 고치시오.

10 Have(①) lots of questions about yourself is(②) normal in adolescence(③).

11 Watching foreign movies(①) are(②) helpful for(③) learning a new language.

1

다음 글의 제목으로 가장 적절한 것은?

You're supposed to take a quick trip to the supermarket, but two hours later you come home with tons of groceries. About 60% of supermarket purchases are not planned. One reason for this is the growing size of supermarket carts. This means people can put more in their carts without noticing. According to a study, **doubling the shopping cart size** causes a 40% increase in purchases. Another reason is product placement. The first items shoppers look at are those at eye level, which causes them to sell better. Knowing this, supermarkets place the more expensive options on the middle shelves. Finally, **seeing signs with "limited time" offers** may cause shoppers to buy more of that product than they planned. By creating a sense of urgency, supermarkets make people purchase more than they need. In reality, most "limited time" offers continue until all of the product has been sold.

① The Rise and Fall of Supermarkets
② How to Save Money at Supermarkets
③ Various Tricks Used by Supermarkets
④ Supermarkets: The Bigger, The Better
⑤ Why Supermarkets Are Losing Money

Q 내신·서술형
밑줄 친 them이 가리키는 것을 본문에서 찾아 쓰시오.

2

글의 흐름으로 보아, 주어진 문장이 들어가기에 가장 적절한 곳은?

To simply read the long list of phone numbers was their task.

People often come up with good ideas while they're taking a walk, riding the bus, or showering in the morning. Why is this? In an experiment, a group of participants was told to copy numbers from a phone book. (①) Then the researchers asked them to generate as many uses for a pair of plastic cups as possible. (②) Compared to a control group that had not been given a boring task, these people came up with more inventive ideas. (③) Later, the researchers added a third group to the same experiment. (④) This third group, which had the most boring task of all, thought of even more creative answers than the other two. (⑤) It is believed that boredom may lead to more creative solutions because it causes your mind to seek out something interesting to focus on.

Q 내신·서술형
다음은 본문의 주제이다. 빈칸에 알맞은 단어를 본문에서 찾아 쓰시오.
__________ can often make you more __________.

정답 및 해설 pp. 2~3

3

다음 글의 밑줄 친 부분 중, 문맥상 낱말의 쓰임이 적절하지 않은 것은?

You have probably learned in math class that numbers cannot be divided by zero. But why can't they? The best way to understand the situation is to think about sharing a pizza with others. **To calculate how many people can get half of the pizza** is easy. One divided by 1/2 ① equals two. So two people can each get half of the pizza. What if we change half to 1/100? One divided by 1/100 equals 100. In other words, 1/100 is ② the same as one percent. So 100 people can each get 1/100 of the pizza. It would be a very ③ small slice of pizza! Now, let's figure out how many people can get zero percent of the pizza. There is no mathematical answer because zero percent is the same as nothing. A ④ limited amount of people can get 0% of a pizza. Therefore, **dividing by zero** mathematically doesn't ⑤ make any sense.

Q **내신·서술형**
본문의 핵심 문장을 찾아 쓰시오. (6단어)

Words & Expressions

1 be supposed to-v ~하기로 되어 있다 tons of 다수의 grocery 식료품 purchase 구매 double 두 배로 하다 placement 배치 option 옵션, 선택 limited time offer 한시 할인 a sense of urgency 긴박감 in reality 실제로는

2 task 일, 과업 come up with 생각해 내다, 떠오르다 boredom 지루함, 권태 experiment 실험 participant 참가자 generate 생성하다 compare to ~와 비교하다 control group 대조군(같은 실험에서 실험을 가하지 않은 집단) inventive 창의성이 풍부한 add 추가하다 lead to ~로 이끌다 solution 해결책 seek out 찾아내다 focus on ~에 집중하다

3 divide 나누다 share 나누다, 나눠 갖다 calculate 계산하다 equal ~와 같다 slice (음식을 얇게 썬) 조각 figure out 알아내다, 계산하다 mathematical 수학의, 수리적인 amount 양 make sense 말이 되다, 의미가 통하다

02
주어

명사절 주어

1 접속사 that절/관계대명사 what절 주어

접속사 that이나 관계대명사 what(= the thing which)이 이끄는 명사절은 문장에서 주어 역할을 할 수 있으며 '~하는[라는] 것은'으로 해석한다. 명사절은 단수 취급하여 뒤에 단수 동사가 온다. 단, what이 the things which의 의미를 나타낼 때는 복수 동사를 쓴다.

1 **That both men were lying** / was obvious / to everyone in the courtroom.
두 사람 모두 거짓말을 하고 있다는 것은 / 분명했다 / 법정에 있는 모든 사람에게

2 **What we really need** / is a new generation of people / who can voice their opinions.
우리가 정말 필요한 것은 / 새로운 세대이다 / 그들의 의견을 말할 수 있는

3 **What is left** / are the stories / that we have told each other.
남아 있는 것은 / 이야기이다 / 우리가 서로에게 해 주었던

비교해서 알아두기

접속사 that절과 관계대명사 what절 모두 '~하는[라는] 것은'이라고 해석되지만, 접속사 that 뒤에는 완전한 절이 오는 반면 관계대명사 what 뒤에는 주어나 목적어가 빠진 불완전한 절이 온다.

That she(S) delivered(V) a marvelous performance(O) / was a result of her hard work. (완전한 절)
그녀가 놀라운 공연을 한 것은 / 피나는 노력의 결과였다

What she(S) delivered(V) / was a report / filled with junk information. (delivered의 목적어가 빠진 불완전한 절)
그녀가 전달한 것은 / 보고서였다 / 쓸모 없는 정보로 가득 찬

2 의문사절/접속사 whether절 주어

의문사와 접속사 whether가 이끄는 절은 문장에서 주어 역할을 할 수 있으며 이때 의문사절은 간접의문문(「의문사+주어+동사」)의 어순을 취한다. 명사절은 단수 취급하여 뒤에 단수 동사가 온다.

4 **How she managed to get out of the building** / was not known.
그녀가 어떻게 그 건물에서 빠져나올 수 있었는지는 / 알려지지 않았다

5 **Why they didn't participate in the conference** / really matters to us.
그들이 왜 그 회담에 참석하지 않았는지는 / 우리에게 정말로 중요하다

6 **Who broke the window** / is the question.
누가 그 창문을 깼는지는 / 의문이다

7 **Whether they will attend the workshop or not** / hasn't been decided yet.
그들이 워크숍에 참석할지 안 할지는 / 아직 결정되지 않았다

혼동하기 쉬운 구문

접속사 whether는 명사절을 이끌기도 하지만, 양보의 뜻을 나타내는 부사절을 이끌기도 한다. 이때는 부사절 뒤에 「주어+동사」가 온다.

Whether they attend the workshop or not, / I will participate in it. (양보의 부사절)
그들이 워크숍에 참석하든 안 하든 / 나는 그곳에 참석할 것이다

구문 연습 내신·서술형

정답 및 해설 p. 4

[1-5] 다음 주어진 문장에서 주어에 밑줄을 긋고, 문장 전체를 해석하시오.

1 What we need to slow global warming is green forms of energy.

____

2 What we remember and how we remember it form our individuality.

____

3 That young people would seek assistance from the Internet is natural. 기출

____

4 How ancient Egyptians moved heavy pyramid stones still remains a mystery.

____

5 Whether there is a real gender difference in math ability has long been debated. 기출 응용

____

영작 연습

[6-9] 다음 괄호 안의 단어를 이용하여 우리말과 같은 뜻이 되도록 문장을 완성하시오. (필요하면 형태를 바꿀 것)

6 그가 우리에게 말한 것은 완전히 거짓이었다. (tell)

______________________ was completely untrue.

7 그가 어제 어디에 갔었는지는 중요한 단서가 될 수 있다. (go)

______________________ could be an important clue.

8 안전벨트가 생명을 구한다는 것은 많은 연구에서 증명되었다. (seat belts, save, life)

______________________ has been proven in many studies.

9 당신이 어떻게 당신의 이야기를 생각해 냈는지는 우리 독자들에게 의미가 있을 것이다. (come up with)

______________________ your story would be meaningful to our readers. 기출

[10-11] 다음 주어진 문장에서 어법상 틀린 곳을 찾아 바르게 고치시오.

10 That(①) we eat can(②) affect(③) our physical condition.

11 Whether(①) the project will succeed depend(②) on the ability of(③) the team members.

1

글의 흐름으로 보아, 주어진 문장이 들어가기에 가장 적절한 곳은?

> Comets, on the other hand, are composed of ice and dust, and they form tails when approaching the Sun.

What we commonly call "shooting stars" are actually meteors. (①) Meteors are small pieces of rock that burn up as they enter Earth's atmosphere at high speeds. (②) The short, white trail that can be seen is burned-off material that glows as it cools down. (③) When Earth passes through a cloud of dust left behind by a comet, a meteor shower takes place. (④) Sometimes a meteor falling through the atmosphere causes an unusually bright streak across the sky—this is called a fireball. (⑤) If a fireball is not completely vaporized as it passes through the atmosphere, it will hit Earth's surface. When it does, it is known as a meteorite.

내신·서술형
주어진 철자로 시작하는 단어를 써서 본문의 제목을 완성하시오.
D__________ Among Meteors, Comets, and Meteorites

2

(A), (B), (C)의 각 네모 안에서 어법에 맞는 표현으로 가장 적절한 것은?

Most of us keep a close eye on what is on our plate, but we don't keep an eye on the clock. Studies show that **when we eat each of our daily meals** **(A)** [is / are] as important as what we eat. Your metabolism actually changes throughout the day due to your body's clock, also known as your circadian rhythm. If you don't eat in harmony with your circadian rhythm, you can __________ a greater risk of heart disease, diabetes and obesity. The key is the sun—this is what sets your circadian rhythm. The body prefers to eat when the sun is shining and **(B)** [to rest / resting] during the night. It has been shown that dieters who consume most of their calories before 3 p.m. lose more weight than those who eat later in the day. Therefore, pay attention to your circadian rhythm, **(C)** [or / and] you will feel more energetic and become healthier in general.

*circadian rhythm 24시간 주기 리듬

	(A)	(B)	(C)
①	is	to rest	and
②	is	to rest	or
③	is	resting	and
④	are	resting	or
⑤	are	to rest	and

내신·서술형
본문의 빈칸에 들어갈 적절한 한 단어를 주어진 영영 풀이를 참고하여 쓰시오. (f로 시작)

to deal with something unpleasant

→ __________

정답 및 해설 pp. 4~5

3

다음 빈칸에 들어갈 말로 가장 적절한 것은?

Imagine a piece of toast with jam on it falls off a table. Some people say if it lands on the jam side, it is bad luck. But let's look at the situation logically. The factors include gravity and the height of the table it fell off, as well as the size of the toast and the angle at which it fell, which determine ____________________. **Whether the toast rotates to a position in which the jam is touching the floor or not** depends on the force that causes the toast to rotate. Assuming that the table is about one meter tall, the toast will rotate about half a turn. This means the jam side of the toast will now be facing down. **That your toast lands on the jam side** is therefore not bad luck. It is just simple science.

① how much jam is on the toast
② the chances of the toast falling
③ the motion of the toast's rotation
④ where on the floor the jam lands
⑤ the total distance of the toast's fall

Q 내신·서술형
밑줄 친 This가 의미하는 바를 우리말로 쓰시오.

Words & Expressions

1 comet 혜성 on the other hand 반면에 be composed of ~로 이루어지다 approach 접근하다 commonly 흔히 meteor 유성 atmosphere (지구) 대기, 대기권 trail (유성의) 꼬리, 자국 glow 빛나다 cool down 식다 take place 발생하다 unusually 유별나게 streak 줄무늬, 선 fireball 화구(火球) vaporize 증발하다 meteorite 운석

2 keep a close eye on ~을 면밀히 관찰하다 metabolism 신진대사 in harmony with ~와 조화를 이루어 risk 위험 diabetes 당뇨병 obesity 비만 rest 쉬다 consume 소비하다 lose weight 몸무게가 줄다 pay attention to ~에 주의를 기울이다 in general 일반적으로

3 land 떨어지다, 착륙하다 logically 논리적으로 factor 요인 gravity 중력 angle 각도, 기울기 determine 결정하다 motion 움직임, 운동 rotation 회전 rotate 회전하다 position 위치, 자리 depend on ~에 달려 있다 assuming that ~이라 가정하면

03 긴 주어를 대신하는 가주어 it

주어

1 to부정사구/동명사구를 대신하는 가주어 it

to부정사구나 동명사구 주어가 길어질 경우 주어 자리에 가주어 it을 쓰고 진주어는 문장 뒤로 보낼 수 있다. 이때 가주어 it은 '그것'이라고 해석하지 않으며 to부정사구나 동명사구를 진주어로 해석한다.

[1] **It** can be difficult / **to persuade people to participate in online research.**
어려울 수 있다 / 사람들을 온라인 조사에 참여하도록 설득하는 것은

[2] **It** was fun / **playing soccer with my neighbors.**
재밌었다 / 이웃과 축구하는 것은

[3] **It**'s good manners / for English people / **not to show one's grief in public.**
좋은 매너이다 / 영국인들은 / 자신의 슬픔을 공공연히 드러내지 않는 것이

「It ~ to-v」 구문에서 to부정사의 행위의 주체인 의미상의 주어는 「for/of+목적격」으로 나타낸다. 이때 전치사는 대부분 for를 쓰고, 앞에 사람의 성질을 나타내는 형용사(kind/wise/foolish 등)가 올 경우 of를 쓴다.

It is necessary / *for him* / **to investigate all those involved.** (조사하는 주체는 '그')
필요하다 / *그가* / 모든 관련자들을 조사하는 것은

It was very kind / *of her* / **to help me do my assignment.** (숙제를 도와준 사람은 '그녀')
매우 친절했다 / *그녀가* / 내가 숙제를 하도록 도와준 것은

2 명사절을 대신하는 가주어 it

명사절 주어가 길어질 경우 주어 자리에 가주어 it을 쓰고 진주어인 명사절은 문장 뒤로 보낼 수 있다. 이때 가주어 it은 '그것'이라고 해석하지 않으며 명사절을 진주어로 해석한다.

[4] **It** matters a lot / to both countries / **whether she turns down the proposal or not.**
매우 중요하다 / 두 나라 모두에게 / 그녀가 그 제안을 거절하는지 아닌지는

[5] **It** is still a mystery / **how the prisoners escaped from the prison.**
아직도 수수께끼이다 / 죄수들이 그 감옥을 어떻게 탈출했는지는

[6] **It** is clear / **that we need his testimony to win the trial.**
분명하다 / 우리가 재판을 이기기 위해 그의 증언이 필요하다는 것은

혼동하기 쉬운 구문

「It is[was] ~ that」 가주어 구문과 「It is[was] ~ that」 강조 구문을 혼동하지 않는다. 가주어 구문의 that 뒤에는 완전한 절이 오는 반면, 강조 구문의 that 뒤에는 불완전한 절이 온다. (강조 구문 → p.130)

It is his testimony / **that we need to win the trial.** (강조 구문 - that절에 목적어 없음)
바로 그의 증언이다 / 재판을 이기기 위해 우리가 필요한 것은

구문 연습 내신·서술형

정답 및 해설 p. 6

[1-5] 다음 주어진 문장에서 진주어에 밑줄을 긋고, 문장 전체를 해석하시오.

1 It is dangerous to ride a motorcycle without a helmet.

____

2 It is very important to check the garden for potential dangers. 기출 응용

____

3 It was surprising how successful the movie was at the global box office.

____

4 It is obvious that humans take advantage of nature to benefit themselves.

____

5 It was natural for the company to name the building after its founder.

____

영작
연습

[6-9] 다음 괄호 안의 단어를 이용하여 우리말과 같은 뜻이 되도록 문장을 완성하시오. (필요하면 형태를 바꿀 것)

6 동물들과 시간을 좀 보내는 것은 매우 즐겁다. (spend, some time)

________ is a lot of fun ________ ________ ________ with animals.

7 그녀가 그의 충고를 따른 것은 실수였다. (follow)

________ was a mistake ________ ________ ________ ________ his advice.

8 네가 동의하는지 아닌지는 중요하지 않다. (agree)

________ doesn't matter ________ ________ ________ ________ ________.

9 우리가 우리 몸이 우리에게 말하고 있는 것을 듣는 것은 필수적이다. (hear)

________ is essential ________ ________ ________ what our body is telling us. 기출 응용

[10-11] 다음 주어진 문장에서 어법상 틀린 곳을 찾아 바르게 고치시오.

10 That① is not known exactly what② causes③ eating disorders.

11 It① was hard of② me to decide③ the name and the design of the logo.

1

주어진 글 다음에 이어질 글의 순서로 가장 적절한 것은?

We all have a rough map of the world in our minds. **It**'s not surprising **that these mental maps aren't always reliable.**

(A) For example, **it** is a very common error **to believe that South America is directly south of North America**. In reality, it lies mostly to the southeast. There is an obvious reason for this misconception—it's called South America, not Southeast America.

(B) Even after we've learned the truth about these common errors, we rarely bother to correct our mental maps. One reason may be that these maps are simply rough sketches. Even when they are not perfect, they are useful.

(C) Another continent that is often misplaced is Africa. People usually imagine that the equator runs through the middle of it. However, about two-thirds of the continent is north of the equator. The northernmost part is actually at about the same latitude as Seoul.

① (A) – (B) – (C)
② (A) – (C) – (B)
③ (B) – (A) – (C)
④ (B) – (C) – (A)
⑤ (C) – (A) – (B)

Q 내신·서술형
다음은 본문의 주제이다. 빈칸에 알맞은 단어를 본문에서 찾아 쓰시오.
the common __________ of our __________ maps

2

다음 글의 밑줄 친 부분 중, 문맥상 낱말의 쓰임이 적절하지 않은 것은?

Polygraphs, commonly known as lie detectors, gauge a person's level of nervous excitement by ① measuring several bodily functions, including perspiration, blood pressure, and pulse rate. In a typical polygraph test, the person being tested is first asked two types of control questions: ones that are expected to receive ② truthful answers and others that are expected to be answered with lies. The polygraph results from these questions are later compared with those of other questions in order to ③ determine whether or not the person is telling the truth. __________, **it**'s possible for people **to purposely raise their level of nervous excitement** when answering the control questions truthfully. When they do, **it** becomes more ④ difficult for the examiner **to decide whether or not the person is lying later**. Therefore, even if polygraphs are ⑤ ineffective at measuring physiological factors, that doesn't mean they will always be able to differentiate between lies and the truth.

Q 내신·서술형
문맥상 빈칸에 들어갈 연결사로 가장 적절한 것은?
① Therefore
② However
③ For example
④ Nonetheless
⑤ In addition

정답 및 해설 pp. 6~8

3

다음 빈칸에 들어갈 말로 가장 적절한 것은?

Robots are becoming more and more common these days. In fact, **it**'s hard **to think of a place where robots aren't used at all.** You can even find ⓐ them in restaurants now. A new restaurant in Boston, for example, makes use of robot chefs. **It**'s easy for these chefs **to prepare healthy and affordable food in less than three minutes.** Diners place their orders using a touch screen. This causes the restaurant's ingredient delivery system to collect the ingredients and deposit ⓑ them into an automated pan. The pan remains in constant motion, ensuring that the food cooks evenly, before pouring it into a bowl. Afterwards, robots even clean the pans, using 80% less water than normal dishwashers. Because robots are efficient and don't require a monthly salary, their ultimate effect on dining may be ____________________.

① a reduction of costs for consumers
② a greater focus on healthy ingredients
③ a decrease in the number of restaurants
④ a rise in the popularity of home cooking
⑤ a change in the taste of our favorite foods

Q **내신·서술형**
밑줄 친 ⓐ와 ⓑ가 가리키는 것을 본문에서 찾아 쓰시오.

Words & Expressions

1 rough 대략적인 mental 정신의, 마음의 reliable 신뢰할 만한 in reality 실제로는 lie 놓여 있다, 위치해 있다 obvious 명백한 misconception 오해 rarely 좀처럼 ~하지 않다 bother to-v ~하도록 애쓰다 correct 수정하다 continent 대륙 misplace 잘못 놓다 equator 적도 northernmost 최북단의 latitude 위도

2 polygraph 거짓말 탐지기(= lie detector) gauge 측정하다 nervous 신경의 excitement 흥분 measure 측정하다 perspiration 땀 blood pressure 혈압 pulse rate 맥박수 be compared with ~와 비교되다 determine 결정하다 purposely 일부러 truthfully 정직하게 examiner 조사관, 검사자 physiological 생리적인 differentiate 구별하다

3 make use of 사용하다, 이용하다 affordable (가격이) 알맞은 diner 식사하는 사람, 손님 ingredient 재료 deposit (특정한 곳에) 두다 automated 자동화된 constant 일정한, 끊임없는 ensure 반드시 ~하게 하다 evenly 고르게, 균등하게 pour 붓다 afterwards 나중에, 그 뒤에 efficient 효율적인 ultimate 최고의, 궁극적인

04 수식을 받아 길어진 주어

주어

1 전치사구/형용사구/to부정사구의 수식을 받는 주어

전치사구, 형용사구, to부정사구가 주어를 수식하여 주어가 길어질 수 있다. 이때, 주어를 수식하는 구 전체를 하나로 묶어 주어를 먼저 파악한다.

[1] ***The relationship* between parents and their teenage children** / is rarely harmonious.
전치사구
부모와 십 대 자녀 사이의 관계는 / 좀처럼 사이가 좋지 않다

[2] ***A device* useful for tracking your children** / has already been developed.
형용사구
자녀의 위치를 추적하는 데 유용한 장치는 / 이미 개발되었다

[3] ***One way* to achieve performance enhancement** / is self-suggestion.
to부정사구
실적 향상을 성취하기 위한 한 가지 방법은 / 자기 암시이다

★ to부정사(형용사적 용법)의 수식을 받는 명사의 예

ability to speak English (영어를 말할 수 있는 능력)
decision to go abroad (해외에 가려는 결심)
plan to go on a vacation (휴가를 갈 계획)
opportunity to learn new things (새로운 것들을 배울 기회)
attempt to log in (로그인 하려는 시도)
effort to help the poor (가난한 사람들을 도우려는 노력)
way to lose weight (체중 감량을 위한 방법)
chance to become a singer (가수가 될 기회)

2 분사구/관계사절의 수식을 받는 주어

분사구나 관계사절이 주어를 수식하여 주어가 길어질 수 있다. 이때, 주어를 수식하는 구나 절 전체를 하나로 묶어 주어를 먼저 파악한다.

[4] ***Water* containing herbicides** / mustn't be released back into the river.
현재분사구
제초제를 함유한 물은 / 강으로 다시 방출되어서는 안 된다

[5] ***Most of the wood* consumed in the Third World** / is used for cooking and heating.
과거분사구
제3세계에서 소비되는 대부분의 목재는 / 요리와 난방에 사용된다

[6] ***The beliefs* that are taught in school today** / were formed in the past.
관계대명사 that절
오늘날 학교에서 배우는 신념은 / 과거에 형성되었다

혼동하기 쉬운 구문

명사 뒤의 that절이 그 명사를 수식하는 관계사절이 아닌 동격의 that절일 수도 있다. 관계대명사 that 뒤에는 불완전한 절이 오고, 동격의 that 뒤에는 완전한 절이 온다. (동격 구문 → p.134)

The belief / that you are always right / is very dangerous. (The belief = that절의 내용)
신념은 / 당신이 항상 옳다는 / 매우 위험하다

구문 연습 내신·서술형

정답 및 해설 p. 8

[1-5] 다음 주어진 문장에서 주어를 수식하는 부분에 밑줄을 긋고, 문장 전체를 해석하시오.

1 The complaints with the quality of our service continued.

____

2 Companies seeking to enter the Chinese market are increasing.

____

3 The festival most popular with foreign visitors is the Samba Festival.

____

4 The efforts to guard and maintain human progress are unsustainable. 기출 응용

____

5 The restaurant that just opened in town is already receiving positive reviews.

____

영작 연습

[6-9] 다음 괄호 안의 단어를 우리말과 같은 뜻이 되도록 배열하여 문장을 완성하시오.

6 이해하기 어려운 설명서는 나에게 쓸모가 없다. (difficult, understand, to)
Manuals ______________________ are useless to me.

7 토론에 기여하는 것은 무엇이든 환영한다. (the, that, debate, to, contributes)
Anything ______________________ is welcome.

8 이른 나이에 음악에 흥미를 느끼는 아이들은 강력한 지적 능력을 발달시킨다. (early, in, music, age, interested, an, at)
Kids ______________________ develop powerful intellectual skills.

9 비용 절감책으로 월요일에 도서관을 닫는 정책은 어린이들에게 해로울 수 있다. (libraries, on, closing, of, Mondays)
The policy ______________________ as a cost-cutting measure could be harmful to children. 기출 응용

어법 연습

[10-11] 다음 괄호 안에서 어법상 알맞은 말을 고르고, 그 이유를 쓰시오.

10 The government's effort (that / to) create jobs was ineffective.

____

11 The types of errors (produced / producing) by cutting corners are predictable.

____

구문 적용 독해

1

밑줄 친 부분이 가리키는 대상이 나머지 넷과 다른 것은?

White-haired Uncle Sam, **an old man wearing a top hat and striped pants** is a well-known symbol of the United States. According to a legend, the character was named after Samuel Wilson. ① He was a popular meat packer who was referred to as "Uncle Sam" by his employees. **The barrels of beef that ② he supplied the army with during the War of 1812** ⓐ was stamped with the initials U.S. to indicate that they were property of the United States government. When one of his workers was asked what the initials stood for, however, ③ he mistakenly said "Uncle Sam." The mistake continued over time, and eventually ④ his personal nickname also became a nickname for the United States. It wasn't until World War I, however, that the widely recognized Uncle Sam image was created. In 1961, **a resolution passed by Congress** recognized ⑤ Wilson as ⓑ being the namesake of Uncle Sam.

> **내신·서술형**
> 밑줄 친 ⓐ와 ⓑ 중에서 어법상 틀린 것을 찾아 바르게 고치시오.

2

다음 빈칸에 들어갈 말로 가장 적절한 것은?

In an experiment, **people who had had a stroke and were suffering from amnesia** were asked to memorize a list of words and then were given another task to perform. Ten minutes later, they could remember an average of just 14% of the words on the list. However, when instead they sat alone in a darkened room ________________, this percentage rose sharply to 49%. This shows that even a short break can help prevent new memories from quickly disappearing. In another experiment, researchers found that people could recall pairs of words they had memorized better after sleeping for 90 minutes than after watching a movie. They noted that **people whose daily habits included a regular afternoon nap** received the greatest benefit from sleeping. **People who weren't accustomed to napping** didn't receive a particularly strong boost to their memories.

*amnesia 기억 상실(증)

① doing nothing
② creating ideas
③ doing exercises
④ watching a movie
⑤ memorizing the words

> **내신·서술형**
> 밑줄 친 instead가 의미하는 바를 우리말로 쓰시오.

정답 및 해설 pp. 8~10

3

Austin Symphony Benefit Concert에 관한 다음 안내문의 내용과 일치하는 것은?

Q **내신·서술형**
티켓 전액 환불은 언제까지 가능한지 날짜와 시간을 들어 구체적으로 답하시오.

Austin Symphony Benefit Concert

A special concert for the victims of last week's terrible earthquake in Nepal will be held next week at City Arena. The Austin Symphony Orchestra will be performing songs from their latest CD, *Amazing Mozart*. **All the proceeds from ticket sales and sales of Austin Symphony Orchestra CDs at the event** will be donated to the victims of the earthquake.

Time & Date: 7 p.m., Sunday, June 14
Length: 2 hours and 30 minutes (including 20-minute intermission)
Tickets: Adult (16 & over): $10
Student (with ID): $8
Child (7 & under): free

Notes

- Full ticket refunds will be available until 24 hours before the event.
- Free snacks and drinks will be offered in the lobby during the intermission.
- Please do not film or record the event.

*proceeds 수익금

① 공연 수익금은 지진 피해 복구에 쓰인다.
② 공연은 밤 9시 30분에 끝난다.
③ 신분증 지참 시 학생은 무료 입장이 가능하다.
④ 로비에서 스낵과 음료를 판매한다.
⑤ 콘서트 관람 중 녹음이 가능하다.

Words & Expressions

1 top hat 중절모자 legend 전설 meat packer 정육업자 be referred to as ~라고 불리다 barrel 통, 배럴 stamp 도장을 찍다 indicate 알리다, 표시하다 property 자산, 소유 stand for ~을 나타내다, 상징하다 mistakenly 실수로 recognize 인정하다, 알아보다 resolution 결의(안) Congress (미)의회 namesake 동일한 인물[이름]
2 experiment 실험 stroke 뇌졸중, 발작 perform 수행하다 sharply 급격히 prevent A from B A가 B하지 못하게 하다 recall 기억해 내다 note 알아차리다, 주목하다 nap 낮잠 be accustomed to ~에 익숙하다 particularly 특히 boost 상승
3 benefit 자선, 혜택 victim 희생자 earthquake 지진 perform 공연하다, 연주하다 latest 최신의 donate 기부하다 intermission 중간 휴식 시간, 막간 refund 환불 available 유효한, 이용 가능한

Supreme

Chapter

목적어의 이해

- 목적어는 문장에서 동사가 나타내는 동작의 대상이 되는 말로 주요 문장 성분이다.
- 목적어의 기본 형태는 명사/대명사이며 to부정사구/동명사구/명사절도 목적어가 될 수 있다.
- 목적어가 길어질 경우 가목적어 it을 대신 쓰고 진목적어는 뒤에 쓴다.

05 목적어

to부정사구/동명사구 목적어

1 to부정사구 목적어

to부정사구는 문장에서 동사의 목적어 역할을 할 수 있으며 '~하는 것을'로 해석한다. to부정사만을 목적어로 취하는 동사에는 agree, choose, decide, expect, fail, hope, learn, plan, promise, want, wish 등이 있다.

[1] The government / decided **to host** / **refugees of different nationalities**.
정부는 / 수용할 것을 결정했다 / 다른 국적을 가진 난민을

[2] Strict parents / expect **to be closely involved** / **in their children's lives**.
엄격한 부모들은 / 밀접하게 연관되는 것을 기대한다 / 그들의 자녀들의 삶에

2 동명사구 목적어

동명사구는 문장에서 동사나 전치사의 목적어 역할을 할 수 있으며 '~하는 것을'로 해석한다. 동명사만을 목적어로 취하는 동사에는 avoid, consider, deny, enjoy, finish, give up, keep, mind, quit, stop, suggest 등이 있다.

[3] Some key players on the team / are considering **submitting transfer requests**.
그 팀의 몇몇 주요 선수들은 / 이적 요청서 제출하는 것을 고려하고 있다

[4] My turn had come, / so I stopped **drinking from my bottle of water**.
내 차례가 되어서 / 나는 내 물병의 물을 마시는 것을 멈췄다

혼동하기 쉬운 구문 **stop 뒤에 to부정사가 오면 '~하기 위해 멈추다'의 의미로 to부정사의 부사적 용법으로 사용된 것이므로 목적어로 혼동하지 않도록 유의한다.**

I felt thirsty, / so I **stopped to drink from my bottle of water**. (to부정사의 부사적 용법)
나는 목이 말라서 / 내 물병의 물을 마시기 위해 멈췄다

3 to부정사구 목적어 vs. 동명사구 목적어

목적어로 to부정사와 동명사를 둘 다 취하는 동사(love, like, dislike, start, begin 등)가 있는데 대부분의 경우 의미 차이 없이 쓰인다. 하지만 remember, forget 등과 같이 의미가 달라지는 경우가 있으므로 해석에 유의해야 한다.

[5] Snow / began / **to fall[falling] steadily from a sky**.
눈은 / 시작했다 / 하늘에서 계속해서 내리기를

[6] You should remember / **to apply for the volunteer program** / next semester. (to부정사: 미래의 일)
너는 기억해야 한다 / 자원봉사 프로그램에 지원할 것을 / 다음 학기에

[7] I remember / **applying for the volunteer program** / last semester. (동명사: 과거의 일)
나는 기억한다 / 자원봉사 프로그램에 지원한 것을 / 지난 학기에

★ to부정사 목적어와 동명사 목적어 사이에 의미 차이가 있는 경우

forget+to부정사 (~하는 것을 잊다)
try+to부정사 (~하려고 노력하다)
regret+to부정사 (~하는 것을 유감으로 여기다)

forget+동명사 (~한 것을 잊다)
try+동명사 (시험삼아 ~해 보다)
regret+동명사 (~한 것을 후회하다)

구문 연습 내신·서술형

정답 및 해설 p. 10

해석 연습

[1-5] 다음 주어진 문장에서 목적어에 밑줄을 긋고, 문장 전체를 해석하시오.

1 Many people keep delaying things they should do. 기출 응용

____

2 They refused to reveal more details of the space project.

____

3 Mark regrets having paid no attention to the advice of his father.

____

4 Due to enforcement of the new law, most employees avoid working late hours.

____

5 They agreed to look into the causes of the accident.

____

영작 연습

[6-9] 다음 괄호 안의 단어를 이용하여 우리말과 같은 뜻이 되도록 문장을 완성하시오. (필요하면 형태를 바꿀 것)

6 정부는 무료 보건 혜택을 제공하기로 결정했다. (decide, provide, free healthcare)
The government ______________________.

7 그 판매원은 어제 나에게 그의 명함을 줬던 것을 잊었다. (forget, give, business card)
The salesperson ______________________ to me yesterday.

8 에든버러로 가는 길에, 우리는 오래된 성을 보기 위해 멈췄다. (stop, look at, an old castle)
On the way to Edinburgh, we ______________________.

9 의장은 '계약'이라는 단어를 '합의'로 바꿀 것을 제안했다. (suggest, change, the word)
The president ______________________ "contract" to "agreement."

어법 연습

[10-11] 다음 괄호 안에서 어법상 알맞은 말을 고르고, 그 이유를 쓰시오.

10 Liam promised (getting / to get) the work done by the weekend.

____

11 The washing machine made a lot of noise, and later, it stopped (operating / to operate) entirely. 기출 응용

____

1

다음 글에서 전체 흐름과 관계 없는 문장은?

After discovering the Americas, Europeans began **to import many different products from these new lands.** Some of them are still popular today, such as corn, coffee and pumpkins. Others, however, are now relatively unknown. ① One such product is an insect named the cochineal, which was one of the most valuable American exports and was very popular in Europe for centuries. ② This small red insect consumes the bright red fruit of the prickly pear cactus. ③ This causes the color to accumulate in its body, which can then be used to make cloth or food red. ④ Producing dyes was time-consuming labor, so it was usually done by the elderly and women. ⑤ However, because more and more companies now choose **to use artificial dyes,** it has been losing its commercial importance.

*prickly 가시로 뒤덮인

Q 내신·서술형
아래 주어진 영영 풀이에 해당하는 단어를 본문에서 찾아 쓰시오.

to gradually increase in number or amount

2

다음 글의 요지로 가장 적절한 것은?

Bullying has been around for a long time, but the growth in use of smartphones and social media has created a new form of bullying. When bullying occurs on social media sites, texting apps, games or online forums, it is known as cyberbullying. This kind of behavior generally involves **sending, posting** or **sharing information about others that is negative, harmful, or false.** It can include **sharing personal information or images intended to cause embarrassment and humiliation.** But it is important to note that cyberbullying doesn't only hurt the victims — it can have ____________ consequences for those doing the bullying. Everything that takes place online is recorded and saved forever as permanent public information. This public record can be thought of as an online reputation that can keep **hurting the bullies in the future** when they apply to colleges or try **to find a job.**

① 사이버불링은 최근 들어 청소년 문제로 대두되고 있다.
② 사이버불링의 피해자들은 공공 기록의 삭제를 요청할 수 있어야 한다.
③ 타인에 대한 잘못된 정보 유포에 대한 방지 대책이 필요하다.
④ 괴롭힘의 근본적인 해결을 위해서는 스마트폰 사용량을 제한하는 것이 좋다.
⑤ 사이버불링은 피해자뿐만 아니라 가해자에게도 부정적인 결과를 가져올 수 있다.

Q 내신·서술형
문맥상 빈칸에 알맞은 것은?
① helpful
② positive
③ valuable
④ negative
⑤ successful

정답 및 해설 pp. 10~12

3

(A), (B), (C)의 각 네모 안에서 문맥에 맞는 낱말로 가장 적절한 것은?

Most people make New Year's resolutions, but few of them stick with their resolutions past January. Trying **to take steps to improve yourself** is great, but using resolutions to do so is a recipe for (A) [success / failure]. This is because resolutions are not only temporary but also inflexible. When people fail once, they tend **to consider their resolutions broken**, so they return to their old ways. To avoid this kind of situation, do not demand (B) [perfection / faultiness] from yourself. Stop **being self-critical** and start **being self-motivating**! One setback isn't the end of all your hard work. Also, make sure these goals are measurable. If your goal is to lose weight, for example, just remember **to write everything**, such as what you eat and what exercises you do. Finally, choose goals that require a change in behavior. This will help you develop sustainable changes in your life that won't (C) [start / end] on February 1.

내신·서술형
밑줄 친 temporary와 반대의 뜻을 가진 단어를 본문에서 찾아 쓰시오.

	(A)		(B)		(C)
①	success	……	perfection	……	start
②	success	……	faultiness	……	end
③	failure	……	perfection	……	start
④	failure	……	perfection	……	end
⑤	failure	……	faultiness	……	start

Words & Expressions

1 import 수입하다 relatively 상대적으로 cochineal 연지벌레 valuable 가치 있는, 귀중한 export 수출, (-s) 수출품 consume 먹다, 소비하다 cactus 선인장 accumulate 쌓이다 produce 생산하다 dye 염료 labor 노동 artificial 인공의 commercial 상업적인

2 bullying 괴롭힘, 왕따 growth 증가 social media 소셜 미디어 be known as ~로 알려져 있다 cyberbullying 사이버불링, 사이버 폭력 behavior 행동 generally 일반적으로 post (웹사이트에 정보, 사진을) 올리다, 게시하다 embarrassment 당황, 난처한 상황 humiliation 창피, 굴욕 note 주의하다, 주목하다 victim 피해자 bully 괴롭히는 사람 consequence 결과 permanent 영구적인 reputation 평판

3 resolution 결심 stick with ~을 계속 고수하다 take a step 조치를 취하다 recipe 비결, 조리법 temporary 일시적인 inflexible 융통성이 없는 self-critical 자기 비판적인 self-motivating 스스로 동기 부여하는 setback 좌절, 차질 measurable 측정 가능한 sustainable 지속 가능한

06

목적어

명사절 목적어

1 접속사 that절/관계대명사 what절 목적어

접속사 that과 관계대명사 what이 이끄는 명사절은 문장에서 목적어 역할을 할 수 있으며 '~하는[라는] 것을'로 해석한다.

1 We realize / **that having a discussion is not** / **about being right or wrong.**
우리는 깨닫게 된다 / 토론하는 것은 아니라는 것을 / 옳거나 틀린 것에 관한 것이

2 I expect / **that global society will increase annual investments** / **from 24% to 36% of the GDP.**
나는 기대한다 / 국제 사회가 연간 투자를 늘릴 것을 / GDP의 24%에서 36%로

3 The old man did / **what he could** / and gave / **what he had.**
그 노인은 했다 / 그가 할 수 있는 것을 / 그리고 주었다 / 그가 가진 것을

2 접속사 whether/if절 목적어

접속사 whether나 if가 이끄는 명사절은 문장에서 목적어 역할을 할 수 있으며 '~하는지를'로 해석한다.

4 The reporters inquired / **whether the president would attend the summit meeting.**
기자들은 물었다 / 대통령이 정상 회담에 참석할 것인지를

5 The police / couldn't tell / **if the man in the video was the criminal.**
경찰은 / 구별할 수 없었다 / 영상에 있는 남자가 범인인지를

혼동하기 쉬운 구문

접속사 if절은 목적어 역할을 하는 명사절을 이끌기도 하지만, 조건의 부사절로 쓰여 '~라면[하면]'의 의미를 나타낼 수도 있다. **(종속접속사 구문 → p.122)**

Call me at once / **if the man in the video was the criminal.** (조건의 부사절)
내게 즉시 전화해라 / 그 영상에 있는 남자가 범인이라면

3 의문사절 목적어

의문사가 이끄는 절은 문장에서 목적어 역할을 할 수 있으며 명사절 전체를 묶어 각 의문사의 의미에 맞게 해석한다.

6 Doctors don't know / **why some babies are born prematurely.**
의사들은 알지 못한다 / 왜 일부 아기들이 미숙아로 태어나는지를

7 Science tells us / **where we are and what we are.**
과학은 우리에게 알려 준다 / 우리가 어디에 있고 우리가 무엇인지를

문법 Plus

의문사가 이끄는 절이 목적어로 올 경우, 「의문사+주어+동사」의 간접의문문의 어순으로 쓴다. 단, 의문사가 주어인 경우에는 「의문사+동사」의 순서로 쓴다.

Tell me / how(의문사) they(S) booked(V) the hotel room.
내게 말해 줘 / 그들이 어떻게 그 호텔 방을 예약했는지를

Do you mind if I ask / who(S(의문사)) requested(V) a warranty exchange?
제가 물어봐도 될까요 / 누가 보증 교환을 요청했는지를

구문 연습 내신·서술형

정답 및 해설 p. 12

[1-5] 다음 주어진 문장에서 목적어에 밑줄을 긋고, 문장 전체를 해석하시오.

1 Egyptians developed what were probably first balls. 기출 응용

____

2 Most companies find out how they can satisfy customers most effectively.

____

3 I don't know if it is possible to make a group reservation for Saturday.

____

4 We recommend that all users reset their passwords as soon as possible. 기출

____

5 They wonder whether some charities are really having a positive impact. 기출 응용

____

영작 연습

[6-9] 다음 괄호 안의 단어를 우리말과 같은 뜻이 되도록 배열하여 문장을 완성하시오.

6 아무도 그 보물이 어디에 숨겨져 있는지를 모른다. (is, the, treasure, hidden, where)
No one knows ______________________.

7 우리는 그 소문에 진실이 없다는 것을 알아냈다. (no, there, truth, that, was)
We discovered ______________________ in the rumor.

8 Anderson은 그가 가르치는 일에 적합한지 궁금해 했다. (he, suited, was, whether)
Anderson wondered ______________________ for teaching.

9 많은 사람들이 주민들이 겨울에 어떻게 음식을 저장하는지 보았다. (food, the, how, inhabitants, their, stored)
Many people saw ______________________ in the winter. 기출 응용

어법 연습

[10-11] 다음 괄호 안에서 어법상 알맞은 말을 고르고, 그 이유를 쓰시오.

10 The researchers hoped to learn (that / what) caused the problem.

____

11 I haven't yet known (who / whether) my parents arrived safely.

____

1

다음 빈칸에 들어갈 말로 가장 적절한 것은?

A professor held up a cup of water and asked her students **how much they thought the cup weighed**. They yelled out a wide range of answers. She said, "From my perspective, the actual weight doesn't matter. How heavy this cup is ⓐ depends on **how long I hold it.** If I just hold it up for a few seconds, it is not heavy at all. If I had to hold it up for an hour, however, it would quickly grow quite heavy. Although the actual weight of the cup doesn't change, my ________ of its weight does." She went on to explain **that stress and worry act in the same way**. If you only think about your problems for a short time, nothing bad happens. But if you continually think about them, your stress and worry grow heavier and heavier until you are incapable of ⓑ do anything about them.

Q 내신·서술형
밑줄 친 ⓐ와 ⓑ 중 어법상 틀린 것을 찾아 바르게 고치시오.

① reality ② perception ③ contribution
④ discipline ⑤ misconception

2

밑줄 친 The same is true for brands.가 다음 글에서 의미하는 바로 가장 적절한 것은?

When watching a movie, what viewers want to know is who the main characters are, what they want, what obstacles are standing in their way, what terrible things will happen if they fail, and what wonderful things will happen if they don't. If viewers don't receive satisfactory answers to these questions, it is highly unlikely that they will enjoy the movie. The same is true for brands. Consumers have questions about the products they buy, and if a company doesn't provide answers, they are likely to switch to another brand. If a company doesn't know **what its customers want, what its products are used for,** and **what benefits its customers receive from its products,** that company will not be able to thrive in a competitive marketplace. Whatever the situation, you must deliver a clear message to your customers.

Q 내신·서술형
아래 주어진 영영 풀이에 해당하는 단어를 본문에서 찾아 쓰시오.

to become very successful or very strong and healthy

① Products should include detailed information on their packaging.
② Movies can be used to effectively advertise a company's products.
③ Audiences prefer movies that remind them of their favorite brands.
④ Companies must have a clear picture of what their customers want.
⑤ Consumers will not stick with a brand that makes them ask questions.

정답 및 해설 pp. 12~14

3

다음 빈칸에 들어갈 말로 가장 적절한 것은?

Students were shown a photo of a room with empty walls and little furniture. When asked **who lived in the room** and **whether that person was a man or a woman**, most answered "a man." When asked to explain their answer, their reasons varied. Some explained **that there were few decorations in the room**. If a woman lived there, another answered, there would at least be some photos of her family or children. Some students noticed details that the others hadn't and each used their own beliefs to build a deeper story around the image. This method encourages students to think freely, as there are no right or wrong answers in such an activity. The ultimate lesson learned by students is that it is very possible for people to come away with ______________________ from the same basic information.

① only the broadest of details
② completely mistaken beliefs
③ unfair biases and prejudices
④ different impressions and thoughts
⑤ a better understanding of someone

Q 내신·서술형
밑줄 친 This method의 특징을 30자 이내의 우리말로 쓰시오.

Words & Expressions

1 weigh 무게가 ~이다 yell out 소리치다, 외치다 range 범위, 범주 perspective 관점, 시각 weight 무게, 체중 matter 중요하다 go on to 계속 ~하다 continually 계속, 끊임 없이 be incapable of ~을 할 수 없다

2 viewer 시청자 obstacle 장애물 satisfactory 만족스러운 highly 매우 brand 브랜드, 상표 switch 바꾸다, 교환하다 benefit 혜택 thrive 번창하다 competitive 경쟁적인 deliver 전달하다

3 furniture 가구 vary 서로 다르다 decoration 장식 notice 알아차리다 detail 세부 사항 strategy 전략 encourage 격려하다, 촉진하다 freely 자유롭게 ultimate 궁극적인 come away with 가지다, 갖고 나오다

긴 목적어를 대신하는 가목적어 it

1 to부정사구/동명사구를 대신하는 가목적어 it

to부정사구나 동명사구가 목적어로 쓰여 길어질 경우 가목적어 it을 목적어 자리에 쓰고 진목적어는 문장 뒤에 쓴다. 가목적어 it은 '그것'이라고 해석하지 않으며, to부정사구나 동명사구를 진목적어로 해석한다.

[1] Nasal stuffiness / can make **it** hard / **to breathe through your nose.**
코 막힘이 / 어렵게 만들 수 있다 / 코로 숨쉬는 것을

[2] After Apollo 11, / Aldrin found **it** difficult / **to readjust to life on Earth.**
아폴로 11호 이후에 / Aldrin은 어렵다는 것을 알았다 / 지구에서의 생활에 다시 적응하는 것이

[3] They / found **it** unpleasant / **living in a complex environment**.
그들은 / 불편하다고 생각했다 / 복잡한 환경에서 사는 것이

가목적어 자리에 it 대신 다른 대명사(this / that / him / her 등)는 쓸 수 없다.

We / thought [it / that] impolite / **to ask personal questions.**
우리는 / 무례하다고 생각했다 / 개인적인 질문을 하는 것이

The machine / made [them / it] possible / **to increase production.**
그 기계는 / 가능하게 만들었다 / 생산량을 늘리는 것을

2 명사절을 대신하는 가목적어 it

명사절이 목적어로 쓰여 길어질 경우 가목적어 it을 목적어 자리에 쓰고 진목적어는 문장 뒤에 쓴다. 가목적어 it은 '그것'이라고 해석하지 않으며, 명사절을 진목적어로 해석한다.

[4] The universities / made **it** clear / **that they would not raise tuition fees.**
그 대학들은 / 분명히 했다 / 등록금을 인상하지 않을 것임을

[5] No one / finds **it** strange / **that a paleontologist has a mammoth tooth in his home.**
아무도 / 이상하다고 생각하지 않는다 / 고생물학자가 그의 집에 매머드 이빨을 가지고 있다는 것을

[6] The boss / made **it** clear / **what he wanted from the employees.**
사장은 / 분명히 했다 / 그가 직원들로부터 원하는 것을

★ 자주 쓰이는 가목적어-진목적어 구문

make it a rule+to부정사 (~하는 것을 원칙으로 하다)
make it clear+that절 (~을 분명히 하다)
take it for granted+that절 (~을 당연하게 여기다)
consider it necessary+to부정사/that절 (~하는 것을 필요하다고 여기다)
find it difficult+to부정사/that절 (~하는 것이 어렵다는 것을 알다)

구문 연습 내신·서술형

정답 및 해설 p. 14

[1-5] 다음 주어진 문장에서 진목적어에 밑줄을 긋고, 문장 전체를 해석하시오.

1 You'll find it helpful living with a pet.

____

2 The students consider it necessary to establish clear rules.

____

3 I think it very important that we respect each other's differences.

____

4 They make it a rule to refund the money if purchasers return plastic. 기출

____

5 The Internet makes it possible to communicate with people freely.

____

영작 연습

[6-9] 다음 괄호 안의 단어를 우리말과 같은 뜻이 되도록 배열하여 문장을 완성하시오.

6 나는 빗속에서 걷는 것이 불쾌하다고 생각했다. (walking, it, thought, unpleasant)
I ______________________ in the rain.

7 중소기업들은 직원을 채용하는 것이 어렵다는 것을 안다. (staff, it, recruit, find, to, difficult)
Small businesses ______________________.

8 그 배우는 제안을 수용하지 않을 것임을 분명히 했다. (that, accept, it, made, he, wouldn't, clear)
The actor ______________________ the proposal.

9 우리는 정보가 신뢰할 수 있는 출처에서 나오는 것이 중요하다고 생각한다. (consider, the, important, it, that, information)
We ______________________ comes from reliable sources.

어법 연습

[10-11] 다음 주어진 문장에서 어법상 틀린 곳을 찾아 바르게 고치시오.

10 Investors find(①) that(②) easy to meet the conditions set by(③) the government.

11 The lack of time makes(①) it(②) more difficult get(③) the most out of your studies. 기출 응용

구문 적용 독해

1

글의 흐름으로 보아, 주어진 문장이 들어가기에 가장 적절한 곳은?

> However, posting work that isn't ready for everyone in the world to see can be a big mistake.

The Internet has been compared to a copy machine—once something is posted online, it will be copied over and over. Therefore, anything you post on the Internet becomes public, even if you want it to be private. (①) This copying effect can sometimes be beneficial. (②) The Internet makes **it** easier than ever **to get your work seen by thousands of people.** (③) One publicist had this piece of advice: "Post things as though everyone who can read them had the power to fire you." (④) In other words, it's okay to share imperfect and unfinished work if you want feedback from others. (⑤) But you should not post anything that you'd be embarrassed for your boss to read.

Q 내신·서술형

아래 주어진 영영 풀이에 해당하는 단어를 본문에서 찾아 쓰시오.

to have someone leave their job

2

다음 글에서 필자가 주장하는 바로 가장 적절한 것은?

Distraction can be a greater obstacle to achieving your goals than you might realize. ⓐ It not only throws you off track, it also makes ⓑ **it** harder for you **to get back to the task you were working on.** As a result, it can prevent you from being fully productive when you finally do. To prevent distractions, experts consider **it** important **to be aware of what typically distracts you and find ways to get rid of—or at least minimize—them before you start working.** For example, if you know you will be tempted to look at your smartphone, put it in a place where you neither see nor hear it. Or if you're easily distracted by random noise, try putting in noise-canceling earplugs. By anticipating distractions before they occur, you can create the perfect working environment for yourself.

① 단계별로 장애물을 제거하여 목표를 구체화하라.
② 산만함을 피하는 대신 그것에 적응하도록 노력하라.
③ 생산성을 향상시키기 위해서 조용한 환경을 조성하라.
④ 최적의 작업 환경을 위해 활용 가능한 기기를 이용하라.
⑤ 일을 시작하기 전에 산만하게 만드는 요소를 먼저 제거하라.

Q 내신·서술형

밑줄 친 ⓐ와 ⓑ가 가리키는 것을 본문에서 찾아 쓰시오.

정답 및 해설 pp. 15~16

3

다음 빈칸에 들어갈 말로 가장 적절한 것은?

Q 내신·서술형
꽃들이 곤충을 유혹하기 위해 사용하는 방법으로, 본문에 소개된 2가지를 우리말로 쓰시오.

Flowers reproduce through pollination, so they require the participation of insects. Some flowers lure insects with the promise of food, releasing scents similar to those of rotting flesh or fruit. Others, however, use a different approach—they actually resemble female insects to fool males looking for a mate. Many people find **it** surprising **that flowers use sex to trick insects.** It is an effective strategy that enables some species of orchids to spread their genes widely. For example, the flower of the hammer orchid closely resembles a female wasp waiting on top of a branch for a male to spot her. The flower even releases a scent similar to a female wasp's pheromones. When a male wasp flies down, he is covered in the pollen of the flower. Unable to mate, he will fly on to another "female," which is likely to be another hammer orchid. In this way, he ________________.

*pheromone 페로몬(동종 유인 호르몬)

① fools the orchids into helping him
② visits many different orchid species
③ increases the local wasp population
④ learns to create his own pheromones
⑤ transfers pollen from flower to flower

Words & Expressions

1 post 올리다, 게시하다 copy machine 복사기 public 공개의, 공공연한 private 비공개의, 사적인 beneficial 유익한 publicist 시사 평론가 as though 마치 ~처럼 imperfect 불완전한 embarrassed 당황한

2 distraction 산만함 obstacle 장애물 off track 길에서 벗어난 prevent A from B A가 B하는 것을 막다 fully 완전히 productive 생산적인 be aware of ~을 인지하다 typically 전형적으로 get rid of ~을 제거하다 minimize 최소화하다 tempt 유혹하다 neither A nor B A도 B도 아닌 random 무작위의 noise-canceling 소음을 없애는 earplug 귀마개 anticipate 예상하다

3 reproduce 번식하다 pollination 수분(受粉) participation 참여 lure 유혹하다 release 뿜다, 발산하다 scent 향, 냄새 rot 썩다 flesh 살코기 approach 접근법 resemble 닮다 fool 속이다 mate 짝; 짝짓기를 하다 strategy 전략 species 종(種) orchid 난초 spread 퍼뜨리다 gene 유전자 wasp 말벌 spot 발견하다 transfer 전달하다 pollen 꽃가루

Supreme

Chapter

보어의 이해

- 보어는 문장에서 주어나 목적어의 의미를 보충해주는 말로 주요 문장 성분이다.
- 주어를 보충하면 주격보어, 목적어를 보충하면 목적격보어이다.
- 보어의 기본 형태는 명사/형용사이며 to부정사/동명사/명사절/분사/원형부정사도 보어가 될 수 있다.

to부정사구/동명사구 보어

1 to부정사구 주격보어

to부정사구는 문장에서 주격보어 역할을 할 수 있으며 '~하는 것'으로 해석한다. to부정사를 주격보어로 취하는 동사에는 be, appear, seem, happen, prove, turn out 등이 있다.

[1] Imitation / seems / **to be an important way of learning new behavior among animals**.
모방은 / 처럼 보인다 / 동물들 사이에서 새로운 행동을 익히는 중요한 방법인 것

[2] Your challenge / is / **to use a seasonal ingredient** / to create a delicious dish.
당신의 도전은 / 이다 / 계절 재료를 사용하는 것 / 맛있는 요리를 만들기 위해

혼동하기 쉬운 구문

「be동사+to부정사」는 '~하는 것이다'라는 의미로도 쓰이지만, 문맥에 따라 예정/의도/의무/가능/운명의 의미를 나타낼 수도 있다.

If you / **are to survive** in this world, / you have to be tough. <의도: ~하려고 한다>
만약 당신이 / 이 세상에서 살아남으려고 한다면 / 당신은 강해야 한다

Students / **are to submit** / their final reports / by the end of this month. <의무: ~해야 한다>
학생들은 / 제출해야 한다 / 최종 보고서를 / 이달 말까지

2 to부정사구 목적격보어

to부정사구는 문장에서 목적격보어 역할을 할 수 있으며 '(목적어가) ~하는 것을[하라고]'로 해석한다. to부정사를 목적격보어로 취하는 동사에는 advise, allow, cause, enable, encourage, expect, forbid, force, want, wish 등이 있다.

[3] The weather center / advised the islands / **to be alert for a possible tsunami**.
기상청은 / 그 섬들에 권고했다 / 쓰나미가 올 가능성에 대해 경계할 것을

[4] They / allowed users / **to share only MP3-encoded sound files**.
그들은 / 사용자에게 허용했다 / MP3로 인코딩된 사운드 파일만 공유할 것을

3 동명사구 주격보어

동명사구는 문장에서 주격보어 역할을 할 수 있으며 '~하는 것'으로 해석한다.

[5] Our most important task / is / **defending the principle of integration**.
우리의 가장 중요한 과제는 / 이다 / 통합의 원칙을 지키는 것

[6] Her department's job / is / **evaluating the proposals from the new employees**.
그녀의 부서의 일은 / 이다 / 신입사원들이 제출한 제안서를 평가하는 것

혼동하기 쉬운 구문

v-ing가 주격보어로 쓰여 '~하는 것'이라는 의미를 나타내기도 하지만, 현재분사로 쓰여 '~하는 중인'이라는 의미를 나타내기도 한다.

Her department / is **evaluating** the proposals / from the new employees.
그녀의 부서는 / 제안서를 평가하고 있다 / 신입사원들이 제출한

구문 연습 내신·서술형

정답 및 해설 p. 17

[1-5] 다음 주어진 문장에서 보어에 밑줄을 긋고, 문장 전체를 해석하시오.

1 This treatment appears to be effective only for certain cancer patients.

____

2 The main job of the heart is delivering oxygen to all parts of your body.

____

3 This application enables the user to send up to 100 messages at one time.

____

4 One noble purpose that Schubert had was to write down the beautiful note. 기출 응용

____

5 He forbids pumpkin buyers to create their own zoos this Halloween. 기출 응용

____

[6-9] 다음 괄호 안의 단어를 이용하여 우리말과 같은 뜻이 되도록 문장을 완성하시오. (필요하면 형태를 바꿀 것)

6 우리 반의 전학생은 잘 적응하고 있는 것처럼 보인다. (be, adjusting, well)
Our new classmate seems ______________________________.

7 모든 회사의 목적은 이익을 창출하는 것이다. (produce, profits)
The goal of every company is ______________________________.

8 팀에서 그의 중요한 역할 중 하나는 우선 순위를 결정하는 것이다. (decide, priorities)
One of his important roles on the team is ______________________________.

9 십 대들이 자신의 감정과 생각을 말로 표현할 수 있도록 격려해라. (the teenagers, verbalize)
Encourage ______________________________ their feelings and thoughts.

[10-11] 다음 괄호 안에서 어법상 알맞은 말을 고르고, 그 이유를 쓰시오.

10 Mild winters appear (leading / to lead) to increased infection.

____

11 How long do you expect the economic boom (persisting / to persist)?

____

1

Komodo dragon에 관한 다음 글의 내용과 일치하지 않는 것은?

The Komodo dragon is the largest lizard species in the world, growing to lengths of more than three meters. Its teeth are long and sharp, with edges like a saw's blade. The Komodo dragon can run at speeds of up to 20 km/h, although only for short distances. When threatened, it will vomit, emptying its stomach and making itself lighter in order to flee. Its favorite way to hunt is **to wait next to a trail and wait for an animal to walk by.** It will eat almost anything, including pigs, goats, lizards, and even large buffalo. The bite of the Komodo dragon is especially dangerous, as it is one of the few lizards in the world to have venom. This venom weakens the Komodo dragon's prey. Even if it manages to escape its attacker's jaws, it will die within 24 hours. Using its keen sense of smell, the Komodo will find the dead animal and finish its meal.

① 3미터가 넘게 자라는 가장 큰 도마뱀이다.
② 짧은 거리는 시속 20킬로미터의 속도로 달릴 수 있다.
③ 위협을 받으면 배를 부풀게 하여 몸집을 키운다.
④ 강력한 독으로 먹잇감의 힘을 빠지게 한다.
⑤ 예민한 후각을 이용하여 먹잇감을 찾아낸다.

내신·서술형
아래 주어진 영영 풀이에 해당하는 단어를 본문에서 찾아 쓰시오.

a liquid poison that some snakes, insects, etc. produce when they bite or sting you

2

다음 빈칸에 들어갈 말로 가장 적절한 것은?

Parents around the world express their love for their children, but some use their affection to guide their children toward behavior that they believe will lead to success. When their children get good grades, win school contests, or get accepted to a good college, these parents express their pride and love more strongly. Unfortunately, this causes their love **to appear to be** ____________. Instead of simply saying "I love you," they are implying "I love you because you are listening to me and succeeding." Although most parents in the past expected their children **to simply obey them without question**, most parents today say they want their children **to learn how to think independently**. However, many parents still want obedience from their children — they just don't demand it directly anymore.

① cooperative ② powerful ③ respectful
④ merit-based ⑤ short-tempered

내신·서술형
밑줄 친 it이 가리키는 것을 본문에서 찾아 쓰고 우리말 뜻을 쓰시오.

정답 및 해설 pp. 17~18

3

다음 글의 제목으로 가장 적절한 것은?

It is said that about 15% of the fabric used by the fashion industry ends up being wasted. Unfortunately, this is only one of several negative impacts that the fast-fashion industry has on the environment. In order to counteract this situation, a new fashion movement has been created. It is known as the zero-waste fashion movement, and it promotes garments that can be produced with little or no wasted fabric. The key is **designing pattern pieces that fit together perfectly**, so that every part of the cloth is used when they are cut out. In other words, they interlock like pieces of a puzzle. If this is not possible, the extra bits between them are used in other ways, such as to make accessories. A large number of designers have already enthusiastically embraced zero-waste fashion and are hard at work making fashionable clothing that is environmentally friendly.

*garment 옷, 의류

① The Decline of the Fashion Industry
② The Benefits of Using Natural Fabrics
③ Stop Wasting Money on New Clothes
④ Fabric That Can Be Used Again and Again
⑤ Efforts to Make Clothes Manufacturing Greener

내신·서술형

밑줄 친 movement와 바꿔 쓸 수 있는 단어는?
① group
② fashion
③ progress
④ campaign
⑤ organization

Words & Expressions

1 species 종(種) edge 날, 날카로움 blade 칼날 threaten 위협하다 vomit 토하다 empty 비우다 stomach 위, 배 flee 도망치다 trail 흔적, 자취 bite 물기, 물린 상처 venom 독 prey 먹이 attacker 공격자 jaw 입 부분, 턱 keen 예민한, 예리한

2 express 표현하다 affection 애정 lead to ~로 이끌다 accept 받아들이다, 받아주다 unfortunately 불행하게도 imply 암시하다 obey 순종[복종]하다 independently 독립적으로 obedience 순종, 복종 demand 요구하다 directly 직접

3 fabric 천, 직물 end up v-ing 결국 ~하게 되다 impact 영향 counteract 대응하다 movement 운동 promote 장려하다, 홍보하다 piece 조각 interlock 서로 맞물리다 bit 작은 조각 a large number of 다수의, 많은 enthusiastically 열광적으로 embrace 수용하다 be hard at work 열심히 하다

09
보어

명사절 보어

1 접속사 that절/관계대명사 what절 주격보어

접속사 that과 관계대명사 what이 이끄는 명사절은 문장에서 주격보어 역할을 할 수 있으며 '~라는[하는] 것'으로 해석한다.

[1] The conclusion / is / **that the traditional print media is inefficient.**
결론은 / 이다 / 전통적인 인쇄 매체가 비효율적이라는 것

[2] Darla's excuse for being late / was / **that she forgot to set her alarm.**
늦은 것에 대한 Darla의 변명은 / 이었다 / 그녀가 알람 맞추는 것을 잊었다는 것

[3] That / is / **what he had said in the interview for the position.**
그것은 / 이다 / 그가 그 일자리에 대한 인터뷰에서 말했던 것

[4] Microplastics / are / **what is blamed for destroying the marine ecosystem.**
미세 플라스틱은 / 이다 / 해양 생태계를 파괴하는 데 책임이 있는 것

2 의문사절/접속사 whether절 주격보어

의문사와 접속사 whether가 이끄는 명사절은 문장에서 주격보어 역할을 할 수 있으며 의문사가 이끄는 명사절은 명사절 전체를 묶어 각 의문사의 의미에 맞게 해석한다.

[5] The theme of the speech / is / **where earthquakes take place frequently.**
그 연설의 주제는 / 이다 / 어디에서 지진이 자주 발생하느냐

[6] Harry's interest / is / **when he goes on a school trip.**
Harry의 관심사는 / 이다 / 언제 수학여행을 가느냐

[7] One difference / between winners and losers / is / **how they handle losing.**
한 가지 차이점은 / 승자와 패자 사이의 / 이다 / 그들이 패배를 어떻게 다스리느냐

[8] The issue / is / **whether the town's new development is necessary.**
쟁점은 / 이다 / 마을의 새로운 개발이 필요한 것인지

문법 Plus

접속사 if(~인지)는 주격보어로 쓰인 접속사 whether를 대신할 수 없다.

The question / is / **if he copied others' writing exactly.** (X)
The question / is / **whether he copied others' writing exactly.** (O)
문제는 / 이다 / 그가 다른 사람들의 글을 그대로 베꼈는지

구문 연습 내신·서술형

정답 및 해설 p. 19

[1-5] 다음 주어진 문장에서 보어에 밑줄을 긋고, 문장 전체를 해석하시오.

1 What science tell us is where we are and what we are. 기출 응용

____

2 What I wanted to know was how she was cured of her cancer.

____

3 Bill's problem was that he didn't practice enough for the match.

____

4 The issue is whether building a new power plant is cost-effective.

____

5 A limit on the number of foreign players is what some coaches ask for.

____

[6-9] 다음 괄호 안의 단어를 우리말과 같은 뜻이 되도록 배열하여 문장을 완성하시오.

6 이해의 부족은 편견으로 이어지는 것이다. (to, leads, what, prejudice)
A lack of understanding is ______________________________.

7 문제는 Charlie가 시험에서 부정행위를 했는지 여부였다. (whether, cheated, Charlie)
The question was ______________________________ on the test.

8 경찰의 관심은 어디에서 사고가 났는가이다. (the, occurred, accident, where)
The concern of the police is ______________________________.

9 그들의 실패의 원인은 아무도 설명서를 숙지하지 않았었다는 것이었다.
(nobody, mastered, that, had, manual, the)
The reason for their failure was ______________________________.

[10-11] 다음 괄호 안에서 어법상 알맞은 말을 고르고, 그 이유를 쓰시오.

10 The assumption behind the theory is (that / what) disagreement is wrong.

____

11 An early question to arise was (whether / if) she had criminal intent.

____

1

다음 글의 제목으로 가장 적절한 것은?

> **내신·서술형**
> 본문을 읽고, 가나와 르완다에서 드론을 통한 배송이 발달한 이유를 30자 내외의 우리말로 쓰시오.

Drones are small unmanned aircraft that are piloted from the ground. Drones are used for various purposes including farming, archaeology, filmmaking, construction, recreation and much more. But there are some drones that save people's lives. A company is using drones to deliver medical supplies in places where many people live far away from larger cities, such as the African countries Ghana and Rwanda. As it can take a long time to reach these locations by traditional modes of transportation, drones are the best way to quickly get important medical supplies where they are needed. Drones can fly at speeds of up to 100 kilometers per hour, so most deliveries can be made within 30 minutes. The use of drones in Ghana and Rwanda is more advanced than in many other countries. The primary reason for this is **that these two countries have fewer options for getting supplies to faraway places.**

① A Faster Way of Getting to the Hospital
② Saving Lives in Remote Areas with Drones
③ High-tech Drones: from Farming to Recreation
④ Countries Trying to Develop Transportation Systems
⑤ Ghana and Rwanda: the Most Developed Countries in Africa

2

다음 글의 밑줄 친 부분 중, 문맥상 낱말의 쓰임이 적절하지 않은 것은?

> **내신·서술형**
> 밑줄 친 this가 의미하는 바를 우리말로 쓰시오.

About 10% of humans are left-handed, but it's still not clear why some people ① favor their left hands. A new study suggests that it may actually have nothing to do with the brain. Researchers found that an ② imbalance in the gene activity in the spinal cord during the development of a fetus could be **what causes people to be left- or right-handed.** When people need to move their arms and hands, ③ signals are sent from the brain's motor cortex to the spinal cord. During a fetus's first fifteen weeks of development, the motor cortex is not yet ④ connected to the spinal cord. Despite this, left- or right-handedness has already been determined by the 13th week. Researchers ascertained this fact by observing whether the fetus tends to suck its left or right thumb. This means that the fetus is already favoring one hand ⑤ after the brain controls body movements.

*spinal cord 척수 **motor cortex 운동피질

정답 및 해설 pp. 19~20

3

주어진 글 다음에 이어질 글의 순서로 가장 적절한 것은?

> Everyone has experienced snoring at some point in their life. But what actually causes this annoying sound to occur?

(A) Sleeping position is also a factor. Having poor sleeping posture can cause your airway to become unnaturally narrow, which makes snoring more likely. So a simple change in position is often enough to temporarily stop snoring. Another possible cause is the tongue sliding to the back of the mouth during sleep and impeding the airway.

(B) The most common cause of snoring is **that there's too much tissue in the throat and nasal areas.** That's why weight gain is often connected to snoring. Gaining weight can add to the extra fat around the neck, which presses down on the throat during sleep.

(C) Snoring takes place when air can't move freely through a sleeping person's nose and throat. This causes the surrounding tissues to vibrate, and these vibrations are **what produce the snoring sound.**

① (A) – (C) – (B) ② (B) – (A) – (C) ③ (B) – (C) – (A)
④ (C) – (A) – (B) ⑤ (C) – (B) – (A)

Q **내신·서술형**
본문의 단어를 이용하여 글의 주제를 완성하시오.
A few ________ that cause ________

Words & Expressions

1 unmanned 무인의 pilot 조종하다 archaeology 고고학 construction 건설, 건축 recreation 오락 deliver 배달하다 location 장소 traditional 전통적인 transportation 교통, 교통수단 delivery 배달 primary 주된, 주요한 faraway 멀리 떨어진

2 left-handed 왼손잡이의 favor 선호하다, 호의를 보이다 have nothing to do with ~와 관계가 없다 imbalance 불균형 gene 유전자 fetus 태아 signal 신호 determine 결정하다 ascertain 확인하다 observe 관찰하다 suck 빨다

3 snoring 코골이 annoying 성가신, 귀찮은 posture 자세 airway 기도 unnaturally 부자연스럽게 narrow 좁은 temporarily 일시적으로 slide 미끄러져 가다 impede 방해하다 tissue 조직 nasal 코의 be connected to ~와 연관되다 extra 추가의 press 누르다, 압박하다 take place 발생하다 surrounding 둘러싸는, 주위의 vibrate 진동하다

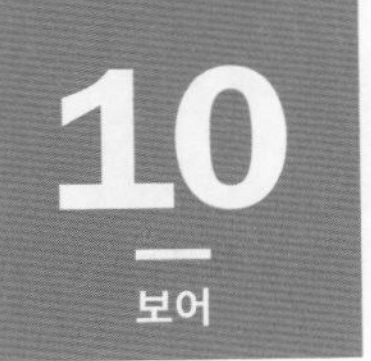

분사구/원형부정사구 보어

1 분사구 주격보어

현재분사구와 과거분사구는 문장에서 주격보어 역할을 할 수 있다. 현재분사구는 '~하는[하고 있는]'이라고 해석하고, 과거분사구는 '~되는[된]'이라고 해석한다.

1 The enemy soldier / stood / **shouting at the people passing through the gate.**
그 적군은 / 그런 상태로 서 있었다 / 문을 지나가는 사람들을 향해 소리를 지르는

2 The old man / remained / **interested in buying second-hand sailboats.**
노인은 / 여전히 그런 상태였다 / 중고 배를 사는 데 관심이 있는

2 분사구 목적격보어

현재분사구와 과거분사구는 문장에서 목적격보어 역할을 할 수 있다. 목적어와 목적격보어와의 관계가 능동이면 현재분사를 써서 '~가 …하는'이라고 해석하고, 수동이면 과거분사를 써서 '~가 …된'이라고 해석한다.

3 The police officer / caught a man / **trying to take something from a tourist's bag.**
경찰관은 / 남자를 붙잡았다 / 여행자의 가방에서 뭔가를 꺼내려고 하는

4 His resignation / left them / **disappointed with the results of their diversification efforts.**
그의 사임은 / 그들을 그런 상태로 만들었다 / 다각화 노력의 결과에 실망하게 된

3 원형부정사구 목적격보어

원형부정사구는 지각동사(see/hear/feel 등)나 사역동사(let/make/have)의 목적격보어 역할을 할 수 있으며 '~가 …하는 것을 보다/듣다/느끼다(지각동사)' 또는 '~가 …하게 하다/만들다(사역동사)'라고 해석한다.

5 The boss / let the staff / **know the financial difficulties of the company.**
사장은 / 직원들이 하게 했다 / 회사의 재정난을 알게

6 I've never seen / Jason / **be so rude to anyone in this building.**
나는 본 적이 없다 / Jason이 / 이 건물에서 누군가에게 그렇게 무례하게 대하는 것을

비교해서 알아두기

지각동사는 목적어의 동작이 진행 중임을 강조하고자 할 때 목적격보어로 현재분사를 취하기도 한다.

I saw / Jason / **being so rude to anyone in this building.**
나는 봤다 / Jason이 / 이 건물에서 누군가에게 그렇게 무례하게 대하고 있는 것을

준사역동사 help는 목적격보어로 원형부정사와 to부정사 둘 다 취할 수 있다.

Animal testing / has helped us / **find[to find] cures for lots of diseases.**
동물 실험은 / 우리를 도와 왔다 / 많은 질병에 대한 치료법을 찾도록

구문 연습 내신·서술형

정답 및 해설 p. 21

[1-5] 다음 주어진 문장에서 보어에 밑줄을 긋고, 문장 전체를 해석하시오.

1 She went upstairs and sat reading a letter from her husband.

____

2 Passwords have remained unchanged for months or years.

____

3 We saw a mass of snow and rocks falling down the mountain.

____

4 His aunt made him drink the red juice every night before bed.

____

5 By using a first-person narration, writers let readers see into the mind of the main character.

____

영작 연습

[6-9] 다음 괄호 안의 단어를 이용하여 우리말과 같은 뜻이 되도록 문장을 완성하시오. (필요하면 형태를 바꿀 것)

6 나는 거미가 파리를 잡기 위해 접근하고 있는 것을 봤다. (see, approach, a spider)
I ______________________ a fly to catch it.

7 선생님은 졸린 학생에게 책을 소리 내어 읽게 했다. (read, the sleepy student, make)
The teacher ______________________ the book aloud.

8 그는 끔찍한 폭풍우에 겁을 먹은 아이들을 위로했다. (by, terrify, the terrible storm)
He comforted children ______________________.

9 이 외딴 섬으로의 여행은 그들을 일상에서 벗어나게 도와주었다. (escape, from, them, their daily routine)
This trip to a remote island helped ______________________.

어법 연습

[10-11] 다음 주어진 문장에서 어법상 틀린 곳을 찾아 바르게 고치시오.

10 The heavy rain made the river ①to overflow, and the ②local residents ③took refuge.

11 I ①saw my sister ②opened a gift box, and soon her face ③was full of smiles. 기출 응용

1

다음 글에서 흐름과 관계 없는 문장은?

Eating involves two senses working together. Our sense of taste identifies the four basic flavors—sweetness, saltiness, sourness, and bitterness. At the same time, our sense of smell lets us **enjoy the aroma of our food.** ① As we get older, however, it becomes harder to sense flavors. ② Some people enjoy strong flavors, while others prefer their food to taste mild. ③ When we reach middle age, our taste buds decrease in number and get smaller, which makes them **become less sensitive.** ④ Age also makes our sense of smell **function poorly.** ⑤ Sensor cells that detect smells routinely die and are replaced by new cells, but this replacement process doesn't work as well in seniors. This can be a problem, as our sense of smell does more than helps us **savor flavors.** It warns us when food has gone bad or alerts us to danger from gas leaks or fire.

*taste bud (혀의) 미뢰, 미각기

Q 내신·서술형

다음은 본문을 요약한 문장이다. 빈칸에 알맞은 단어를 본문에서 찾아 쓰시오. (단, 어법에 맞게 쓸 것)

The ___________ we get, the ___________ our senses of taste and smell become.

2

Doberman pinscher에 관한 다음 글의 내용과 일치하지 않는 것은?

Doberman pinscher is a popular breed of dog all around the world. It is known for its sharp, pointed ears and a short, straight tail. But did you know that these are not natural characteristics of the Doberman pinscher? In reality, it has floppy ears and a long, curved tail. Doberman pinscher owners, however, have their dogs' ears and tails surgically **altered** to make them **look tougher**, the same way many people have cosmetic surgery. You may be astonished that cosmetic surgeries for dogs exist, but they are commonly being performed. It has been reported that the ear surgery reduces the risk of infections, but we can see many other dogs with floppy ears **living healthy lives.** Also, a dog's tail plays an important role in communication with other dogs, so cutting it could have a negative social impact. The common image of the Doberman pinscher is the result of what people desire rather than what nature intended.

① 날카롭고 뾰족한 귀와 짧고 곧은 꼬리가 특징이다.
② 원래 생김새는 현재 알려진 모습과는 다르다.
③ 강한 이미지를 없애기 위해서 성형 수술을 받는다.
④ 귀 수술이 감염의 위험을 줄여 줄 수 있다는 것으로 알려져 있다.
⑤ 꼬리를 자르면 다른 개들과의 의사소통을 방해할 수 있다.

Q 내신·서술형

밑줄 친 The common image of the Doberman pinscher가 의미하는 것 2가지를 찾아 우리말로 쓰시오.

정답 및 해설 pp. 21~22

3

주어진 글 다음에 이어질 글의 순서로 가장 적절한 것은?

Q 내신·서술형

밑줄 친 a semi-aquatic lifestyle의 근거를 본문에서 찾아 쓰시오. (2개씩)

• water: ____________ ____________

• land: ____________ ____________

Scientists recently discovered an ancient four-legged whale with hooves. This discovery provides us with new information on how whales transitioned from the land to the sea. 3

(A) Its long tail and webbed feet, however, suggest that it was a good swimmer too. It is believed that it spent most of its time in the water but occasionally emerged onto the land. Over time, it likely grew more **adapted to the water**. 6

(B) The fossil, which was discovered on the coast of Peru, remained **embedded in sediment for 42.6 million years**. This ancestor of modern whales seems to have had a semi-aquatic lifestyle. Its hoofed toes and the shape of its legs suggest it could walk on land. 9

(C) The location of the fossil was also of interest to the scientists. Whales are thought to have originated in South Asia around 50 million years ago. As their bodies became **better suited to water**, they migrated around the globe from there. 12 15

*hoof 발굽

① (A) – (C) – (B) ② (B) – (A) – (C) ③ (B) – (C) – (A)
④ (C) – (A) – (B) ⑤ (C) – (B) – (A)

Words & Expressions

1 involve 포함하다 sense 감각; 감지하다, 느끼다 identify 식별하다, 구별하다 flavor 맛, 풍미 sourness 신맛 bitterness 쓴맛 aroma 풍취, 향기 sensitive 민감한 detect 탐지하다 routinely 정기적으로, 언제나 replacement 교체 savor 맛보다 warn 경고하다 alert 경계시키다 leak 누출

2 breed 품종 pointed 뾰족한 characteristic 특징 floppy 처진 curved 구부러진 surgically 외과적으로 alter 바꾸다, 변형시키다 cosmetic surgery 성형 수술 astonish 놀라게 하다 perform 행하다, 실시하다 infection 감염 impact 영향 desire 바라다, 원하다 intend 의도하다

3 ancient 고대의 transition 이동하다 webbed 물갈퀴가 있는 suggest 시사하다 occasionally 때때로 emerge 나타나다 adapt 적응하다 fossil 화석 embed 심다, 박아 넣다 sediment 퇴적물 ancestor 조상 semi-aquatic 반은 물에서 사는 hoofed 발굽 모양의, 발굽이 있는 of interest to ~에게 흥미있는 originate 생겨나다, 발생하다 suited 적합한, 알맞은 migrate 이주하다

Supreme

Chapter

수식어구의 이해

- 수식어는 문장의 주요 성분인 주어/동사/목적어/보어를 꾸며 주는 말이다.
- 길고 복잡한 문장일수록 주요 문장 성분과 수식어구를 구분할 수 있어야 해석이 된다.
- 다양한 형태의 수식어구를 괄호로 묶고 문장의 중심 요소를 파악하는 훈련이 필요하다.

형용사구/전치사구의 수식

1 형용사구의 수식

수식어구를 동반하여 길어진 형용사구는 명사 뒤에서 명사를 수식하며 '~한[인]'으로 해석한다.

[1] This / is / ***the soil*** **suitable for only limited use for cultivated crops.**

이곳은 / 이다 / 중경작물에만 한정하여 사용하기에 적합한 토양

[2] They're building / ***robots*** **capable of assisting both people with disabilities and the elderly.**

그들은 만들고 있다 / 장애인과 노인 모두를 지원할 수 있는 로봇을

[3] The cook / is looking for / ***a container*** **proper for mixing the ingredients in.**

요리사는 / 찾고 있다 / 재료들을 섞기에 적합한 그릇을

문법 Plus

명사를 수식하는 형용사구와 명사 사이에 「주격 관계대명사+be동사」가 생략되어 있는 것으로 보면 해석에 도움이 된다.

The elderly man / wants to wear / ***clothes*** (which[that] are) suitable for young people.

그 노인은 / 입고 싶어 한다 / 젊은 사람들에게 알맞은 옷을

There have always been / ***students*** (who[that] are) eligible for the scholarship.

항상 있었다 / 장학금을 받을 자격이 있는 학생들은

2 전치사구의 수식

「전치사+명사」 형태의 전치사구는 명사 뒤에서 명사를 수식하며 전치사의 의미에 맞게 해석한다.

[4] ***Mistakes*** **like misspelling a word or using the wrong punctuation** / are unacceptable.

단어의 철자를 잘못 쓰거나 잘못된 구두점을 사용하는 것과 같은 실수는 / 용납될 수 없다

[5] Researchers / looked into / ***the unemployment rate*** **of the eight different groups.**

연구원들은 / 조사했다 / 8개의 서로 다른 그룹의 실업률을

[6] It / provides / ***information*** **on driving conditions and traffic problems.**

그것은 / 제공한다 / 운행 조건과 교통 문제에 대한 정보를

비교해서 알아두기

전치사구가 명사를 수식하는 형용사 역할을 하기도 하지만, 동사나 형용사, 혹은 문장 전체를 수식하는 부사 역할을 하기도 한다.

The principal part of the city / ***lies*** / **between the two streams.** (동사 lies를 수식하는 부사 역할)
그 도시의 주요 부분은 / 위치해 있다 / 두 개의 개울 사이에

구문 연습 내신·서술형

정답 및 해설 p. 23

[1-5] 다음 주어진 문장에서 밑줄 친 말을 수식하는 어구에 괄호로 표시하고, 문장 전체를 해석하시오.

1 Students need to acquire math skills useful for different careers.

____

2 This report shows the steep rise in the number of multi-racial children.

____

3 The religious conflict between the two nations has continued for thirty years.

____

4 Human newborn infants also show a strong preference for sweet liquid. 기출

____

5 The space available for fishing next to the dam will be blocked by the government.

____

영작 연습

[6-9] 다음 괄호 안의 단어를 우리말과 같은 뜻이 되도록 배열하여 문장을 완성하시오.

6 그들은 최근 폭동의 참여자들로 밝혀졌다. (in, riots, the, participants, recent)
They were identified as ______________________________.

7 20명보다 적은 지원자를 가진 수업들은 취소될 것이다. (than, 20 applicants, fewer, classes, with)
______________________________ will be canceled. 기출

8 돼지는 인간의 것과 유사한 심장 조직을 갖고 있다. (of, similar, that, heart tissue, humans, to)
Pigs have ______________________________.

9 너의 시간을 자원하는 것은 주는 사람과 받는 사람 모두에게 소중한 선물이다. (both, to, the, valuable, giver)
Volunteering your time is a gift ______________________________ and the receiver.

어법 연습

[10-11] 다음 괄호 안에서 어법상 알맞은 말을 고르고, 그 이유를 쓰시오.

10 I want to get out of an argument (with / over) an irrational person.

____

11 Do you consider yourself a person (willingly / willing) to take risks?

____

1

다음 글의 제목으로 가장 적절한 것은?

Every place has different laws, but some laws are unique. One **of the unusual laws** is from Singapore, where chewing gum cannot be imported. In fact, it is illegal to chew gum in public places. This law is intended to help keep the city clean. In Denmark, a law prohibits parents from giving their babies unusual names. There is a list **of 33,000 approved names** that parents **with new babies** can choose from. If they want to use something different, they must ask for approval **from the government**. Finally, if someone feeds pigeons in Venice, they may be fined up to €500. This is because pigeons make the city's monuments dirty and spread disease. These are just a few examples **of unexpected laws**. Travelers should always check the laws **of the places they visit** to avoid getting in trouble.

① How Each City Cleans Up for Tourists
② People Who Broke the Law and Got Away
③ Surprising Things Banned in Other Places
④ Different Places That Have Some Similar Traditions
⑤ Tourists Get Arrested Due to Misunderstandings

Q 내신·서술형

주어진 질문에 알맞은 답을 본문에서 찾아 쓰시오.

Q: If parents want to use unapproved names in Denmark, what must they do?

A: They must ________________________________.

2

글의 흐름으로 보아, 주어진 문장이 들어가기에 가장 적절한 곳은?

> In contrast, technology has brought the modern world numerous machines and devices that continuously require large amounts of our attention as quickly as possible.

Inattentional blindness is the phenomenon **of failing to see a visible but unexpected object** because your attention is focused elsewhere. (①) Although it has always existed, it has become a greater issue in modern society. (②) The world our ancestors lived in was less complex, and there were fewer objects and events that needed our immediate attention. (③) Our brains are capable of <u>handle</u> visual demands for attention, but not in such large amounts or at such rapid speeds. (④) When we are walking, failing to notice something for a few seconds probably won't affect our survival. (⑤) When we are driving, however, a delay **of even a tenth of a second in noticing an unexpected event** can have tragic results.

Q 내신·서술형

밑줄 친 handle을 어법에 맞게 고치시오.

정답 및 해설 pp. 23~25

3

Jane Austen에 관한 다음 글의 내용과 일치하지 않는 것은?

Jane Austen was an English novelist **famous for her books** set among England's middle and upper classes and featuring insights **into the lives of women in the early 19th century**. She was born in Hampshire in 1775, one **of eight children of a clergyman**. After the death **of her father** in 1805, Jane and her family moved to Chawton. She began writing when she was still a teenager, and her brother helped her negotiate a contract **with a publishing company**. Her first novel, *Sense and Sensibility,* was published in 1811, followed by *Pride and Prejudice*. Austen's work was quite popular and received highly favorable reviews. In 1816, however, Austen started to suffer from what is believed to have been Addison's disease. She passed away in 1817 in Winchester, where she had traveled to receive treatment. Austen left behind two novels, *Persuasion* and *Northanger Abbey,* that were published posthumously, along with a third book unfinished at the time of her death.

① 중상류층을 배경으로 한 여성의 삶에 관한 책으로 유명했다.
② 초기의 소설은 대중으로부터 외면을 당했다.
③ 출판사와 계약 협상을 할 때 형제의 도움을 받았다.
④ 1816년부터 앓았던 질병으로 인해 사망했다.
⑤ 사후에 두 편의 소설이 출간되었다.

Q 내신·서술형

밑줄 친 favorable과 바꿔 쓸 수 있는 단어는?

① unique
② distinctive
③ cynical
④ positive
⑤ harmful

Words & Expressions

1 unique 독특한 unusual 특이한, 흔치 않은 chew 씹다 import 수입하다 illegal 불법적인 intend 의도하다 prohibit 금지하다 approve 승인하다 approval 승인 fine 벌금을 부과하다 monument 기념물 unexpected 예상하지 못한 get in trouble 곤란에 처하다

2 in contrast 대조적으로 numerous 수많은 device 기기, 장비 continuously 끊임없이 attention 주의 blindness 맹목, 무지 phenomenon 현상 visible 눈에 보이는 ancestor 선조 complex 복잡한 immediate 즉각적인 be capable of ~할 능력이 있다 demand 요구 handle 처리하다 rapid 빠른 notice 알아채다 survival 생존 tragic 비극적인

3 set 배경을 설정하다 upper class 상류 계층 feature 특징으로 삼다 insight 통찰력 clergyman 성직자 negotiate 협상하다 contract 계약 publish 출판하다 sensibility 감성 pride 자만심, 오만 prejudice 편견 favorable 우호적인 suffer from ~을 앓다 pass away 사망하다 treatment 치료 leave behind 남기고 죽다, 뒤에 남기다 posthumously 사후에

12
수식어구

분사구/to부정사구의 수식

1 분사구의 수식

분사구는 명사를 뒤에서 수식할 수 있으며 현재분사구는 능동의 의미인 '~하는[한]'으로, 과거분사구는 수동의 의미인 '~되는[된]'으로 해석한다.

[1] She has / ***freckles* stretching across the bridge of her nose** / almost like a Band-Aid.

그녀는 있다 / 콧등을 가로질러 뻗어 있는 주근깨가 / 거의 반창고처럼

[2] The Congress passed / ***new laws* designed to promote the extension of women's rights**.

국회는 통과시켰다 / 여권 신장을 촉진하기 위해 고안된 새로운 법안들을

[3] High-end commercials / for ***many products* promoted across the nation** / are often shot on film.

고급 광고들은 / 전국적으로 홍보되는 많은 제품들에 대한 / 종종 필름으로 촬영된다

과거분사와 과거형 동사가 형태가 같을 경우 문장 내에서 구별하기가 쉽지 않으므로, 문장 구조와 의미를 통해 파악한다.

The organization / founded Youth Charity, / which is *a nonprofit organization* / founded in 2010.
뒤에 목적어를 취하는 동사 / 앞의 명사구를 수식하는 과거분사

그 기관은 / Youth Charity를 설립했는데 / 그것은 비영리 조직이다 / 2010년에 설립된

2 to부정사구의 수식

to부정사구는 명사를 뒤에서 수식할 수 있으며 '~(해야) 하는, ~할'로 해석한다.

[4] ***The ability* to understand and express language** / is essential / to our lives.

언어를 이해하고 표현하는 능력은 / 필수적이다 / 우리 생활에

[5] The power company / is trying to gain / ***permission* to build wind farms in this region**.

그 전력 회사는 / 얻으려 애쓰고 있다 / 이 지역에 풍력 발전소를 건설할 허가를

[6] Eating together / gives employees / ***time* to make connections with each other.**

함께 식사를 하는 것은 / 직원들에게 준다 / 서로 관계를 맺을 시간을

to부정사의 수식을 받는 명사가 to부정사의 의미상 목적어일 때 to부정사 뒤에 전치사를 써야 하는 경우를 알아둔다.

The elderly man / asked for / *a soft chair* to sit *on*.
the elderly man sits on a soft chair의 의미

그 노인은 / 요청했다 / 앉을 푹신한 의자를

Today, / kids have / *a wide variety of things*, such as smartphones, to play *with*.
kids play with a wide variety of things의 의미

오늘날 / 아이들은 갖고 있다 / 스마트폰과 같은 가지고 놀 다양한 것들을

구문 연습 내신·서술형

정답 및 해설 p. 25

[1-5] 다음 주어진 문장에서 밑줄 친 말을 수식하는 어구에 괄호로 표시하고, 문장 전체를 해석하시오.

1 He believes that one way to achieve peace is to fight terror.

____

2 The mobile devices offered with low-cost plans have basic functions.

____

3 He saw black smoke rising above the building from miles across the city.

____

4 We tend to think there are just a lot of viruses going around. 기출

____

5 A new way to represent the problem was suddenly discovered. 기출 응용

____

영작 연습

[6-9] 다음 괄호 안의 단어를 우리말과 같은 뜻이 되도록 배열하여 문장을 완성하시오.

6 언니는 내가 말하는 것을 이해해 주는 유일한 사람이었다. (to, only, person, understand, the)
My sister was ____________________ what I was saying.

7 이 이메일에 첨부된 파일들을 살펴보세요. (files, to, the, email, this, attached)
Please take a look at ____________________.

8 빈 종이 한 장과 가지고 쓸 것을 구해라. (something, with, to, write)
Get a blank sheet of paper and ____________________.

9 악수하는 두 사람은 처음 만나는 사이처럼 보인다. (shaking, two, people, hands, the)
____________________ seem to meet for the first time.

[10-11] 다음 괄호 안에서 어법상 알맞은 말을 고르고, 그 이유를 쓰시오.

10 Our body uses the glycogen (storing / stored) in our muscles when we work out.

____

11 We appreciate the chance (travels / to travel) to town for shopping. 기출 응용

____

1

Duygu Asena에 관한 다음 글의 내용과 일치하지 않는 것은?

Duygu Asena, a Turkish journalist, author, publisher, and activist, dedicated her life to fighting against local social norms **limiting women's autonomy over their own lives.** Although she initially intended becoming a teacher, she took a job as a journalist, writing for the newspapers *Hürriyet* and *Cumhuriyet* in the 1970s. In 1978, she founded Turkey's first women's magazine, *Kadınca*, and nine years later she published a novel **criticizing the oppression of women and the idea of marriage without love.** Titled *The Woman Has No Name*, it was a bestseller and was later adapted into a movie. After she passed away from brain cancer in 2006, a writer's association **called PEN International** began giving out the Duygu Asena Award to women **fighting for freedom of expression.**

① 여성들의 자치를 제한하는 지역 사회 규범과 맞서 싸웠다.
② 교사가 되려고 했지만 신문에 글을 쓰면서 언론인이 되었다.
③ 터키의 최초 여성 잡지에 애정 없는 결혼을 비판하는 기사를 썼다.
④ 그녀가 쓴 소설은 베스트셀러가 되었고 후에 영화로 각색되기도 했다.
⑤ 사후에 표현의 자유를 위해 싸우는 여성을 위한 상이 생겼다.

Q 내신·서술형
밑줄 친 becoming을 어법에 맞게 고치시오.

2

글의 흐름으로 보아, 주어진 문장이 들어가기에 가장 적절한 곳은?

However, brushing your teeth directly after consuming acidic foods, like lemons or orange juice, can also negatively affect your tooth enamel.

Foods and drinks with lots of carbohydrates and sugars cause certain bacteria to form in your mouth and attack your tooth enamel for at least twenty minutes after you eat. (①) By brushing right after you eat, you can remove bacteria before they cause any damage. (②) You should wait at least 30 minutes before brushing your teeth because the acids **remaining in your mouth** can temporarily weaken your enamel. (③) Brushing your teeth in this weakened state can cause more harm than good. (④) A good solution to this problem is to brush your teeth before eating acidic things. (⑤) Then, after you've eaten, drink a glass of water to wash away any remaining acids. Eating nutritious foods low in carbohydrates and sugars after eating something acidic is another good way **to help reduce harmful acids.**

Q 내신·서술형
밑줄 친 harmful과 바꿔 쓸 수 없는 것은?
① hurtful
② useful
③ damaging
④ dangerous
⑤ negative

3

주어진 글 다음에 이어질 글의 순서로 가장 적절한 것은?

> Thanks to modern technology, it's almost impossible to get lost these days. Wherever you may go, you are always within reach of satellites **spinning through space** that can help you determine your exact location.

Q 내신·서술형
밑줄 친 문장과 같이 말한 이유를 30자 내외의 우리말로 쓰시오.

(A) Although there are many satellite navigation systems, they all function in basically the same way. They consist of three parts: a network of orbiting satellites, a control station on Earth, and portable devices with the ability **to receive signals.**

(B) Each satellite in the network transmits radio signals toward Earth. The receiving device picks up signals **sent from three or four satellites** and uses this information to calculate your precise location, including your altitude.

(C) These satellites are part of satellite navigation systems that can figure out your position and speed, as well as the local time where you are. Because they are based on radio signals that reach the entire globe, people everywhere can use them. But how exactly do they work?

① (A) – (C) – (B)　② (B) – (A) – (C)　③ (B) – (C) – (A)
④ (C) – (A) – (B)　⑤ (C) – (B) – (A)

Words & Expressions

1 journalist 언론인, 기자　publisher 출판인　activist (정치·사회 운동) 운동가　dedicate 헌신하다　norm 규범　autonomy 자율, 자치　initially 처음에　criticize 비판하다　oppression 압박, 억압　adapt 각색하다, 조정하다　pass away 죽다　association 협회

2 consume 먹다, 소모하다　acidic 산성의　enamel 에나멜　carbohydrate 탄수화물　attack 공격하다　remove 제거하다　damage 손상, 피해　remain 남아 있다　temporarily 일시적으로　weaken 약화시키다　wash away 씻다　acid 산, 산성의　nutritious 영양분이 많은

3 reach 범위　satellite 인공위성　spin 돌다　determine 결정하다　navigation system 운행 유도 시스템　function 작동하다　basically 기본적으로　consist of ~로 구성되다　orbiting 궤도를 선회하는　station 기지, 정거장　portable 휴대용의　transmit 전송하다　signal 신호　radio 전파　device 기기　pick up ~을 얻다, 집어 올리다　altitude 고도　figure out 알아내다, 이해하다　local time 현지 시간　entire 전체의

13 관계대명사절의 수식

수식어구

1 관계대명사절

관계대명사가 이끄는 절은 앞의 선행사를 수식하며 '~하는'으로 해석한다. 관계대명사절의 역할에 따라 주격(who/which/that), 소유격(whose), 목적격(who(m)/which/that)으로 구분하여 쓴다. 목적격 관계대명사는 자주 생략되므로 명사 뒤에 오는 「주어+동사」의 관계사절을 괄호로 묶어 '~하는'으로 해석한다.

[1] ***The student* who plays the piano best** / will have the prize. <주격>

피아노를 가장 잘 치는 학생이 / 상을 받을 것이다

[2] The scientists / experimented / with ***mice* whose age was equivalent to humans at seventy**. <소유격>

과학자들은 / 실험했다 / 그것의 나이가 사람 나이로 70살과 같은 쥐를 가지고

[3] I was glad to see / ***friends* (whom[that]) I had not met for such a long time**. <목적격>

나는 만나서 반가웠다 / 그렇게 오랜 시간 동안 만나지 못했던 친구들을

[4] ***The problems* (which[that]) we haven't solved yet** / are a lack of time and a shortage of space. <목적격>

우리가 아직 풀지 못한 문제들은 / 시간 부족과 공간 부족이다

문법 Plus

전치사와 나란히 쓰인 목적격 관계대명사는 생략할 수 없지만 전치사가 관계사절의 뒤로 가면 생략할 수 있다.

Select / the names of ***people* to whom you want to send the message.** (whom 생략 불가)

= Select / the names of ***people* (whom) you want to send the message to.** (whom 생략 가능)

선택하라 / 당신이 메시지를 보내고 싶은 사람들의 이름을

2 계속적 용법의 관계대명사절

관계대명사 앞에 콤마(,)를 쓰는 계속적 용법의 관계대명사절은 선행사나 문장 전체를 부연 설명하는 역할을 하는데, 이때 관계대명사는 「접속사+대명사」로 바꿔 쓸 수 있다. 관계대명사 that은 계속적 용법으로 쓸 수 없다.

[5] The boy / goes to work for ***a dairy farmer*, / who pays him with some milk instead of money.**

그 소년은 / 낙농업자를 위해 일하러 간다 / 그런데 그는 그에게 돈 대신 약간의 우유를 지불한다

[6] ***Some people* / *try to live without plastics*, / which is almost impossible in modern society.**

어떤 사람들은 / 플라스틱 없이 살려고 노력한다 / 그러나 그것은 현대 사회에서 거의 불가능하다

문법 Plus

관계대명사의 계속적 용법에서 콤마 다음에 관계대명사가 바로 오지 않고, 「부정대명사(some/any/most/few/all/both 등)+of+관계대명사」의 형태로 오는 경우가 있다.

The travel brochure gave us *much information*. + **But some of *it*** was incorrect.

→ The travel brochure / gave us ***much information*, / some of which was incorrect.**

그 여행 안내 책자는 / 우리에게 많은 정보를 주었다 / 하지만 그것 중 일부는 부정확했다

구문 연습 내신·서술형

정답 및 해설 p. 27

[1-5] 다음 주어진 문장에서 밑줄 친 말을 수식 또는 설명하는 부분을 괄호로 표시하고, 문장 전체를 해석하시오.

1 Food that looks and smells attractive is taken in the mouth. 기출

____

2 Anthony didn't respond to her messages right away, which irritated her.

____

3 The main stadium at which the Olympics were held is not far from my place.

____

4 Scientists invent theories to describe the data we observe about universe. 기출 응용

____

5 They provided full tuition to students whose families earn less than $50,000 per year.

____

영작 연습

[6-9] 다음 괄호 안의 단어를 우리말과 같은 뜻이 되도록 배열하여 문장을 완성하시오.

6 그녀는 참고 자료로 사용했던 책을 찾고 있다. (she, a, book, reference, used, as, the)
She is looking for ______________________.

7 롤 모델은 모방할만한 가치가 있는 사람이다. (who, worth, person, imitating, a, is)
A role model is ______________________.

8 Michael은 24점을 득점했는데, 득점 모두가 4쿼터에서 나왔다.
(which, in, quarter, all, fourth, of, the, came)
Michael scored 24 points, ______________________.

9 심장이 막 멎은 환자는 실제로 죽지 않은 것일 수도 있다. (has, a, stopped, whose, heart, just, patient)
______________________ may not actually be dead.

어법 연습

[10-11] 다음 주어진 문장에서 어법상 틀린 곳을 찾아 바르게 고치시오.

10 He has acted(①) in a movie who(②) title I don't(③) remember.

11 The candidate suggested lots of(①) public promises, most of them(②) we had heard(③) before.

1

다음 빈칸에 들어갈 말로 가장 적절한 것은?

The average person's language skills are easily affected by external changes up until the age of about 12. Research on children **who have been adopted internationally** has shown that they often forget their native language after moving abroad. This, however, is unlikely to occur with adults, unless the external circumstances are extreme. An expert on the subject of what makes people lose their mother tongue studied the German of elderly German Jews **who fled the country for the UK or US during the Holocaust.** How much German they retained mainly depended on how much trauma they had experienced. Those **who fled Germany when the Nazis first took power and avoided the worst of the tragic events that followed** spoke better German. Those **who left later and suffered more**, on the other hand, spoke German poorly or not at all. For them, German was ______________.

① an internal language in extreme circumstances
② an obstruction to their attempts to adopt children
③ a reminder of painful memories they wanted to forget
④ a negative component of their international experience
⑤ something that accelerated their desire to leave Germany

Q 내신·서술형
밑줄 친 the external circumstances에 대한 예시를 본문에서 찾아 쓰시오.

2

다음 글의 밑줄 친 부분 중, 어법상 틀린 것은?

Everyone knows that not getting ① enough sleep can leave you in a bad mood the next morning. However, it can also impair your cognition and memory, cause depression and anxiety, and increase your risk of other health problems. Even a single night of inadequate sleep can adversely affect your mood and make ② you harder to properly regulate your emotions. A study examined participants **who went through different sleep deprivation experiments ③ whose purpose was to assess their ability to control their emotions.** The researchers then took PET and MRI scans of each participant, **with which they were able to analyze their brain activity.** They found ④ that low-quality sleep prevented the brain from transmitting and processing information properly. It also had a negative effect on the participants' perception of events and their ability ⑤ to manage their emotions.

Q 내신·서술형
본문을 읽고, 다음날 아침에 기분이 나빠질 수 있다는 점 외에 수면 부족이 미치는 부정적인 영향 3가지를 찾아 우리말로 쓰시오.

정답 및 해설 pp. 27~29

3

M87에 위치한 블랙홀에 관한 다음 글의 내용과 일치하지 않는 것은?

Astronomers have taken the first ever image of a black hole, **which is located in a distant galaxy called M87**. The black hole is approximately 55 million light-years away. It is estimated to have a diameter of 40 billion kilometers, making it about three million times larger than Earth. Also, with a mass equivalent to about 6.5 billion suns, it is one of the heaviest black holes **that scientists know about**. A network of eight telescopes collectively **known as the Event Horizon Telescope** had to be used to take the photo, as no single telescope was powerful enough to record the whole image. A team of 200 scientists scanned the M87 galaxy with the telescopes for 10 days. The data **they gathered** was then used to produce the image, **which is now considered to be one of the greatest scientific achievements in recent years.**

① 천문학자들이 사상 최초로 촬영한 블랙홀이다.
② 지름은 400억 킬로미터로 추정되며 지구보다 300만 배 정도 크다.
③ 가장 무거운 블랙홀 중 하나로 그 질량은 태양 65억 개 정도와 같다.
④ Event Horizon Telescope라고 불리는 8개의 망원경 네트워크로 촬영했다.
⑤ 200명의 과학자들이 10일 동안 각각 촬영하여 하나의 이미지로 만들었다.

Q 내신·서술형

아래 주어진 영영 풀이에 해당하는 단어를 본문에서 찾아 쓰시오.

a straight line passing through the center of a circle

Words & Expressions

1 average 평균의, 보통의 affect 영향을 미치다 external 외부의 adopt 입양하다 internationally 국제적으로 circumstance 환경 extreme 극단적인 elderly 나이가 지긋한 flee 도망가다 the Holocaust 홀로코스트(제2차 세계 대전 중 나치에 의한 유대인 대학살) retain 유지하다 trauma 정신적 외상, 트라우마 tragic 비극적인 reminder 상기시키는 것

2 impair 손상시키다 cognition 인식 depression 우울 anxiety 불안 inadequate 불충분한, 부적절한 adversely 불리하게, 반대로 properly 적절하게 regulate 조절하다 examine 조사하다 participant 참가자 go through ~을 겪다 deprivation 부족, 박탈 assess 재다, 측정하다 analyze 분석하다 prevent 방해하다, 막다 transmit 전송하다 perception 인식, 지각

3 astronomer 천문학자 first ever 사상 최초의 galaxy 은하계 approximately 대략 light-year 광년 estimate 추정하다, 추산하다 diameter 지름 billion 10억 mass 질량 equivalent 동등한, 맞먹는 telescope 망원경 collectively 집합적으로, 총체적으로 scan 촬영하다 achievement 업적

관계부사절의 수식

1 관계부사절

관계부사가 이끄는 절은 시간(when), 장소(where), 이유(why), 방법(how)을 나타내는 선행사를 수식하며 '~하는, ~한'으로 해석한다. how는 선행사인 the way와 나란히 쓰지 않고 반드시 둘 중 하나만 쓴다.

1 Some plants / survive / ***periods*** **when water is not available** / by becoming seeds. <시간>

어떤 식물들은 / 견뎌낸다 / 물이 없는 기간을 / 씨앗이 됨으로써

2 Marketing / is / ***a field*** **where there are endless opportunities**. <장소>

마케팅은 / 이다 / 끊임없는 기회가 있는 분야

3 ***The reason*** **why the plates are moving** / is convection. <이유>

판이 움직이고 있는 이유는 / 대류이다

4 That / is / (***the way***) **how we must think about the current state of the world**. <방법>

그것이 / 이다 / 우리가 세계의 현 상태에 대해 생각해야 하는 방법

비교해서 알아두기 **관계대명사 뒤에는 불완전한 절이 오는 반면, 관계부사 뒤에는 완전한 절이 온다.**

These are / *the graves* / which war heroes are buried *in*. (전치사 in의 목적어를 필요로 하는 불완전한 절)

These are / *the graves* / where war heroes are buried. (완전한 절)

이것들은 / 무덤이다 / 전쟁 영웅들이 묻혀 있는

2 관계부사/선행사의 생략

선행사가 the time(시간), the place(장소), the reason(이유) 등의 명사일 때 선행사와 관계부사 중 하나를 생략할 수 있다.

5 We / celebrate / ***the day*** (when) **Korea was liberated from Japan's colonial rule.**

우리는 / 기념한다 / 한국이 일본의 식민 통치에서 해방된 그 날을

6 A study / revealed / (***the reason***) **why leaves turn red in autumn.**

한 연구에서 / 밝혀냈다 / 나뭇잎이 가을에 붉게 변하는 이유를

3 계속적 용법의 관계부사절

관계부사 앞에 콤마(,)를 쓰는 계속적 용법의 관계부사는 when과 where만 가능하며, 「접속사+부사」로 바꿔 쓸 수 있다.

7 She / graduated from university / in ***1998***, / **when Korea was experiencing an economic crisis.**
(= but then)

그녀는 / 대학을 졸업했다 / 1998년에 / 하지만 그때 한국은 경제 위기를 겪고 있었다

8 ***The site*** / established a point system, / **where people got points whenever they watched an ad.**
(= and there)

그 사이트는 / 포인트 시스템을 구축했다 / 그리고 거기에서 사람들은 광고를 볼 때마다 포인트를 얻었다

구문 연습 내신·서술형

정답 및 해설 p. 29

해석 연습

[1-5] 다음 주어진 문장에서 밑줄 친 말을 수식 또는 설명하는 부분을 괄호로 표시하고, 문장 전체를 해석하시오.

1 One reason why they want to live in the country is the lower taxes.

____

2 The time when we have to take an oxygen tank may soon come.

____

3 Many people are ignorant to the way the disease is transmitted.

____

4 Ava's fears came from her childhood, when she almost drowned twice. 기출 응용

____

5 The wheat was given to them on the beach, where it quickly became mixed with sand. 기출

____

영작 연습

[6-9] 다음 괄호 안의 단어와 적절한 관계부사를 이용하여 우리말과 같은 뜻이 되도록 문장을 완성하시오.

6 관제탑은 항공 교통이 관찰되는 곳이다. (air traffic, watch)
The control tower is the place ______ ______ ______ ______.

7 그가 그의 일을 그만 두었던 또 다른 이유가 있다. (quit, job)
There is another reason ______ ______ ______ ______ ______.

8 John은 그의 첫 소설 Golden Gate를 발표했는데, 그때 그는 겨우 23살이었다. (only)
John released his first novel, *Golden Gate*, ______ ______ ______ ______ ______.

9 그들의 발표 주제는 동물들이 추위에 따뜻하게 지내는 방법이었다. (animals, keep, warm)
The topic of their presentation was ______ ______ ______ ______ ______ in the cold.

[10-11] 다음 주어진 문장에서 어법상 틀린 곳을 찾아 바르게 고치시오.

10 Parents need to set(①) the stage which(②) the friendships of their children are played out(③).

11 The sociologist Kurt Back began to think(①) about the way how(②) friendships form(③). 기출 응용

1

다음 글의 제목으로 가장 적절한 것은?

Generally speaking, teenagers should get 8 to 10 hours of sleep each night. Unfortunately, many teens don't get enough sleep. Part of the problem is excessive schoolwork, and staying up late playing with their smartphones doesn't help either. However, much of the problem can be blamed on the circadian rhythm, or internal clock, of teenagers. Children's circadian rhythms change during their teen years. This is most likely due to melatonin, a hormone released by the brain. ⓐ It is released later at night in teens than it is in kids and adults. This is the reason **why teenagers find** ⓑ **it difficult to go to bed early**. So, on Saturday and Sunday mornings, **when teens tend to sleep late and get a few extra hours of sleep**, they are improving their mental health, along with their memory and ability to learn.

*circadian rhythm 24시간 주기 리듬

① Melatonin: Teens' Secret to Waking Up Early
② How Much Sleep Is Enough Sleep for Teenagers?
③ The Benefits of Ignoring Your Circadian Rhythms
④ The Possibility of Succeeding with a Minimum of Sleep
⑤ Teens' Lack of Sleep Caused by Their Own Body Rhythm

Q 내신·서술형
밑줄 친 ⓐ와 ⓑ가 가리키는 것을 본문에서 찾아 쓰시오.

2

다음 빈칸에 들어갈 말로 가장 적절한 것은?

Everyone likes getting free stuff, but our economy can't function on things we don't pay for. Therefore, even if something seems to be free, you'll likely be paying for it other ways. That's the idea behind the old saying "there's no such thing as a free lunch." It originated in the mid-twentieth century, **when a customer observed that the free food at bars wasn't really free—the price of the drinks was simply raised to pay for it**. These days, it is most commonly used in economics, **where it means that all transactions involve a** ________. In other words, the moment you get something, you must accept that you're going to have to give up something in return. Understanding this could prevent you from parting with your money without even realizing what you have done.

① profit ② winner ③ trade-off
④ contract ⑤ rejection

Q 내신·서술형
밑줄 친 the moment와 바꿔 쓸 수 있는 것은?
① even if
② because
③ as soon as
④ unless
⑤ if only

정답 및 해설 pp. 29~31

3

다음 빈칸에 들어갈 말로 가장 적절한 것은?

When it comes to **the way children are raised in the US these days,** there are two distinct aspects. The first is praise—today's kids are praised to a greater degree than ever before. Children have always been given encouragement by their parents, but they get a thousand times more today. In fact, most American children are told continuously how special they are. The second aspect is that children are pushed to develop their abilities and talents to an unprecedented degree. Parents worry about their children getting into a prestigious college and finding a high-paying job, so they spend much more time investing in their children's skills than they did in the past. And when these two child-rearing trends combine, the results can be intense and overwhelming. Parents shower their kids with love and praise, but at the same time they ______________________.

① manipulate their lives to ensure high levels of success and achievement
② spend more time worrying about their own careers and financial wealth
③ fail to encourage and motivate them to focus on improving themselves
④ help them identify the fields and activities to which they are best suited
⑤ make sure that they don't feel too much pressure to succeed in the future

Q **내신·서술형**

밑줄 친 these two child-rearing trends에 해당되는 2가지 내용을 우리말로 쓰시오.

Words & Expressions

1 excessive 과도한 stay up late 늦게까지 깨어 있다 blame ~을 탓하다, 비난하다 internal 체내의, 내부의 due to ~ 때문에 melatonin 멜라토닌 release 방출하다 improve 향상시키다 mental 정신적인

2 free stuff 공짜 물건 economy 경제 function 작동하다 pay for 지불하다 originate 시작하다, 일어나다 observe 알아차리다 raise 올리다 economics 경제(학) transaction 거래 involve 수반하다, 필요로 하다 accept 받아들이다 give up 포기하다 in return 그 대신에, 보상으로 prevent A from B A가 B하는 것을 막다 part with ~을 내주다

3 when it comes to ~에 관해서라면 raise (아이·동물을) 키우다 distinct 독특한, 명백한 aspect 양상, 측면 praise 칭찬; 칭찬하다 encouragement 격려 continuously 계속해서 unprecedented 전례 없는 prestigious 명성 있는 invest 투자하다 combine 결합하다 intense 격렬한, 심한 overwhelming 압도적인 manipulate 조종하다, 다루다 suited 적합한

15 수식어구

부사 역할을 하는 to부정사

1 목적/결과/조건을 나타내는 to부정사

to부정사는 동사, 형용사, 부사를 수식하는 부사의 역할을 할 수 있으며 '~하기 위해(목적)', '~해서 …하다(결과)', '~한다면(조건)'으로 해석할 수 있다.

[1] Light-years / are used / **to measure vast distances in space.** <목적>
광년은 / 사용된다 / 우주에서 광활한 거리를 측정하기 위해

[2] Gulliver / woke up / **to find himself tied up with thread.** <결과>
Gulliver는 / 깨어나서 / 자신이 실로 묶인 것을 발견했다

[3] My son / will be disappointed / **to leave the stadium without the trophy.** <조건>
나의 아들은 / 실망할 것이다 / 트로피 없이 경기장을 떠나게 된다면

★ **<목적>과 <결과>를 나타내는 to부정사 표현**

- **목적: in order to / so as to(~하기 위해)**
  in order to study architecture 건축을 공부하기 위해서
  so as to escape from reality 현실을 벗어나기 위해서
- **결과: only to(결국 ~하다) / never to(~하지 않았다)**
  study hard **only to fail** 열심히 공부했으나 결국 실패하다
  left us **never to return** 우리를 떠나서 돌아오지 않았다

2 형용사 수식/감정의 원인/판단의 근거를 나타내는 to부정사

to부정사는 동사, 형용사, 부사를 수식하는 부사의 역할을 할 수 있으며 '~하기에(형용사 수식)', '~하게 되어(감정의 원인)', '~하다니(판단의 근거)'로 해석할 수 있다.

[4] I am pleased / **to have an opportunity** / to contribute to your company. <감정의 원인>
나는 기쁘다 / 기회를 갖게 되어 / 귀사에 기여할 수 있는

[5] She must be an angel without wings / **to keep helping poor children.** <판단의 근거>
그녀는 날개 없는 천사임에 틀림없다 / 가난한 아이들을 지속적으로 돕다니

[6] The two brothers / are sometimes ***difficult*** / **to distinguish.** <형용사 수식>
그 두 형제는 / 때때로 어렵다 / 구별하기에

문법 Plus

감정을 나타내는 형용사(glad / happy / sorry / pleased / surprised) 뒤에 오는 to부정사는 주로 감정의 원인을 나타낸다.

I am *happy* / to know that Emma is coming with us.
나는 기쁘다 / Emma가 우리와 함께 갈 거라는 것을 알게 되어

구문 연습 내신·서술형

정답 및 해설 p. 31

[1-5] 다음 주어진 문장에서 밑줄 친 to부정사의 쓰임에 유의하여 문장 전체를 해석하시오.

1 I was surprised to see trainers sunbathing with their sea lions. 기출 응용

____

2 Sue must be out of her mind to lend him money again.

____

3 You should start walking to your office to improve your health.

____

4 For some people, a gain of two or three kilos has been sufficient to stop hair loss.

____

5 You rush out of your house only to realize you have left your phone on the table. 기출 응용

____

영작 연습

[6-9] 다음 괄호 안의 단어와 to부정사를 이용하여 우리말과 같은 뜻이 되도록 문장을 완성하시오.

6 그들은 일자리를 찾기 위해 한국에 왔다. (come to, look for)

They ______________________ work.

7 그녀는 자라서 가치 있는 사회 구성원이 되었다. (grow up, be)

She ______________________ a valued member of society.

8 그 과학자는 새로운 공룡 화석을 발견하게 되어 기뻤다. (delighted, discover)

The scientist ______________________ new dinosaur fossils.

9 너는 너의 삶을 어떻게 만들어 가고 싶은지를 자유롭게 선택할 수 있다. (free, choose)

You ______________________ what you want to make of your life. 기출

어법 연습

[10-11] 다음 주어진 문장에서 어법상 틀린 곳을 찾아 바르게 고치시오.

10 The words used① in the philosophy book are② quite easy understanding③.

11 Dozens① of students come to② the library to doing③ homework in a safe place. 기출 응용

1

다음 빈칸에 들어갈 말로 가장 적절한 것은?

College students who want to become sign-language interpreters are often required to take acting classes. This is because interpreting spoken language into sign language requires the ability to communicate information with your eyes, your face, and your whole body. **To be a good sign-language interpreter**, you must be able to temporarily abandon your own personality and adopt the personality of each person you interpret for. If, for example, the person speaks in a funny and dramatic manner, you should sign in a funny and dramatic way. On the other hand, if the person has a monotonous and boring way of speaking, you should reflect a lack of excitement on your face. This may not be interesting or fun for the audience, but it is important to interpret not only the words but also ____________________.

① their meaning in other languages
② what makes the words important
③ the essence of what is being said
④ how the speaker feels about you
⑤ the mood of the audience members

Q 내신·서술형
밑줄 친 This가 의미하는 바를 본문에서 찾아 쓰시오.

2

다음 글의 밑줄 친 부분 중, 어법상 틀린 것은?

In 1812, Napoleon marched from Paris with an army of 400,000 soldiers, his objective ①being to invade Russia **to punish it for breaking his trade embargo on Great Britain**. This turned out to be a huge mistake. He spent six months battling the Russians with soldiers ill-prepared for the frigid weather, **only to be defeated and lose more than 300,000 men**. Nearly 130 years later, a similar ill-considered decision ②was made. After easily defeating Poland and France, Hitler planned to invade Russia **in order to seize the country's farm lands and oil fields**. His generals warned him about Russia's harsh winters, ③reminding him of what had happened to Napoleon, but Hitler was convinced that he would be able to succeed where Napoleon had failed. Of course, his invasion went just as ④poor as Napoleon's. The wintery weather conditions of Russia once again proved ⑤insurmountable, and the Nazis were defeated.

Q 내신·서술형
본문에서 사용된 낱말을 이용하여 글의 제목을 완성하시오.
Historically Repeated __________ : The __________ of Russia

정답 및 해설 pp. 31~33

3

다음 글의 목적으로 가장 적절한 것은?

Attention Please:

The senior community center located in our neighborhood has just completed a six-month renovation. Many people have been eagerly waiting for its reopening, and we are happy **to report that it has been greatly improved.** You may remember that the reopening was originally scheduled for November 1. Although all of our facilities are perfectly ready for welcoming you, a few programs, including arts and crafts, are not ready **to run.** Instead of having a partial reopening, we have decided to wait until December 1 **to open our doors.** At that time, the senior community center will be fully functional and ready **to meet your needs.** We apologize for any inconvenience this may have caused, but we are sure you will be satisfied with the changes we have made.

Jenny Kwon

Newton Senior Community Center manager

① 지역 노인 센터 이전을 사과하려고
② 지역 노인 센터 개관 지연을 알리려고
③ 노인들을 위한 취미 활동 정보를 소개하려고
④ 지역 주민들의 지속적인 후원에 감사하려고
⑤ 지역 노인 센터의 미술 공예반 신설을 광고하려고

내신·서술형

밑줄 친 meet와 바꿔 쓸 수 있는 단어는?

① ask
② fulfill
③ know
④ listen to
⑤ remember

Words & Expressions

1 sign-language 수화 interpreter 통역자 spoken language 구어 communicate 전하다, 의사 전달하다 temporarily 일시적으로 abandon 포기하다 personality 개성, 성격 adopt 취하다, 선택하다 dramatic 극적인 sign 수화를 하다 monotonous 단조로운 reflect 반영하다 lack 결핍, 부족 audience 청중 essence 본질

2 march 진격하다 objective 목적, 목표 invade 침략하다 trade embargo 통상 금지 turn out 드러나다 ill-prepared 준비되지 않은 frigid 몹시 추운 defeat 패배시키다 nearly 거의 ill-considered 신중하지 못한 seize 빼앗다 general 장군 harsh 가혹한 remind 생각나게 하다 convince 확신시키다 invasion 침략 insurmountable 대처할 수 없는

3 senior 노인, 고령자 located in ~에 위치한 complete 끝내다 renovation 수리 eagerly 간절히 reopening 재개관 improve 향상시키다 scheduled 예정된 facility 시설 arts and crafts 미술 공예 run 운영하다 partial 부분적인 functional 기능적인 meet 맞추다, 충족시키다 inconvenience 불편 be satisfied with ~에 만족하다

Supreme

Chapter 5

동사의 이해

- 동사는 주어가 하는 동작이나 주어의 상태를 나타내는 말로 주요 문장 성분이다.
- 동사는 주어와의 관계에 따라(태), 말하고자 하는 시점에 따라(시제), 말하는 방식에 따라(법) 형태가 달라진다.
- 조동사는 시제 외에는 형태가 바뀌지 않으며 동사에 다양한 의미를 추가해 주는 역할을 한다.

16 완료 시제

동사

1 현재완료

현재완료(have/has+p.p.)는 과거의 한 시점을 기준으로 현재에 걸친 상태나 동작을 나타내며 문맥에 따라 '막 ~했다(완료), ~해 왔다(계속), ~한 적이 있다(경험), ~했다(결과)'라고 해석한다.

[1] The president / **has** just **announced** / that the Olympics will be held / in our country. <완료>
대통령이 / 방금 발표했다 / 올림픽이 개최될 것이라고 / 우리 나라에서

[2] New York City / **has been** / the center of the global economy / for a long time. <계속>
뉴욕 시는 / 이었다 / 세계 경제의 중심지가 / 오랫동안

[3] I / **have** never **seen** / such a big storm / in my life. <경험>
나는 / 결코 본 적이 없다 / 그런 큰 폭풍우를 / 내 생애에

[4] Some local governments / **have adopted** / the program / to assist low-income households. <결과>
몇몇 지방 정부는 / 도입했다 / 프로그램을 / 저소득 가정을 돕는 (현재에도 그 프로그램은 시행되고 있음)

현재완료는 already, just, yet(완료) / for, since(계속) / ever, never, ~ times(경험)와 같은 어구와 자주 쓰이며, yesterday, ago, when과 같이 명백한 과거나 과거의 시점을 나타내는 어구와는 함께 쓰일 수 없다.

New York City / has been / was / the center of the global economy / *ten years ago*.
뉴욕 시는 / 였다 / 세계 경제의 중심지 / 10년 전에

2 과거완료

과거완료(had+p.p.)는 과거의 한 시점을 기준으로 그 전부터 그 시점까지의 상태나 동작을 나타내며 '막 ~했었다(완료), ~해 왔었다(계속), ~한 적이 있었다(경험), ~했었다(결과)'라고 해석한다. 또한, 과거 기준 시점 이전에 일어난 일(대과거)을 나타내기도 한다.

[5] The company / **had completed** / the community center renovation / before winter came. <완료>
그 회사는 / 완성했다 / 마을 회관 수리를 / 겨울이 오기 전에

[6] Some people / didn't believe / that Apollo 11 **had landed** / on the Moon. <대과거>
어떤 사람들은 / 믿지 않았다 / 아폴로 11호가 착륙했었다는 것을 / 달에

3 미래완료

미래완료(will have+p.p.)는 미래의 한 시점까지의 상태나 동작을 나타내며 '(그때) ~했을 것이다'라고 해석한다. 미래완료는 by, until, before, by the time 등의 어구와 자주 쓰인다.

[7] Humans / **will have solved** / many environmental problems / by the end of 21st century.
인류는 / 해결했을 것이다 / 많은 환경 문제를 / 21세기 말까지는

[8] We / **will have raised** / more than $100,000 / for the homeless / by 2021.
우리는 / 모금했을 것이다 / 십만 달러 이상을 / 노숙자들을 위해 / 2021년까지는

구문 연습 내신·서술형

정답 및 해설 p. 33

[1-5] 다음 주어진 문장의 밑줄 친 동사의 시제에 유의하여 문장 전체를 해석하시오.

1 My family has visited the British Museum and Hyde Park several times.

____

2 By next month, Academy members will have selected nominees.

____

3 They reported that the earthquake had destroyed many roads.

____

4 Today car-sharing movements have appeared all over the world. 기출

____

5 The archaeologists had found one of the most significant sites ever. 기출 응용

____

영작 연습

[6-9] 다음 괄호 안의 단어를 우리말과 같은 뜻이 되도록 배열하여 문장을 완성하시오.

6 위원회는 동물 실험을 금지하는 법안을 통과시켰다. (passed, bill, a, has)
The committee ______________________________ to stop animal testing.

7 늦어도 4월 10일 전에는 주문하신 상품을 받아 보시게 될 것입니다. (your, have, order, received, will)
You ______________________________ before April 10 at the least.

8 그녀는 대서양을 횡단하여 비행한 첫 번째 여성이 되었다. (who, first, flown, the, had, woman)
She became ______________________________ across the Atlantic.

9 새천년 이래로 기업들은 더 많은 경쟁을 경험했다. (have, competition, experienced, more)
Since the new millennium, businesses ______________________________. 기출 응용

[10-11] 다음 괄호 안에서 어법상 알맞은 말을 고르고, 그 이유를 쓰시오.

10 The band (has started / started) recording its first album 2 months ago.

____

11 They didn't send back the work that I (have / had) submitted to the contest.

____

1

Mitsuhiro Iwamoto에 관한 다음 글의 내용과 일치하지 않는 것은?

Mitsuhiro Iwamoto, who **has been** blind since the age of 16, wants to prove that blindness doesn't limit his abilities. In 2019, along with a navigator named Doug Smith, Iwamoto sailed nonstop across the Pacific Ocean, becoming the first blind person to do so. Iwamoto **had attempted** the same feat in 2013, but had to abandon his journey after his boat was damaged in a collision with a whale. It took a lot of courage for Iwamoto to try the same feat again, but he was determined. He explained that he **had realized** something important: "Failure is only failure if you stop trying." The second trip began from San Diego, California, on February 24, 2019. The boat **had been equipped** with solar panels, GPS and a satellite phone, and Iwamoto and Smith brought enough water and food to last them for 60 days. The two men sailed 14,000 kilometers nonstop, arriving successfully in Iwaka, Japan, 55 days later.

① 16세때부터 앞을 볼 수 없었지만, 자신의 능력에는 한계가 없다고 생각했다.
② 2019년에 시각 장애인 최초로 태평양 횡단에 성공했다.
③ 2013년에 첫 번째 태평양 항해를 시도했다.
④ 2019년 태평양 횡단은 캘리포니아에서 일본 구간이었다.
⑤ 2019년 충분한 물과 음식을 준비하여 60일 만에 태평양 횡단에 성공했다.

내신·서술형
2013년에 Iwamoto가 횡단을 포기해야 했던 이유를 본문에서 찾아 영어로 쓰시오.
Because ______________
____
______________.

2

밑줄 친 she[her]가 가리키는 대상이 나머지 넷과 다른 것은?

A woman named Sharon ran into an old friend after not seeing ①her for many years. Her friend **had** always **been** loud, funny and lively, but now ②she seemed quieter and more serious. After exchanging greetings, Sharon asked her friend how ③she'**d been** since they'**d** last **seen** each other. Her friend took a deep breath and said that the last five years **had been** a very difficult time for her. Without any warning, her young daughter **had stopped** breathe due to an allergic reaction to some medicine. The doctors **had saved** ④her life, but it was a long and difficult recovery. The two women hugged and just stood there crying for several minutes. Finally, Sharon told her friend, "I'm sorry. I had no idea." "Don't apologize," ⑤she replied. "It feels so good to cry together with an old friend."

내신·서술형
밑줄 친 breathe를 어법에 맞게 고쳐 쓰시오.

정답 및 해설 pp. 33~35

3

다음 글의 제목으로 가장 적절한 것은?

Some scientists **have warned** that many species of mammals in the wild are likely to become extinct in the coming decades. The wild populations of certain species, such as the Bornean orangutan and the Sumatran rhino, have little chance of survival. Even the Asian elephant **has been given** only a 33% chance of making it through the next century. Experts believe that this extinction crisis will be so severe that it will take the Earth millions of years to regain its loss of mammal biodiversity. Large mammals are at greater risk due to their slower reproductive rates and smaller numbers of offspring. Once these species **have been driven** into extinction, there will be no way of bringing them back. They **will have been wiped** from the face of the planet forever. Their only chance of survival depends on human beings launching global conservation efforts to undo the harm that **has already been done.**

Q **내신·서술형**
몸집이 큰 포유류가 더 심각한 멸종 위기에 처한 이유를 본문에서 찾아 우리말로 쓰시오. (2가지)

① Large Animals: Destroyers of the Ecosystem
② The Efforts of Orangutans and Rhinos to Survive
③ Large Mammals Should Be Wiped From the Earth
④ Mammal Biodiversity: A Warning for Human Beings
⑤ The Serious Crisis of Widespread Mammal Extinction

Words & Expressions

1 blind 눈이 먼 prove 증명하다 limit 제한하다 navigator 항해사 nonstop 도중에 서지 않는 the Pacific Ocean 태평양 feat 업적, 위업 attempt 시도하다 abandon 포기하다 collision 충돌 determined 단호한 be equipped with ~을 갖추고 있다 solar panel 태양 전지판 satellite 위성 last 버텨내게 하다

2 run into 우연히 만나다 lively 활기찬 exchange 교환하다 breath 숨, 한숨 warning 예고, 경고 breathe 숨을 쉬다 allergic 알레르기의 reaction 반응 recovery 회복 apologize 사과하다 reply 대답하다

3 species 종(種) mammal 포유류 extinct 멸종된 decade 십 년 population 개체군, 인구 survival 생존 make it through 헤쳐 나가다 extinction 멸종 crisis 위기 severe 심각한 regain 되찾다, 회복하다 biodiversity 생물 다양성 reproductive 생식의 rate 속도, 비율 offspring 자손, 새끼 wipe 닦아내다, 지우다 face 표면 launch 시작하다 conservation 보존 undo 되돌리다, 풀다 harm 해, 피해

진행 시제

1 현재진행형/과거진행형/미래진행형

현재진행형(am/are/is+v-ing), 과거진행형(was/were+v-ing), 미래진행형(will be+v-ing)은 각각 현재, 과거, 미래 시점에 진행 중인 동작을 나타내며 '~하고 있다/있었다/있을 것이다'라고 해석한다.

[1] The institute / **is training** / IT professionals and security specialists. <현재진행형>
그 기관은 / 양성하고 있다 / IT 전문가와 보안 전문가를

[2] When I turned on the TV, / the president / **was speaking** / at the UN General Assembly. <과거진행형>
내가 TV를 켰을 때 / 대통령이 / 연설하고 있었다 / 유엔 총회에서

[3] I / **will be participating** / in the seminar on multicultural families / this time tomorrow. <미래진행형>
나는 / 참석하고 있을 것이다 / 다문화 가정에 관한 세미나에 / 내일 이 시간에

미리 계획되어 있는 가까운 미래의 일을 나타낼 때에도 현재진행형을 써서 표현할 수 있다.

I'**m having** dinner / with Eric / tomorrow night.
나는 저녁을 먹을 것이다 / Eric과 / 내일 밤에

I'**m going** to London / next month / to visit my grandparents.
나는 런던에 갈 것이다 / 다음 달에 / 조부모님을 방문하기 위해

2 현재완료진행형/과거완료진행형/미래완료진행형

현재완료진행형(have/has been+v-ing), 과거완료진행형(had been+v-ing), 미래완료진행형(will have been+v-ing)은 각각 그 전 시점부터 해당 시점까지 계속 진행 중인 동작을 나타내며 '(이전부터 죽) ~하고 있다/있었다/있을 것이다'라고 해석한다.

[4] The unemployment rate / **has been increasing** steadily / since 2014. <현재완료진행형>
실업률이 / 꾸준히 증가하고 있다 / 2014년 이래로

[5] They / sent volunteers / to the region / where people **had been suffering** from hunger. <과거완료진행형>
그들은 / 자원봉사자들을 파견했다 / 지역으로 / 사람들이 기아로 고통 받고 있었던

[6] Next year / the satellite / **will have been orbiting** the earth / for five years. <미래완료진행형>
내년이면 / 그 위성은 / 지구 궤도를 돌고 있을 것이다 / 5년째

비교해서 알아두기

현재진행형/과거진행형/미래진행형은 각 시점에서 진행 중인 동작을 말하지만, 현재완료진행형/과거완료진행형/미래완료진행형은 이전부터 해당 시점까지 계속 진행 중인 동작을 말한다.

The firefighters / **are saving** people / from the burning building / now.
소방관들이 / 사람들을 구하고 있다 / 불타고 있는 건물에서 / 지금

The firefighters / **have been saving** people / since the noon.
소방관들이 / 사람들을 (지금까지) 구하고 있다 / 정오부터

구문 연습 내신·서술형

정답 및 해설 p. 35

[1-5] 다음 주어진 문장의 밑줄 친 동사의 시제에 유의하여 문장 전체를 해석하시오.

1 Lots of schools are teaching gender equality to their students.

____

2 Singapore has been using English as an official language since 1965.

____

3 My friend Cindy had been working as a medical secretary for 10 years.

____

4 Throughout history people have been moving from one place to another. 기출 응용

____

5 From next week, you will be working in the Marketing Department. 기출

____

영작 연습

[6-9] 다음 괄호 안의 단어를 우리말과 같은 뜻이 되도록 배열하여 문장을 완성하시오.

6 그는 겨울을 지내려고 남쪽으로 날아가고 있는 새들을 가리켰다. (flying, south, were, the, to)
He pointed at the birds that ______________________ for the winter.

7 VR 게임이 젊은이들 사이에서 죽 인기를 얻고 있다. (gaining, been, popularity, have)
VR games ______________________ among young people.

8 이번 달 말까지는 낮이 점점 더 짧아질 것이다. (and, will, shorter, getting, be, shorter)
The days ______________________ by the end of the month.

9 그녀는 몇 주 동안 죽 매우 열심히 연습했지만 나아지지 않았다. (hard, been, very, had, practicing)
She ______________________ for weeks, but she didn't improve. 기출 응용

어법 연습

[10-11] 다음 문장에서 어법상 틀린 곳을 찾아 바르게 고치시오.

10 The rainforest has been disappeared(①) in(②) recent years because of(③) human greed.

11 When(①) I visited the office, everybody is talking(②) about the upcoming(③) project.

구문 적용 독해

1

다음 글의 제목으로 가장 적절한 것은?

In the 1945 World Series, the Chicago Cubs **were playing** the Detroit Tigers. After the Cubs won two of the first three games, a local bar owner named William Sianis bought two tickets for Game 4. One ticket was for him, and the other was for his pet goat named Murphy. However, while Sianis **was waiting** to enter the stadium with Murphy, he was told that animals were not allowed inside. When Sianis asked club owner P.K. Wrigley why Murphy couldn't attend the game, Wrigley replied, "Because the goat stinks." Growing angry, Sianis declared that the Cubs would never win the World Series. This became known as the Curse of the Billy Goat. The Tigers won the World Series that year, and the Cubs went 71 years without making it back to the World Series. Finally, in 2016, they beat the Cleveland Indians to win the World Series. The curse was broken!

① How the American Baseball Teams Were Made
② Why Animals Are Banned from Ballparks
③ The Goat That Brought Victory to a Team
④ Don't Buy a World Series Ticket for an Animal
⑤ The Unexpected Consequences of Banning a Goat

Q 내신·서술형
본문의 내용을 바탕으로 the Curse of the Billy Goat의 내용을 우리말로 쓰시오.

2

다음 글에 드러난 필자의 심경으로 가장 적절한 것은?

One day, my boss, who **had been reviewing** documents while the rest of the team **was working** on a presentation, suddenly called me to her desk. When I asked her if something was wrong, she held up a report I had recently submitted and slowly shook her head. She told me that my report was not up to her standards and that she had identified several errors in my statistics. At that point her voice began to grow louder, reaching a volume that could be heard throughout the office. She ordered me to stop working on the presentation and rewrite the entire report. All of my coworkers had grown silent and **were listening** to every word that she said. My face grew hot, and I began to feel sick to my stomach. My legs **were shaking** as I slowly made my way back to my seat, wishing I could disappear.

① embarrassed and humiliated
② curious and excited
③ proud and satisfied
④ surprised and pleased
⑤ bored and uninterested

Q 내신·서술형
밑줄 친 submitted와 바꿔 쓸 수 있는 것은?
① dropped in
② run into
③ put up with
④ handed in
⑤ given in

정답 및 해설 pp. 35~37

3

주어진 글 다음에 이어질 글의 순서로 가장 적절한 것은?

Q 내신·서술형
다음은 본문의 주제이다. 빈칸에 알맞은 단어를 본문에서 찾아 쓰시오.
the benefits and ________ of wind energy

Wind is considered a clean source of renewable energy because it doesn't pollute the air like coal and natural gas, which produce harmful byproducts and gas emissions.

(A) Nevertheless, the wind energy industry **is growing** rapidly. Global efforts to combat climate change, such as the Paris Agreement, **are accelerating** this growth. Experts predict that more than one third of the world's electricity will come from wind power by 2050.

(B) Another advantage is that wind power is cost-effective. The wind itself is free, so after setting up a turbine, there are little operational costs for wind power. And turbine prices **have been dropping** due to mass production and technology advancements.

(C) There are, however, some drawbacks. Local residents often complain that wind turbines are ugly and noisy. The turbines' spinning blades can also kill birds and bats. And the wind is variable: On days when there is little wind, no electricity can be generated.

① (A) – (C) – (B)
② (B) – (A) – (C)
③ (B) – (C) – (A)
④ (C) – (A) – (B)
⑤ (C) – (B) – (A)

Words & Expressions

1 local 지역의, 현지의 bar 술집 owner 주인 stadium 경기장 enter 들어가다, 입장하다 attend 참석하다 stink 고약한 냄새가 나다 declare 선언하다, 단언하다 curse 저주 billy goat 숫염소(↔ nanny goat) beat 이기다 originate 유래하다

2 review 재검토하다 work on 작업하다 hold up 들다 submit 제출하다 up to standard 기준에 부합하는 identify 확인하다 statistics 통계 reach 도달하다, 이르다 volume 음량, 볼륨 entire 전체의 coworker 동료 disappear 사라지다 humiliated 굴욕감을 느끼는 curious 호기심이 많은 uninterested 무관심한

3 renewable 재생 가능한 pollute 오염시키다 byproduct 부산물 emission 배출 rapidly 빠르게 combat (방지하기 위해) 싸우다 accelerate 가속화하다 growth 성장 predict 예측하다 electricity 전기 cost-effective 비용 효율이 높은, 경제적인 set up 설치하다 turbine 터빈 operational cost 운영 비용 mass 대량의 advancement 발전 drawback 단점 resident 주민 spin 회전하다 blade 날개, 칼날 variable 가변적인 generate 발생시키다

18 수동태 (1)

동사

1 수동태의 개념과 형태

수동태(be+p.p.(+by))는 주어가 동작의 대상일 때 사용하며 '(…에 의해) ~되다, ~ 당하다'라고 해석한다. 수동태가 조동사, 동명사, to부정사와 결합하여 사용될 경우 형태에 유의한다.

[1] Nearly ninety percent of the world's food / **is provided** / by only fifteen crops. <기본 수동태>
세계 식량의 거의 90퍼센트가 / 제공된다 / 겨우 열다섯 개 작물에 의해

[2] Light / **can** actually **be broken down** / into seven individual colors. <조동사 수동태>
빛은 / 실제로 분해될 수 있다 / 일곱 개의 개별적인 색깔들로

[3] The man / wasn't afraid of / **being interviewed** / by the press. <동명사 수동태>
그 남자는 / 두려워하지 않았다 / 인터뷰 받는 것을 / 언론에

[4] Complex architectural decorations / continued **to be used** / on many buildings. <to부정사 수동태>
복잡한 건축 장식은 / 계속 사용되었다 / 많은 건물에서

상태, 소유를 나타내는 동사나 자동사(have/possess/resemble/belong/become/seem/appear/occur/exist/happen 등)는 수동태로 쓸 수 없다.

The storyline of *Cinderella* / **is resembled** / by that of *Kongjwi and Patgwi*. (X)
The storyline of *Cinderella* / **resembles** / that of *Kongjwi and Patjwi*. (O)
신데렐라의 줄거리는 / 닮았다 / 콩쥐 팥쥐의 줄거리와

They believe[say/know] that ~과 같이 목적어가 절인 문장의 수동태는 가주어 it을 써서 It is believed[said/known] that ~의 형태로 쓸 수 있다.

It is said that / many of Shakespeare's plays / were rewritten / after their original composition.
말해진다 / 셰익스피어의 많은 희곡들이 / 다시 쓰여졌다고 / 원작 이후에

2 수동태의 시제

현재/과거 수동태(am[are/is]/was[were]+p.p.)는 '~되다/되었다'로 해석하고, 미래 수동태(will be+p.p.)는 '~될 것이다'로 해석한다. 진행 수동태(am[are/is]/was[were]+being+p.p.)는 '~되고 있다/있었다'로 해석하고, 완료 수동태(have[has]/had+been+p.p.)는 '~되었다/되어졌다'로 해석한다.

[5] A final agreement / **will be reached** / between labor and management. <미래 수동태>
최종 합의가 / 이루어지게 될 것이다 / 노사 간의

[6] These days, / 3D printers / **are being used** / in many fields. <현재진행 수동태>
요즘에 / 3D 프린터는 / 사용되고 있다 / 여러 분야에서

[7] Food prices / **have been raised** / at many local stores. <현재완료 수동태>
음식 가격이 / 인상되어 왔다 / 많은 지역 상점에서

구문 연습 내신·서술형

정답 및 해설 p. 37

[1-5] 다음 주어진 문장에서 수동태가 쓰인 부분에 밑줄을 긋고, 문장 전체를 해석하시오.

1 Some Korean films will be remade in Hollywood.

____

2 Several roads were blocked due to the unexpected heavy snow.

____

3 Social information is being shared much more widely than in the past. 기출 응용

____

4 We know about dinosaurs because their bones have been preserved as fossils. 기출 응용

____

5 Every sensation our body feels has to wait for the information to be carried to the brain. 기출 응용

____

영작 연습

[6-9] 다음 괄호 안의 단어를 이용하여 우리말과 같은 뜻이 되도록 문장을 완성하시오. (필요하면 형태를 바꿀 것)

6 결승전은 내일 저녁 8시에 생중계로 방송될 것이다. (will, broadcast, live)

The final match ______________ at 8 p.m. tomorrow.

7 휴대 전화는 시험 전에 감독관에게 제출되어야 한다. (should, submit)

The cell phone ______________ to the supervisor before tests.

8 고대 시대에는 많은 도시들이 방어를 위해 벽들로 둘러싸여 있었다. (surround, by walls)

In ancient times a lot of cities ______________ for protection.

9 수십 년 동안 칭찬이 행복하고 건강한 어린이들을 키우는 데 필수라고 믿어져 왔다. (have, believe)

For decades it ______________ that praise is vital in raising happy, healthy children. 기출 응용

어법 연습

[10-11] 다음 괄호 안에서 어법상 알맞은 말을 고르고, 그 이유를 쓰시오.

10 All of your private information is (protecting / protected) by law.

____

11 Spanish has (being / been) spoken in Mexico since the 16th century.

____

1

Louis Braille에 관한 다음 글의 내용과 일치하지 않는 것은?

Louis Braille **was born** in France in 1809. When he was just three years old, he accidentally poked himself in the eye while playing with one of the tools in his father's shop. Doctors tried to save his eye, but the wound became infected. The infection eventually spread to his other eye, leaving Braille completely blind at the age of five. When he was 12, Braille learned about "night writing," a communication system created by Captain Charles Barbier and used by the French army. It **was written** by pressing dots and dashes into thick paper, which let soldiers communicate on the battlefield at night without any light. Braille simplified Barbier's system, creating an alphabet that **could** easily **be read** by the blind. One hundred years after Braille's death in 1852, his life's work **was** finally **recognized** by the French government. To honor him, his body **was reburied** in the Pantheon in Paris, a special building reserved for French national heroes.

Q 내신·서술형
밑줄 친 부분을 능동태로 바꿔 쓰시오.

① 아버지의 가게에서 놀다가 눈을 다쳤다.
② 다섯 살 때 양쪽 눈의 시력을 완전히 잃었다.
③ 열두 살 때 프랑스 군대에서 사용하던 야간 점자를 알게 되었다.
④ 야간 점자를 정교화하여 시각 장애인용 철자를 만들었다.
⑤ 사후 100년 업적을 인정받아 파리 판테온에 재매장되었다.

2

다음 글에서 전체 흐름과 관계 없는 문장은?

Wool is one of the oldest materials used for making clothes, second only to animal skins. ① It **is** not **known** exactly when wool **was** first **used** by early humans, but it **is believed** to have been quite some time ago. ② Wool **is made from** the hair of animals, so whatever animals **were found** in a particular area **were** probably **used**. ③ Sheep and goats **are** most commonly **used** to make wool today, but wool **is** sometimes **made from** camel hair in the desert and from llama hair in parts of South America. ④ Llamas **are** usually **kept** as livestock or **used** as pack animals in mountainous areas. ⑤ Every kind of wool is different, but it all has one thing in common—it protects people from changes in the outside temperature. Woolen clothes actually protect the body not only from the cold but also from the heat. This is why it **is used** all around the world.

Q 내신·서술형
아래 질문에 대한 답을 우리말로 쓰시오. (25자 이내)
Why is wool used all around the world?

정답 및 해설 pp. 37~39

3

다음 글의 제목으로 가장 적절한 것은?

Some of the world's most beautiful places are at risk of **being ruined** forever. Thailand's Maya Bay, for example, **has been shut down** to allow the area to recover from the environmental damage it has sustained. Before the shutdown, it **had been overwhelmed** with visitors, receiving up to 200 boats and 5,000 tourists a day. Due to the litter and pollution left behind, an estimated 80% of Maya Bay's coral **has been destroyed.** Boracay, a tiny island long considered an idyllic tourist destination, **was** also **shut down**, remaining closed for six months for repair and restoration. The area **had been damaged** by an overflow of waste and sewage from excessive tourism. Although Boracay has reopened, there are now strict restrictions on tourism. These examples show why tourism **is considered** a double-edge sword. It can help a region's economy, but it also brings crowds of tourists who may end up damaging the environment.

① How to Be a Respectful Tourist
② The Dark Side of the Tourism Boom
③ Tourism That Helps the Environment
④ The World's Best Tourist Destinations
⑤ Using Tourism Profits to Repair Damage

Q 내신·서술형
밑줄 친 a double-edge sword가 의미하는 바를 우리말로 쓰시오.

Words & Expressions

1 accidentally 우연히, 잘못하여 poke 찌르다 wound 상처 infect 감염시키다 infection 감염 eventually 결국 spread 퍼지다 completely 완전히 captain 대위 dash 대시(—) battlefield 전쟁터 simplify 단순화하다 recognize 인정하다 government 정부 honor 경의를 표하다 rebury 다시 매장하다 reserved 따로 마련된, 예약해 둔

2 wool 양모, 모직 material 물질, 재료 second only to ~ 다음으로, ~에 버금가는 commonly 흔하게 be made from ~으로 만들어지다 llama 라마 livestock 가축 pack animal 짐을 나르는 동물 mountainous area 산악 지역 have ~ in common ~을 공통으로 지니다 protect 보호하다 temperature 온도

3 recover 회복하다 sustain (피해 등을) 입다 shutdown 폐쇄 overwhelm 뒤덮다, 압도하다 litter 쓰레기 pollution 오염 estimated 추정되는, 약 coral 산호초 idyllic 전원(풍)의, 한가로운 restoration 복원 overflow 범람, 넘침 sewage 하수 excessive 과도한 strict 엄격한 restriction 제한, 규제 double-edge 양날의 sword 검, 칼 end up v-ing 결국 ~하게 되다

19
동사

수동태 (2)

1 4형식/5형식 문장의 수동태

4형식 문장에서 직접목적어가 수동태의 주어가 된 경우 간접목적어(사람) 앞에 to/for/of를 써 준다.
5형식 문장이 수동태가 될 때 목적격보어의 형태는 변하지 않지만, 목적격보어가 원형부정사인 경우에는 to부정사의 형태가 된다.

1 The scholarship / **was given** / **to** 68 students / last semester.
← They / gave / 68 students / the scholarship / last summer. <4형식 문장>
장학금이 / 주어졌다 / 68명의 학생들에게 / 지난 학기에

2 New clothes / **were bought** / **for** her / by her mother / but she didn't wear them.
← Her mother / bought her / new clothes / but she didn't wear them. <4형식 문장>
새 옷은 / 구매되었다 / 그녀를 위해 / 그녀의 어머니에 의해 / 하지만 그녀는 그것들을 입지 않았다.

3 Banned users / **will not be allowed** / *to access* certain web pages.
← We / will not allow / banned users / *to access* certain web pages. <5형식 문장>
금지된 사용자들은 / 허용되지 않을 것이다 / 특정 웹 페이지에 접속하는 것이

4 The travelers / **were seen** / *to throw* trash / out of a car window.
← They / saw / the travelers / *throw* trash / out of a car window. <5형식 문장>
그 관광객들은 / 목격되었다 / 쓰레기를 던지는 것이 / 자동차 창문 밖으로

4형식 문장의 직접목적어(사물)가 수동태의 주어가 된 경우 동사에 따라 간접목적어(사람) 앞에 to/for/of를 쓴다.

- 전치사 to를 쓰는 동사: give, bring, show, send, tell 등
- 전치사 for를 쓰는 동사: buy, find, get, make, cook 등
- 전치사 of를 쓰는 동사: ask, require, inquire 등

2 주의해야 할 수동태

두 개 이상의 단어로 구성된 구동사(call off/laugh at/bring up/take care of/look after 등)는 하나의 동사로 취급하여 수동태로 쓸 때 붙여 쓴다. 일부 동사는 행위자를 나타낼 때 by 대신 다른 전치사를 쓴다.

5 The contest / **was put off** / indefinitely, / and it **will** probably **be called off**.
그 대회는 / 연기되었다 / 무기한 / 그리고 아마 취소될 것이다

6 The streets / **were crowded with** people / protesting against the war.
거리는 / 사람들로 붐볐다 / 전쟁에 반대하는

7 According to cell theory, / living organisms / **are composed of** / cells.
세포 이론에 따르면, / 살아있는 유기체는 / 구성되어 있다 / 세포로

★ by 이외의 전치사를 쓴 수동태 표현

be crowded with (~로 붐비다)
be satisfied with (~에 만족하다)
be known to[for] (~에게[로] 알려지다)
be covered with (~로 덮여 있다)
be made of[from] (~로 만들어지다)
be married to (~와 결혼한 상태이다)
be filled with (~로 가득 차다)
be composed of (~로 구성되다)
be interested in (~에 흥미가 있다)

구문 연습 내신·서술형

정답 및 해설 p. 40

[1-5] 다음 주어진 문장에서 수동태가 쓰인 부분에 밑줄을 긋고, 문장 전체를 해석하시오.

1 Several spectators were heard to shout, "It isn't true!"

____

2 Passengers were forced to sleep on camp beds at the airport.

____

3 After the death of his parents, he was looked after by his sister.

____

4 In 2012, the summit of Mt. Everest was crowded with more than 500 people. 기출 응용

____

5 They were made to feel comfortable by the hotel's staff.

____

영작 연습

[6-9] 다음 괄호 안의 단어를 우리말과 같은 뜻이 되도록 배열하여 문장을 완성하시오.

6 버마는 1989년 이래로 미얀마라고 불리고 있다. (Myanmar, been, called, has)
Burma ______________________ since 1989.

7 복원된 그림은 내년에 대중에게 공개될 것이다. (be, the, will, shown, to, public)
The restored painting ______________________ next year.

8 유엔 안전 보장 이사회는 15개 국으로 구성되어 있다. (made, fifteen, up, countries, is, of)
The U.N. Security Council ______________________.

9 그는 직감을 믿었기 때문에 자기 자신과 자신의 결정에 만족했다. (himself, was, with, satisfied)
He ______________________ and his decision because he trusted his gut feeling. 기출 응용

어법 연습

[10-11] 다음 문장에서 어법상 틀린 곳을 찾아 바르게 고치시오.

10 The suspect <u>was seen</u>① <u>enter</u>② the building on CCTV <u>by the police</u>③.

11 A lot of <u>abandoned</u>① dogs <u>are being taken care</u>② <u>by the animal rights groups</u>③.

1

다음 글의 밑줄 친 부분 중, 어법상 틀린 것은?

Air pollution ①has become a big problem in many urban areas. Trees **are considered** to be a deterrent to air pollution, so planting more trees within cities **is** commonly **seen** to be an effective solution. However, planting trees is not as ②efficient as most people think—trees require a large amount of land, and there is a limited amount of land available in most cities. This is ③why City Tree was developed. This innovation, which is capable of filtering out pollutants, **is expected** to relieve the problem of air pollution. Developed by a German firm, it uses a combination of mosses specially ④cultivating to thrive in urban environments. The mosses purify the air by capturing particles and absorbing them into their biomass. In order to help the mosses survive under difficult conditions, IoT technology **is used** ⑤to supply water and nutrients. According to City Tree's developers, it can reduce air pollutants in the surrounding area by up to 30%.

*biomass 생물량(어떤 지역 내의 단위 면적 당 수치로 표시된 생물의 현존량)

Q **내신·서술형**
밑줄 친 문장을 It으로 시작하는 수동태 문장으로 바꿀 때 빈칸에 알맞은 말을 쓰시오.
→ It ________
________ are a deterrent to air pollution

2

글의 흐름으로 보아, 주어진 글이 들어가기에 가장 적절한 곳은?

> College Hall at the University of Pennsylvania, for example, **was constructed** out of serpentine stone in the late 19th century. It is now on the National Register of Historic Places.

Serpentinite is a type of rock that **is known for** its unique appearance. (①) Its name comes from the unusual pattern on its surface, which **is said** to resemble the skin of a serpent. (②) Formed deep within Earth's mantle hundreds of millions of years ago, these rocks gradually found their way to the planet's surface. (③) Serpentinite has a slippery texture, and it **is composed of** high levels of iron, magnesium and water. (④) It **has** historically **been used** as a material for constructing buildings for hundreds of years, mostly due to its marble-like characteristics. (⑤) Because of its beautiful range of colors, including green, yellow and black, serpentinite **is** also **used** by artists to make sculptures and **is** sometimes **cut into** gemstones.

*serpentine 사문석 **serpentinite 사문석[암]

Q **내신·서술형**
밑줄 친 mostly와 바꿔 쓸 수 있는 것은?
① rarely
② mainly
③ specially
④ basically
⑤ strangely

정답 및 해설 pp. 40~42

3

Alvaro Silberstein에 관한 다음 글의 내용과 일치하지 않는 것은?

The ancient Inca city of Machu Picchu, located nearly 2,500 meters above sea level in the mountains of Peru, **is known** not only **for** its beauty but also **for** its steep steps and rugged terrain. Alvaro Silberstein visited Machu Picchu in 2001 and **was interested in** returning for a second time. However, a car accident after his first visit had left him in a wheelchair, so he **was concerned about** making the climb. Despite this, with the help of his family and a special lightweight wheelchair, he was finally able to make the trek again. After this experience, he cofounded a company specializing in wheelchair-accessible tours. Today, Silberstein's company offers travelers 40 different tours in five countries. As people with physical disabilities **are not** usually **given** the same opportunities as other travelers, the company does everything it can to make these trips possible for all of its clients.

Q 내신·서술형
아래 주어진 영영 풀이에 해당하는 단어를 본문에서 찾아 기본형으로 쓰시오.

to make someone feel worried or upset

① 2001년에 고대 잉카의 도시인 마추픽추를 방문했다.
② 첫 번째 방문 후 교통사고로 휠체어를 타게 되었다.
③ 경량 휠체어의 도움으로 두 번째 마추픽추 등반에 성공했다.
④ 휠체어를 타고 갈 수 있는 여행 상품을 찾아다녔다.
⑤ 공동 설립한 회사는 5개 국에서 40종의 여행 상품을 제공한다.

Words & Expressions

1 urban 도시의 deterrent 억제하는 것, 제지하는 것 plant 심다 available 이용 가능한 innovation 혁신 filter out 걸러내다 pollutant 오염 물질 relieve 없애주다, 완화하다 moss 이끼 cultivate 재배하다, 경작하다 thrive 번창하다 purify 정화하다 particle 입자 absorb 흡수하다 survive 살아남다 nutrient 영양분

2 construct 건설하다 appearance 외관, 모습 unusual 특이한 surface 표면 resemble 닮다 serpent 뱀 mantle 맨틀 slippery 미끄러운 texture 질감 material 재료 marble 대리석 characteristic 특징, 특성 range 범위, 영역 sculpture 조각 gemstone 준보석

3 ancient 고대의 nearly 거의 above sea level 해발 steep 가파른 rugged 바위투성이의, 험한 terrain 지형, 지역 despite ~에도 불구하고 lightweight 가벼운, 경량의 trek 오지 여행, 트레킹 cofound 공동 설립하다 specialize in ~을 전문으로 하다 wheelchair-accessible 휠체어로 접근 가능한 offer 제공하다 physical disability 신체 장애 opportunity 기회 client 고객

20 조동사

동사

1 조동사의 다양한 의미

조동사(can / will / may / must / should 등)는 동사 앞에 쓰여 동사에 가능 / 추측 / 의무 / 당연 등의 의미를 더해 주는 말이다. 조동사 외에 ought to(~해야 한다), have to(~해야 한다), used to(~하곤 했다), had better(~하는 게 좋겠다), would rather(차라리 ~하겠다) 등과 같이 조동사 역할을 하는 표현들이 있다.

1 The firefighter / **can** swim well. / So / he / **must** be alive.
그 소방관은 / 수영을 잘 할 수 있다 / 따라서 / 그는 / 살아있을 것이 틀림없다

2 We / **had better** focus / on the immediate issues / because we don't have much time.
우리는 / 집중하는 것이 좋겠다 / 당면한 사안에 / 시간이 많지 않기 때문에

3 You / **ought to** check / your oil and tires / before setting out for a long trip.
너는 / 점검해야 한다 / 기름과 타이어를 / 긴 여행을 떠나기 전에

4 We / **used to** get aid / from other countries, / but now we provide aid / to other countries.
우리는 / 원조를 받곤 했다 / 다른 나라로부터 / 하지만 이제 우리는 원조를 제공한다 / 다른 나라에

혼동하기 쉬운 구문 **「used to-v」와 형태가 비슷하지만 다른 의미를 갖는 「be used to-v(~하는 데 사용되다)」와 「be used to v-ing(~하는 데 익숙하다)」를 구분해서 알아둔다.**

Spy satellites / **are used to obtain** information / about military activities.
스파이 위성은 / 정보를 얻는 데 이용된다 / 군사 활동에 대한

Those who have low self-esteem / **are used to accepting** failure.
자존감이 낮은 사람들은 / 실패를 받아들이는 데 익숙하다

would와 used to는 둘 다 과거의 습관을 나타내지만, used to가 현재는 더 이상 그렇지 않은 과거의 습관이나 상태를 나타내는 반면, would는 단순히 과거의 습관만을 나타낸다.

A lot of young people / **used to** visit rural areas / five years ago. (지금은 더 이상 아님)
많은 젊은이들이 / 시골 지역을 방문하곤 했다 / 5년 전에

A lot of young people / **would** visit rural areas / to help farmers. (현재와의 연관성은 알 수 없음)
많은 젊은이들이 / 시골 지역을 방문하곤 했다 / 농부들을 돕기 위해

2 「조동사+have p.p.」 구문

「조동사+have p.p.」 구문은 과거 상황에 대한 추측이나 과거 사실에 대한 아쉬움을 나타내며 must have p.p.(~했음에 틀림없다), cannot have p.p.(~했을 리가 없다), could have p.p.(~했을 수도 있다), may[might] have p.p.(~했을지도 모른다), would have p.p.(~했을 것이다), should have p.p.(~했어야 했다)가 있다.

5 He / **must have forgotten** / to inform you / that the next meeting will be held on Monday.
그는 / 잊었음에 틀림없다 / 너에게 알리는 것을 / 다음 회의가 월요일에 열린다는 것을

6 A new study suggests / that Stonehenge / **may have been built** / using pig fat.
새로운 연구는 암시한다 / 스톤헨지가 / 지어졌을지도 모른다는 것을 / 돼지 지방을 사용하여

7 The company / **should have stopped** the project / to avoid increasing costs.
그 회사는 / 그 프로젝트를 중단했어야 했다 / 증가하는 비용을 피하기 위해

구문연습 내신·서술형

정답 및 해설 p. 42

[1-5] 다음 주어진 문장의 밑줄 친 부분에 유의하여 문장 전체를 해석하시오.

1 Dinosaurs used to live on earth, but they went extinct.

____

2 He may have eaten berries and mushrooms for breakfast. 기출 응용

____

3 Without such passion, they would have achieved nothing. 기출

____

4 We could take a taxi to the stadium, but I would rather walk there.

____

5 Many people must be suffering from water shortage due to a long dry season.

____

영작 연습

[6-9] 다음 괄호 안의 단어를 이용하여 우리말과 같은 뜻이 되도록 문장을 완성하시오. (필요하면 형태를 바꿀 것)

6 너는 젖은 손으로 전자 기기를 만져서는 안 된다. (ought to, touch)

You ______________ electrical devices with wet hands.

7 그들은 충분한 논의 없이 그 법안을 통과시키지 않았어야 했다. (should, pass)

They ______________ the bill without sufficient discussions.

8 내일 비가 올 것이므로 너는 출발을 미루지 않는 게 좋겠다. (had better, put off)

You ______________ the departure, because it will be raining tomorrow.

9 그녀는 수업이 끝난 후 칠판을 지우는 것을 잊었음에 틀림없다. (must, forget)

She ______________ to erase the board after class.

어법 연습

[10-11] 다음 괄호 안에서 어법상 알맞은 말을 고르고, 그 이유를 쓰시오.

10 You should (return / have returned) the books to the library yesterday.

____

11 When I was young, I (used to observe / was used to observe) the stars at night.

____

1

Roger Bannister에 관한 다음 글의 내용과 일치하지 않는 것은?

British runner Roger Bannister set an impressive goal—to become the first person to run a mile in less than four minutes. Because he was studying to be a neurologist, Bannister didn't have enough time for training. He knew he **had better** come up with a plan. He decided to use a simple 30-minute daily routine to prepare his body and to rely on his self-belief and vision. Bannister **used to** close his eyes and visualize every moment of the race. He **could** see the finish line, hear the cheering crowd, and feel himself making history. What separated Bannister from the other runners who had tried and failed was that he truly believed he **could** do it. He **would** even write "3:58" on a piece of paper and place it in his shoe before races. On May 6, 1954, all of Bannister's mental preparation paid off. He ran a mile in 3:59.4, setting the world record.

① 4분 내에 1마일을 뛰겠다는 목표를 세웠다.
② 영국의 육상 선수이자 신경과 전문의였다.
③ 결승선을 통과하는 자신의 모습을 상상했다.
④ 목표 기록을 적은 쪽지를 신발에 넣기도 했다.
⑤ 1954년 5월에 1마일 세계 기록을 세웠다.

Q 내신·서술형

밑줄 친 paid off와 바꿔 쓸 수 있는 것은?
① finished
② provided
③ succeeded
④ challenged
⑤ disappeared

2

다음 글에서 전체 흐름과 관계 없는 문장은?

Although Mars is currently cold and dry, scientists believe that it contained water in the distant past. A recent study on the impact craters found on the surface of Mars suggests it **may have experienced** a "mega tsunami" when a large meteor crashed into its ancient ocean. ① An impact crater known as Lomonosov strongly resembles the marine impact sites on Earth. ② The researchers believe that the Lomonosov crater **must have been** the place where the "mega tsunami," which **would have plowed** across the surface of Mars, originated. ③ The speed of mega-tsunami waves depends on ocean depth rather than the distance from the source of the wave. ④ They also suspect that a hole in the southern rim of the crater **could have been** the result of the ocean's water rushing back from that direction. ⑤ This, of course, is just a theory, as scientists still have found no proof that Mars once had an ocean. However, if it did, the Lomonosov crater could be in the place where the ocean was located.

*impact crater 충돌 분화구

Q 내신·서술형

빈칸에 알맞은 단어를 본문에서 찾아 주제문을 완성하시오.
Recent research on the ______________ on Mars could offer proof that the planet had a/an __________ a long time ago.

정답 및 해설 pp. 42~43

3

다음 빈칸에 들어갈 말로 가장 적절한 것은?

When people say "it's not my fault," it usually is their fault. For example, you **might** say, "It's not my fault I'm late. Traffic was heavy!" However, you **should have planned** for traffic. Another phrase is "I **can't**." Most of the time, you actually **can**. You just don't want to make the effort. Both of these phrases are examples of a passive mindset. People with a passive mindset believe life is beyond their control. Using passive language **can** cause you to develop a passive mindset. You start to believe the words you say and to convince yourself that nothing is your __________. Feeling this way means that you **don't have to** make changes, since you're not in control. An active mindset, on the other hand, means you **will** take ownership of your failures and recognize that you do have control over your life. If you have a passive mindset, you **should** change it to an active one.

① responsibility ② discipline ③ availability
④ compliment ⑤ qualification

Q 내신·서술형
본문에 나온 단어를 이용하여 글의 제목을 완성하시오.
Change Your Mindset from __________ to __________

Words & Expressions

1 impressive 인상적인 neurologist 신경과 의사 come up with 생각해 내다 routine 일과 rely on 의지하다, 믿다 self-belief 자신감 vision 비전, 꿈 visualize 마음에 떠올리다 separate A from B A를 B와 구별하다[분리하다] mental 정신적인 preparation 준비 pay off 결실을 맺다, 성공하다 set a record 기록을 세우다

2 currently 현재 contain 담고 있다, 함유하다 distant 먼, 멀리 떨어진 surface 표면 suggest 암시하다 mega tsunami 거대 해일 meteor 운석 crash into ~와 충돌하다 resemble 닮다, 유사하다 marine 바다의 plow 갈아엎다, 가르고 나아가다 originate 생기다, 유래하다 distance 거리 suspect 추측하다, 의심하다 rim 테두리 rush back 서둘러 돌아오다 theory 이론

3 traffic 교통(량) heavy 많은, 가득찬 phrase 관용구, 표현법 make an effort 노력하다, 애쓰다 passive 수동적인 mindset 사고방식 beyond one's control 어찌할 수 없는 convince 확신시키다 ownership 소유권, 소유

21
동사

가정법 (1)

1 가정법 과거/가정법 과거완료

가정법 과거는 현재 사실의 반대로「if+주어+동사의 과거형, 주어+조동사의 과거형+동사원형」형태로 쓰며 '만약 ~라면 …할 텐데'로 해석한다. 가정법 과거완료는 과거 사실의 반대로「if+주어+had p.p., 주어+조동사의 과거형+have p.p.」형태로 쓰며 '만약 ~였다면 …했을 텐데'로 해석한다.

[1] **If** we **lived** on a planet / where nothing ever changed, / there **would be** little to do. <가정법 과거>
우리가 행성에 산다면 / 아무것도 변하지 않는 / 할 일이 거의 없을 텐데

[2] **If** the storm **had been** stronger, / the buildings / **would have been destroyed**. <가정법 과거완료>
폭풍이 더 강했다면 / 건물들이 / 파괴되었을 텐데

가정법에서 조건절의 if를 생략하면 주어와 동사가 도치된다. (도치 구문 → p.130)

Were you in my shoes, / you **wouldn't sign** the contract. (← If you were in my shoes)
당신이 내 입장이라면 / 계약서에 사인하지 않을 것이다

Had humans **been** less greedy, / the two world wars **wouldn't have happened**.
(← If humans had been less greedy)
인간이 덜 탐욕스러웠다면 / 두 번의 세계 대전은 일어나지 않았을 것이다

2 I wish 가정법/as if 가정법

「I wish+주어+동사의 과거형」은 현재 이루기 힘든 일에 대한 소망을 나타내고,「I wish+주어+had p.p.」는 과거 일에 대한 아쉬움을 나타낸다.「as if+주어+동사의 과거형」은 주절과 동일한 시점의 일을 반대로 가정하고,「as if+주어+had p.p.」는 주절보다 앞선 시점의 일을 반대로 가정한다. I wish 가정법은 '~라면/였다면 좋을 텐데'로, as if 가정법은 '마치 ~인/였던 것처럼'으로 해석한다.

[3] **I wish** / I **had** someone / to ask for advice / before buying a house. <I wish 가정법 과거>
좋을 텐데 / 내가 누군가 있다면 / 조언을 구할 수 있는 / 집을 사기 전에

[4] **I wish** / the candidate / **had won** the election. <I wish 가정법 과거완료>
좋을 텐데 / 그 후보가 / 선거에서 이겼었더라면

[5] Criminals / were likely to act / **as if** they **felt** unclean. <as if 가정법 과거>
범죄자들은 / 행동할 가능성이 높았다 / 마치 자신이 부정하다고 느끼는 것처럼

[6] The news reporter spoke / **as if** he **had been** / at the scene of the accident. <as if 가정법 과거완료>
그 뉴스 기자는 말했다 / 마치 그가 있었던 것처럼 / 사고 현장에

주절의 시제와 상관없이 주절과 같은 시점의 일을 가정할 때는「I wish/as if 가정법 과거」를 쓰고, 주절의 시제보다 앞선 시점의 일을 가정할 때는「I wish/as if 가정법 과거완료」를 쓴다.

I wish I **traveled** around the world. (지금 현재) 세계 여행을 한다면 좋을 텐데.
I wish I **had traveled** around the world. (전에) 세계 여행을 했었더라면 좋을 텐데.
I wished I **traveled** around the world. (과거 당시) 세계 여행을 했다면 좋았을 텐데.
I wished I **had traveled** around the world. (그 이전에) 세계 여행을 했었더라면 좋았을 텐데.

구문 연습 내신·서술형

정답 및 해설 p. 44

[1-5] 다음 주어진 문장의 밑줄 친 부분에 유의하여 문장 전체를 해석하시오.

1 I wish I had gone to the electronics market with you. 기출

____

2 A lot of people passed by as if they had not seen the injured woman.

____

3 If the organization raised more money, they could help more children in need.

____

4 Had the new medicine been developed earlier, many people could have been saved.

____

5 Many companies advertise their products as if their competitors did not exist. 기출 응용

____

영작 연습

[6-9] 다음 괄호 안의 단어를 우리말과 같은 뜻이 되도록 배열하여 문장을 완성하시오.

6 네가 네 능력에 대해 더 자신감을 가지면 좋을 텐데. (were, confident, more, you)
I wish ______________ with your abilities.

7 우리가 다르게 생각한다면, 예상 외의 답을 찾을지도 모르는데. (an, answer, find, unexpected, might)
If we thought differently, we ______________.

8 경찰이 소년의 말을 주의 깊게 들었었다면, 도둑을 잡을 수 있었을 텐데. (have, the, caught, thief, could)
If the police had carefully listened to the boy, they ______________.

9 만약 나치가 그 다리를 파괴했다면, 그녀는 그것을 보지 못했을 텐데. (it, would, seen, never, have)
If the Nazis had destroyed the bridge, she ______________. 기출 응용

어법 연습

[10-11] 다음 주어진 문장에서 어법상 틀린 곳을 찾아 바르게 고치시오.

10 She was so lean (①) that she looked (②) as if she were sick (③) for a long time.

11 If they started (①) construction earlier (②), it could have been completed (③) sooner.

1

다음 글에 드러난 필자의 심경 변화로 가장 적절한 것은?

Britney pulled up in front of my house, and I got into the passenger seat. We had a long drive ahead of us, so I settled into my seat and looked out the window. There was absolutely nothing to see—just empty field after empty field. After about 20 minutes, we came to the highway, and Britney hit the accelerator **as if** she **were** a race car driver trying to pass the competition. After a few minutes I realized the highway was covered in a layer of invisible ice. Britney was still driving much too fast, and before I could warn her, the car began to slide to the left. Britney immediately slammed on the brakes, which only made things worse. She was screaming at this point, having completely lost control of the car, which began to spin as it flew down the highway at nearly 120 kilometers per hour. There was nothing either of us could do.

① anxious → relieved
② thankful → regretful
③ disappointed → excited
④ bored → terrified
⑤ delighted → frustrated

Q 내신·서술형
주어진 질문에 알맞은 답을 본문에서 찾아 쓰시오.
Q: Why did the car slide?
A: Because ________________________________.

2

다음 글의 밑줄 친 부분 중, 어법상 틀린 것은?

Asteroids are large rocks ①moving through the solar system. Some are just one meter in diameter, but others are so large that they are considered minor planets. There are millions of asteroids, and ②many pass by close to Earth. What would be the effects of a large one colliding with Earth? This is the question NASA is trying to answer. They are hosting conferences and holding exercises ③simulated the effects of a major asteroid impact. Thankfully, they estimate the chances of this happening soon to be ④extremely low. However, it could cause widespread devastation. One such catastrophic asteroid strike happened 65 million years ago. It is believed that it caused ⑤so much moisture and dust to enter the atmosphere that much of the sun's light was blocked, lowering temperatures worldwide and causing the extinction of the dinosaurs. **Had** this not **occurred**, dinosaurs **wouldn't have gone** extinct.

Q 내신·서술형
밑줄 친 부분과 같은 의미가 되도록 빈칸에 알맞은 말을 쓰시오.
→ If ________________ occurred

정답 및 해설 pp. 44~45

3

다음 글에서 필자가 주장하는 바로 가장 적절한 것은?

My boyfriend Peter was perfect in every way except one—he was often late and kept me waiting. Whenever he did so, I complained about him to my friends. **I wished** he **would change**, but I didn't actually do anything about it. Finally, when I couldn't stand it any longer, I spoke my mind. Peter immediately apologized and said, "I didn't realize it was bothering you. **I wish** you **would have told** me sooner." It turned out we simply had different attitudes toward time. I'm obsessively punctual, and Peter was quite comfortable running a few minutes behind schedule. He simply had no idea it was bothering me. Ultimately, the problem was that I was expecting Peter to read my mind rather than letting him know how I felt. The responsibility of dealing with the issue was in my hands.

① 상대를 존중한다면 시간 약속을 지켜라.
② 문제가 발생하면 상대방 입장이 되어 보라.
③ 이성친구에게 너무 많은 것을 기대하지 말라.
④ 관계 개선을 위해서는 알아주기를 바라지 말라.
⑤ 친구 사이에는 때때로 말보다 더 중요한 것이 있다.

내신·서술형

밑줄 친 stand와 바꿔 쓸 수 있는 것은?
① punish
② endure
③ complain
④ envy
⑤ explore

Words & Expressions

1 pull up (차를) 세우다 passenger seat (자동차의) 조수석 settle 자리잡다 absolutely 완전히 competition 경쟁 layer 층, 지층 invisible 눈에 안 보이는 warn 경고하다 slide 미끄러지다 immediately 즉시 slam 세게 밟다 spin 돌다 fly 나는 듯이 가다[움직이다]

2 asteroid 소행성 solar system 태양계 diameter 지름 minor 작은 millions of 수백만의 collide with ~와 충돌하다 NASA 미국 항공 우주국 host 주최하다 conference 학회, 회의 simulate 모의 실험하다 impact 충돌 estimate 추정하다 devastation 파괴, 손상 catastrophic 큰 재앙의 strike 타격, 치기 moisture 습기 atmosphere 대기 extinction 멸종

3 complain 불평하다 stand 참다, 견디다 immediately 즉시 apologize 사과하다 bother 괴롭히다 turn out ~로 밝혀지다 attitude 태도 obsessively 과도하게 punctual 시간을 엄수하는 ultimately 결국 deal with ~을 다루다, 처리하다

22
동사

가정법 (2)

1 혼합 가정법

혼합 가정법은 과거와 현재의 다른 상황에 대한 가정이 혼합될 때 사용한다. if절에는 가정법 과거완료를, 주절에는 가정법 과거를 써서 「If+주어+had p.p., 주어+조동사의 과거형+동사원형」의 형태로 쓰며 '만약 (과거에) ~였다면 (지금) …할 텐데'로 해석한다.

[1] **If** the Korean War **had not broken out**, / we **could visit** each other / freely now.
한국 전쟁이 발발하지 않았었다면 / 우리는 서로 왕래할 수 있을 텐데 / 지금 자유롭게

[2] **If** we**'d learned** foreign languages / at an early age, / we **might have** / more job opportunities.
우리가 외국어를 배웠었다면 / 어린 나이에 / 우리는 가질 텐데 / 더 많은 취업 기회를

2 기타 가정 표현

without[but for]는 '~이 없다면/없었다면'의 뜻으로 가정의 의미를 나타내며, otherwise는 앞의 문장을 반대로 가정하는 부사로 '그렇지 않으면/않았다면'의 의미를 나타낸다. 그 밖의 가정 표현으로 if only(~하기만 한다면/했다면), provided (that)(~한다는 조건으로) 등이 있다.

[3] **Without**[**But for**] GPS in our cars, / we **might have** difficulty / finding our way.
우리 차량에 GPS가 없다면 / 우리는 어려움을 겪을 텐데 / 길을 찾는 데

[4] Fortunately, / the fire occurred late at night. / **Otherwise**, / someone **might have died**.
다행히도 / 화재는 밤늦게 일어났다 / 그렇지 않았다면 / 누군가 죽었을 텐데

[5] **If only** we could edit speech / the way we edit writing!
만약 우리가 말을 편집할 수 있기만 하다면 / 우리가 글을 편집하는 방식으로

[6] Immigrant families / are currently allowed to live together, / **provided that** at least one member of the household is a legal U.S. resident.
이민자 가정은 / 현재 함께 살 수 있다 / 최소한 한 가구원이 합법적인 미국 거주자라면

without[but for]는 가정법 과거일 경우 if it were not for로, 가정법 과거완료일 경우 if it had not been for로 바꿔 쓸 수 있다.

Without[But for] your help, / I **couldn't find** / my way to the hotel. (가정법 과거)
→ **If it were not for** your help, / I **couldn't find** / my way to the hotel.
네 도움이 없다면 / 나는 찾을 수 없을 텐데 / 호텔로 가는 길을

Without[But for] the Internet, / our daily lives **would not have changed** / so much. (가정법 과거완료)
→ **If it had not been for** the Internet, / our daily lives **would not have changed** / so much.
인터넷이 없었다면 / 우리의 일상생활은 변하지 않았을 텐데 / 그렇게 많이

구문 연습 내신·서술형

정답 및 해설 p. 46

[1-5] 다음 주어진 문장의 밑줄 친 부분에 유의하여 문장 전체를 해석하시오.

1 If only he had followed the simple instructions.

____

2 If my car hadn't broken down on the road, I would be with you by now.

____

3 If it were not for smartphones, many people would feel isolated from the world.

____

4 Students come to the library. Otherwise, many of them would go to empty houses. 기출 응용

____

5 Without social bonds, early human beings would not have been able to adapt to their environments. 기출 응용

____

영작 연습

[6-9] 다음 괄호 안의 단어를 이용하여 우리말과 같은 뜻이 되도록 문장을 완성하시오. (필요하면 형태를 바꿀 것)

6 산소가 없다면, 지구상 어떤 생물도 살 수 없을 텐데. (survive)
Without oxygen, no living thing on earth ____________________.

7 무시무시한 도로 충돌 사고가 없었더라면, 그는 야구 스타가 될 수 있었을 텐데. (be)
If it ____________________ a terrifying road crash, he could have been a baseball star.

8 내가 그 그림을 1970년대에 샀다면, 오늘날 백만 달러의 가치가 있을 텐데. (buy)
If I ____________________ the painting in the 1970s, it would be worth one million dollars today.

9 그런 열정이 없었다면, 그들은 아무것도 이루지 못했을 텐데. (nothing, achieve)
If it had not been for such passion, they ______________________________.

어법 연습

[10-11] 다음 괄호 안에서 어법상 알맞은 말을 고르고, 그 이유를 쓰시오.

10 If it hadn't rained yesterday, the road (would not be / would not have been) muddy now.

____

11 (Without / If it had not been for) imagination and creativity, we wouldn't have all the amazing technological innovations we have today.

____

구문 적용 독해

1

다음 글의 목적으로 가장 적절한 것은?

Do you want the cleanest swimming pool in your neighborhood this summer? Then Pool Masters is the perfect solution. We use the three C's of pool care: circulation, cleaning and chemicals. Circulation is the first step, and it plays a major role in the other steps as well. Cleaning comes next, as circulation allows us to efficiently filter your pool's water. The final step is adding our special chemicals, which circulation spreads throughout the pool. It's like stirring milk into a cup of coffee! All three steps are required for proper pool care, but **without circulation**, the other two steps would be impossible. We're offering 30% off on our cleaning services for the upcoming summer vacation season. If you are interested, please visit our website, www.poolmasters.com. Don't miss this opportunity!

① 수영장 청소 서비스를 홍보하려고
② 수영장 이용 시 주의사항을 설명하려고
③ 깨끗한 수질 관리의 중요성을 설명하려고
④ 동네 수영장 할인 행사를 소개하려고
⑤ 수영장 이용 시간과 비용을 안내하려고

Q 내신·서술형
밑줄 친 the other two steps에 해당하는 것을 본문에서 찾아 쓰시오.

2

다음 글의 밑줄 친 부분 중, 문맥상 낱말의 쓰임이 적절하지 않은 것은?

If humans **had** never **existed**, most of the world **would** ① **resemble** the Serengeti. Lions would live in North America, and elephants would walk through Europe. As part of a study, researchers analyzed what the distribution of mammal species **would look** like **if it were not for** the impact of humans. A previous study suggested the spread of humans, not climate change, was the ② cause of the mass extinctions during the last ice age. In their new analysis, the researchers concluded that sub-Saharan Africa is virtually the only place on Earth with a high ③ diversity and sizeable populations of large mammals. The reason is not because the environment there is particularly ④ unfavorable; it is due to the fact that human activities are ⑤ limited and have not yet wiped out most mammal species. Large parts of the world **would be** home to large mammals **if it were not for** human-driven range losses and extinctions.

Q 내신·서술형
밑줄 친 if it were not for를 한 단어로 바꿔 쓰시오.

정답 및 해설 pp. 46~47

3

Haverford College Library에 관한 다음 안내문의 내용과 일치하지 않는 것은?

Q 내신·서술형
밑줄 친 to do so가 의미하는 것을 10자 이내의 우리말로 쓰시오.

Haverford College Library

Welcome to the Haverford College Library! Located in the northwest corner of campus, we have more than 30,000 books available and are open every day from 8 a.m. to 8 p.m.

Library Usage — Your student ID is required to borrow books. The normal loan period for all items is up to a month, **provided that** no one else requests them. Once a request for the book is made by another student, you will have five days to return it to the library.

Lost Books — If you lose a book, you will be required to pay for the cost of a replacement. Failure to do so will result in the loss of all library privileges. If the book is located in good condition within three months, your money will be refunded.

Damaged Books — Books that are returned damaged will also need to be replaced. As with lost books, you will be responsible for the replacement cost.

① 개관 시간은 오전 8시부터 오후 8시까지이다.
② 책을 빌리기 위해서는 학생증이 필요하다.
③ 다른 학생의 요청이 있을 경우 대출한 책을 5일 안에 반납해야 한다.
④ 분실한 책을 다시 반납하면 낸 돈을 언제라도 환불 받을 수 있다.
⑤ 손상된 책을 반납할 경우 교체 비용을 지불해야 한다.

Words & Expressions

1 circulation 순환 chemical 화학 물질 efficiently 효과적으로 filter 여과하다 spread 퍼지다 stir 젓다 upcoming 다가오는
2 resemble 닮다, 비슷하다 analyze 분석하다 distribution 분배, 분포 mammal 포유류 impact 영향, 충격 spread 확산 extinction 멸종 analysis 분석 virtually 사실상, 실제로 diversity 다양성 sizeable 상당한 크기의, 큰 population 인구, 개체수 unfavorable 호의적이 아닌, 불리한 wipe out 없애버리다, 쓸어버리다 range 다양성, 범위
3 available 사용 가능한, 이용 가능한 usage 사용 require 요구하다 loan 대출, 대여 period 기간 request 요청 replacement 교체 result in ~를 초래하다 privilege 특전, 특권 locate 발견하다, 찾아내다 refund 환불하다 damaged 손해를 입은, 하자가 있는 be responsible for ~에 책임이 있다

Supreme

Chapter

중요 구문의 이해

- 비교/분사/도치/강조/부정 구문 등과 같이 문장의 어순이나 구조가 특이해서 해석에 어려움이 생기는 구문들을 알아둔다.
- to부정사/동명사의 관용 구문은 구문으로 접근하기 보다 자주 쓰이는 표현으로 접근하여 알아둔다.

23
중요 구문

비교 구문

1 원급/비교급/최상급의 비교 구문

원급 비교는 「as+원급+as」의 형태로 '~만큼 …한[하게]'로 해석한다. 비교급 비교는 「비교급+than」의 형태로 '~보다 더 …한[하게]'로 해석한다. 최상급 비교는 「the+최상급(+in[of])」의 형태로 '(~에서) 가장 …한[하게]'로 해석한다. 비교급의 강조는 비교급 앞에 부사(구)인 much, even, far, still, a lot을 붙여 나타내며 '훨씬 더 ~한[하게]'라고 해석한다.

[1] White meat / may raise / blood cholesterol levels / **as much as** red meat. <원급>
흰 살 육류는 / 높일지도 모른다 / 혈중 콜레스테롤 수치를 / 붉은 살 육류만큼 많이

[2] This layout / is ***far*** **more efficient** / **than** that of the traditional classroom. <비교급>
이 배치는 / 훨씬 더 효율적이다 / 전통적인 교실의 그것보다

[3] Insects / are **the most abundant** animals / **in** the world. <최상급>
곤충은 / 가장 많은 동물이다 / 세계에서

2 원급/비교급을 이용한 최상급 구문

「부정어+as+원급+as」, 「부정어+비교급+than」, 「비교급+than any other+단수명사」의 표현들은 모두 최상급의 의미를 나타낸다.

[4] **No** other student in the class / is **as humorous as** Sean. (= Sean is the most humorous student in the class.)
반의 어떤 학생도 / Sean만큼 유머러스하지 않다

[5] **Nothing** / is **more precious** / **than** human life. (= Human life is the most precious of all.)
아무것도 / 더 소중한 것은 없다 / 인간의 삶보다

[6] New York / is **larger than any other city** / in the world. (= New York is the largest city in the world.)
뉴욕은 / 어떤 다른 도시보다 더 크다 / 세계에서

3 비교급을 이용한 관용 구문

비교 구문에는 「as+원급+as possible(가능한 한 ~한[하게])」, 「the+비교급 ~, the+비교급 …(~하면 할수록 더 …한[하게])」, 「비교급+and+비교급(점점 더 ~한[하게])」와 같이 특별한 의미를 나타내는 관용 구문들이 있다.

[7] To be a writer, / the most important thing / is to read / **as much as possible**.
작가가 되기 위해 / 가장 중요한 것은 / 읽는 것이다 / 가능한 한 많이

[8] **The deeper** you dive into the ocean, / **the more precious** pearls you can get.
바닷속으로 더 깊이 잠수하면 할수록 / 더 값비싼 진주를 얻을 수 있게 된다

★ 헷갈리는 비교급 관용 표현

no more than: 겨우[단지] ~일 뿐(= only)
no less than: ~만큼이나
not more than: 많아야, 기껏해야(= at most)
not less than: 적어도(= at least)
not the least: 전혀 ~ 않는
not so much A as B: A라기보다 오히려 B

구문 연습 내신·서술형

정답 및 해설 p. 48

해석 연습

[1-5] 다음 주어진 문장에서 비교 구문에 밑줄을 긋고, 문장 전체를 해석하시오.

1 Creating a code is as complex as breaking one.

____

2 Sirius is the brightest star, especially in the winter night sky.

____

3 The Internet has made our lives a lot faster than they were in the past.

____

4 The higher your expectations are, the more difficult it is to be satisfied. 기출 응용

____

5 What he writes is no more than simple summaries of long articles.

____

영작 연습

[6-9] 다음 괄호 안의 단어를 우리말과 같은 뜻이 되도록 배열하여 문장을 완성하시오.

6 면접을 보는 동안에는 가능한 한 명확하게 대답해야 한다. (clearly, as, possible, as)
You have to answer ______________ during the interview.

7 메시지 앱은 다른 앱들보다도 훨씬 더 자주 이용된다. (more, are, than, frequently, used, much)
Messaging apps ______________ other apps.

8 정보화 시대에 휴대 전화만큼 편리한 전자기기는 없다. (as, is, cell phone, as, convenient, the)
No electronic device ______________ in the information age.

9 수입 신선 과일의 시장 점유율은 수입 건과일의 그것보다 2배 많았다. (as, that, twice, was, as, much, of)
The market share of imported fresh fruit ______________ imported dried fruit. 기출 응용

어법 연습

[10-11] 다음 괄호 안에서 어법상 알맞은 말을 고르고, 그 이유를 쓰시오.

10 (The generous / The more generous) you are, the more you get back.

____

11 I found that the best thing was not so (many / much) a moisturizer as a sunblock.

____

1

다음 글에서 전체 흐름과 관계 없는 문장은?

Within the 36 OECD countries, more than half of adults and almost one out of every six children are either overweight or obese. The obesity epidemic has continued to spread over the past five years, although the pace is **slower than** before. ① Children with obese parents are more likely to be obese themselves, but this doesn't mean obesity is an inherited trait. ② What's more, a wide variation in obesity and overweight rates can be seen across OECD countries. ③ For example, the obesity rate of the United States is nearly 10 times **as high as** that of Japan. ④ Many countries are now addressing the issue through policies that encourage people to make healthier choices. ⑤ These include easier-to-understand food labels, public awareness campaigns, and stricter regulations on advertisements for unhealthy products, especially those aimed at children.

내신·서술형

밑줄 친 address가 뜻하는 바로 알맞은 것은?

① to communicate directly
② to deal with a matter or problem
③ to write a delivery location on a package
④ to give a formal speech to a group of people
⑤ to say something to someone

2

(A), (B), (C)의 각 네모 안에서 문맥에 맞는 낱말로 가장 적절한 것은?

Located on a submerged reef 20 kilometers off the coast of Scotland, the Bell Rock Lighthouse is **the oldest lighthouse of** its kind. It was built by a civil engineer named Robert Stevenson. He proposed his idea for the lighthouse in 1799, after several ships crashed on the reef. However, due to the projected costs of construction, his proposal was (A) [approved / rejected]. Soon after a warship named the HMS York crashed into the reef and sank in 1804, work on Stevenson's lighthouse began. As the reef is often hidden below the ocean's waves, building the lighthouse was a great challenge. Work on the base of the structure could only be done during the summer months, when the tide is (B) [low / high]. Despite this, the project was a great success. The Bell Rock Lighthouse is still standing, and its light is visible **more than** 50 kilometers inland. Projecting 35 meters out of the sea, apparently (C) [with / without] support, it still astonishes engineers today.

	(A)	(B)	(C)
①	approved	low	without
②	approved	high	with
③	rejected	high	without
④	rejected	low	without
⑤	rejected	low	with

내신·서술형

아래에 주어진 의미를 모두 가진 단어를 본문에서 찾아 기본형으로 쓰시오.

1 a specific plan or design
2 a study of a subject
3 to stick out above or beyond a surface

3

다음 빈칸에 들어갈 말로 가장 적절한 것은?

Like most people, you probably hate having insects in your home. If you decide to fight these insects with chemicals, you will probably end up losing. Each time we attack an insect species with a certain chemical, it responds by evolving defenses through natural selection. **The more aggressively** we attack it, **the faster** it evolves. In fact, insects can evolve **much faster than** we can react to their changes. Take the German cockroach, for example. It is one of **the most hated** household pests **in** the world. In 1948, people began to use an extremely toxic chemical called chlordane to kill it. In 1951, cockroaches collected from homes in Texas were tested. The researchers found that they were 100 times **more resistant** to chlordane **than** laboratory cockroaches. Again and again, our attempts to eliminate insects have simply ______________________.

*chlordane 클로르덴 (냄새 없는 살충제)

① killed off different creatures instead
② made them immune to our pesticides
③ pushed them from one area to another
④ allowed a different species to take their place
⑤ caused humans to evolve in unexpected ways

> **Q 내신·서술형**
> 밑줄 친 much와 바꿔 쓰기에 적절하지 않은 것은?
> ① still ② far
> ③ even ④ a lot
> ⑤ very

Words & Expressions

1 overweight 과체중의; 과체중 obese 비만의 obesity 비만 epidemic 유행, 전염병 inherited 유전적인, 상속받은 trait 특성 variation 차이, 변화 rate 비율 address 다루다 policy 정책 awareness 인식 regulation 규제(*a.* regulatory 규제의) aimed at ~을 겨냥한

2 submerge 물에 담그다 reef 암초 civil 민간인의 propose 제안하다 crash 충돌하다 project 산출하다, 돌출하다; 기획, 사업 construction 건설 proposal 제안 approve 승인하다 reject 거절하다 warship 전함 sink 침몰하다 base 기반, 토대 tide 조수(潮水), 조류 despite ~에도 불구하고 visible 보이는 inland 내륙에서, 내륙으로 apparently 겉으로는 astonish 놀라게 하다

3 chemical 화학 약품 end up v-ing 결국 ~하게 되다 attack 공격하다 species 종(種) respond 반응하다 evolve 진화하다 defense 방어 natural selection 자연 선택 cockroach 바퀴벌레 pest 해충 toxic 독성의 resistant 내성이 있는 laboratory 실험실 eliminate 박멸하다 immune 면역의 pesticide 살충제

24
중요 구문

분사구문

1 분사구문의 다양한 의미

분사구문은 부사절의 접속사와 주어를 생략하고 분사로 시작하는 구문을 말한다. 분사구문은 문맥에 따라 '~할 때(시간)', '~ 때문에(이유)', '~라면(조건)', '비록 ~이지만(양보)' 등으로 해석한다. 분사구문의 부정은 분사 앞에 not, never와 같은 부정어를 쓴다.

[1] **Opening the email attachments**, / you will see a detailed project schedule. <조건>
이메일 첨부 파일을 열면 / 프로젝트의 세부 일정을 보게 될 것이다

[2] **Not following the traffic regulations**, / a bus hit the tree of the street / and stopped. <이유>
교통 법규를 지키지 않아서 / 버스는 길가의 나무를 들이받고 / 멈춰 섰다

2 동시동작/부대상황의 분사구문

동작이나 사건이 연속으로 일어나거나 동시에 일어나는 경우 분사구문으로 나타낼 수 있으며 '~하면서[한 채로]'로 해석한다. 「with+목적어+분사」로 부대상황을 나타낼 경우 목적어와 분사가 능동 관계이면 현재분사, 수동 관계이면 과거분사를 쓴다.

[3] The gold medalist was standing on the podium, / **waving to the audience**. <동시동작>
금메달리스트는 시상대에 서 있었다 / 관중에게 손을 흔들며

[4] The president got on the plane, / **with his bodyguards following closely**. <부대상황>
대통령은 비행기에 올랐다 / 경호원들을 가깝게 따르게 한 채로

3 주의해야 할 분사구문

부사절의 주어가 주절과 다를 경우 주어를 생략하지 않고 분사 앞에 써 주어야 하는데, 이를 독립분사구문이라고 한다. 또한 주절보다 앞서 일어난 일을 표현할 때 「having+p.p.」 형태의 완료 분사구문을 쓴다.

[5] **The parking lot being full**, / we had to park on the street. <독립분사구문>
주차장이 꽉 차서 / 우리는 거리에 주차해야 했다

[6] **Having inherited a lot of money**, / he was wealthy in his own right. <완료 분사구문>
많은 돈을 상속받아서 / 그는 그 나름대로 부유했다

분사구문이 「Being+과거분사/명사/형용사」나 「Having been+과거분사/명사/형용사」의 형태로 시작하는 경우 Being이나 Having been은 보통 생략된다.

(**Being**) **Tired of the hard work**, / he quit his job.
힘든 일에 지쳐서 / 그는 일을 그만 두었다

(**Having been**) **Printed in haste**, / this book has many misprints.
급하게 인쇄됐기 때문에 / 이 책에는 인쇄 오류가 많다

★ 관용적으로 쓰이는 비인칭 독립분사구문

judging from (~로 판단하건대)
considering (~을 고려해 보면)
speaking of (~에 관해 말하자면)
assuming that (~라고 가정하면)
generally[frankly/strictly] speaking (일반적으로[솔직히/엄격히] 말해서)

구문 연습 내신·서술형

정답 및 해설 p. 50

[1-5] 다음 주어진 문장에서 분사구문에 밑줄을 긋고, 문장 전체를 해석하시오.

1 Sitting in high places, cats feel safer and more comfortable.

____

2 Not having completed the mission, the soldiers returned to the camp.

____

3 Published in 1986, her book became a bestseller a month after its publication.

____

4 Impressionism is comfortable to look at, with its bright colors appealing to the eye. 기출 응용

____

5 Generally speaking, the native people in Central America do not grow green vegetables. 기출 응용

____

영작 연습

[6-9] 다음 괄호 안의 단어를 우리말과 같은 뜻이 되도록 배열하여 문장을 완성하시오.

6 슈베르트는 8번 교향곡을 미완성으로 둔 채 죽었다. (eighth, unfinished, his, with, symphony)
Schubert died ______________________________.

7 스마트폰의 비상 상황 아이콘을 누르면 당신의 위치 정보를 보낼 수 있다.
(smartphone, the, touching, icon, on, your, emergency)
______________________________, you can send your location information.

8 근처에 병원이 없어서, 그 지역 사람들은 그것에 대해 불평했다. (no, nearby, there, hospitals, being)
______________________________, people in the area complained about that.

9 다음 코너에서 왼쪽으로 돌면, 너는 그 건물을 찾게 될 것이다. (at, the, turning, left, to, the next, corner)
______________________________, you will find the building.

어법 연습

[10-11] 다음 주어진 문장에서 어법상 틀린 곳을 찾아 바르게 고치시오.

10 Been attacked(①) by enemy before, the army was prepared(②) this time(③).

11 Locating(①) on the hill, the hotel commands(②) a fine view(③).

1

주어진 글 다음에 이어질 글의 순서로 가장 적절한 것은?

> 내신·서술형
> 문맥상 빈칸에 들어가기에 알맞은 숫자를 쓰시오.

It is possible to estimate the distance of a lightning strike by counting how much time passes between seeing the lightning and hearing the thunder. But why does this method work? 3

(A) This heated air creates a wave of pressure wave that collides with the cooler air around it, **creating sound waves that travel outward.** Sound travels through the air at about 340 meters per second. 6

(B) Therefore, if you multiply the number of seconds between the lightning and thunder by 340, the result will tell you how many meters away the lightning was. For example, if it takes ________ seconds to hear the thunder, this means the lightning was about 3.4 kilometers away. 9

(C) When a bolt of lightning strikes, it heats up the air to about 20,000 °C—this is more than three times hotter than the surface of the Sun. 12

① (A) – (C) – (B)
② (B) – (A) – (C)
③ (B) – (C) – (A)
④ (C) – (A) – (B)
⑤ (C) – (B) – (A)

2

다음 글에 드러난 필자의 심경 변화로 가장 적절한 것은?

> 내신·서술형
> 밑줄 친 That을 어법상 바르게 고치시오.

Last year, I decided to spend the New Year holiday by myself. I didn't want to go to a noisy party. <u>That</u> I needed was a few days of peace and quiet, so I booked a room in an old country house. I arrived on New Year's Eve. **It being a cold and rainy evening,** my heart began to pound with excitement. The house looked amazing. I hurried up the front steps and knocked on the door. After a while, the door slowly opened with a creaking sound, **revealing a frowning old woman.** Without a word, she led me slowly up to my room. The house was dark, empty and completely silent. **With no one moving or making a sound,** I could hear a clock ticking two rooms away. It was like being in a prison. Staying there had been my decision, but it was not a good one. 3 6 9

① grateful → embarrassed
② angry → satisfied
③ hopeful → regretful
④ scared → relieved
⑤ wishful → indifferent

정답 및 해설 pp. 50~52

3

Lake Karakul에 관한 다음 글의 내용과 일치하지 않는 것은?

> **내신·서술형**
> 밑줄 친 ⓐ와 ⓑ 중, 어법상 틀린 것을 골라 바르게 고치시오.

Located at about 3,600 meters above sea level in the High Pamir mountains of Tajikistan, Lake Karakul is the highest lake in the entire region. **Having been formed by a meteorite that struck Earth about 25 million years ago,** the lake sits inside an impact crater. **Surrounded by salt deposits and having no outflowing rivers,** it is one of the saltiest ⓐ lake in all of Asia. It is so salty, in fact, that only a single species of marine creature, the stone loach, a fish that lives on the sandy bottoms of lakes, is able to survive in it. Its marshy wetlands and islands, however, attract a wide range of migratory birds, including the Himalayan vulture and the Tibetan sandgrouse. The lake's high salt content also makes it difficult for humans to navigate it. This is because their boats float so ⓑ high in the dense water that they are continually at risk of tipping over.

① Pamir 고산지대에서 가장 높은 호수이다.
② 운석 충돌로 생긴 분화구 속에 위치하고 있다.
③ 염도가 높아 해양 생물이 전혀 살지 않는다.
④ 호수의 습지와 섬에 다양한 철새가 몰려든다.
⑤ 물의 밀도가 높아 항해하기가 위험하다.

Words & Expressions

1 estimate 추정하다 lightning 번개 thunder 천둥 pressure wave 압력파 collide 충돌하다 sound wave 음파 outward 밖으로 multiply 곱하다 a bolt of lightning 번개 heat up 가열하다

2 by oneself 혼자 book 예약하다 pound (심장 등) 세차게 두근거리다 excitement 흥분, 들뜸 creak 삐걱거리다 reveal 드러내다 frowning 인상을 찌푸린, 화가 난 ticking 째깍거리는 소리

3 above sea level 해발 meteorite 운석 strike 충돌하다 impact crater 충돌 분화구 deposit 매장층 outflow 흘러나오다 marine creature 해양 생물 loach 미꾸라지 marshy 습지의, 늪 같은 wetland 습지 attract 끌어당기다 a wide range of 광범위한, 다양한 migratory bird 철새 vulture 독수리 sandgrouse 사계(砂鷄: 비둘기 비슷한 새) navigate 항해하다 dense 밀도가 높은 continually 계속해서 at the risk of ~할 위험이 있는 tip over 뒤집어지다

25
중요 구문

등위접속사 구문

1 등위접속사 구문

등위접속사는 문법적으로 대등한 단어와 단어, 구와 구, 절과 절을 이어주는 접속사로, and(그리고) / but(그러나) / or(또는) / so(그러므로)가 있다.

[1] The most spoken languages / in the world / are *Chinese* **and** *English*. (단어와 단어)
가장 많이 사용되는 언어는 / 세계에서 / 중국어 그리고 영어이다

[2] About 25 percent of the town's electricity / is generated / *by solar panels* **or** *(by) wind turbines*. (구와 구)
마을 전력의 약 25퍼센트는 / 생성된다 / 태양열 집열판 또는 풍력 터빈에 의해

[3] *The world has changed*, / **so** *our education system should change, too*. (절과 절)
세상이 변했다 / 그러므로 우리 교육 제도 또한 변해야 한다

혼동하기 쉬운 구문

「명령문, and[or]+S+V」 구문에서의 접속사 and와 or는 '그리고'나 '또는'으로 해석하지 않는다. 이 구문은 '~해라, 그러면[그렇지 않으면] …할 것이다'로 해석한다.

Doubt what you read or hear, / **or** you may be fooled / by fake news.
읽거나 듣는 것을 의심해라 / 그렇지 않으면 너는 속게 될지도 모른다 / 가짜 뉴스에

2 상관접속사 구문

상관접속사는 접속사를 포함한 두 개 이상의 단어가 짝을 이루어 하나의 접속사 역할을 하며 both A and B(A와 B 둘 다), either A or B(A 또는 B), neither A nor B(A도 B도 아닌), not only A but also B(= B as well as A)(A뿐만 아니라 B도), not A but B(A가 아니라 B) 등이 있다.

[4] **Neither** dodos **nor** passenger pigeons exist / any longer.
도도새도 나그네비둘기도 존재하지 않는다 / 더 이상

[5] New York City / is / **not only** an economic and cultural center / **but also** a diplomatic one.
뉴욕 시는 / 이다 / 경제와 문화의 중심지일 뿐 아니라 / 외교의 중심지이기도

상관접속사(either A or B / neither A nor B / not only A but also B / not A but B)가 주어로 쓰일 때 동사의 수는 B에 일치시킨다. 단, both A and B는 복수 취급하여 복수 동사를 쓴다.

Either you **or** *she* / are / is a liar.
너나 그녀는 / 거짓말쟁이다

Both you **and** she / are / is a liar.
너와 그녀 둘 다 / 거짓말쟁이다

3 병렬 구조

문법적으로 같은 역할을 하는 단어와 단어, 구와 구, 절과 절이 등위접속사로 연결되는데 이를 병렬 구조라 한다.

[6] The ozone layer / *absorbs* UV rays, / *protects* the earth, / **and** *prevents* the earth from getting hot.
오존층은 / 자외선을 흡수하고 / 지구를 보호하며 / 그리고 지구가 뜨거워지는 것을 막아 준다

[7] Researchers / studied / colonies of rock ants across the western US / **both** *in the wild* **and** *in the lab*.
연구원들은 / 연구했다 / 미국 서부 전역의 암벽 개미 무리를 / 야생과 연구실 모두에서

구문 연습 내신·서술형

정답 및 해설 p. 52

[1-5] 다음 주어진 문장에서 등위접속사나 상관접속사에 밑줄을 긋고, 문장 전체를 해석하시오.

1 The problem is not a shortage of food but the unequal distribution of it.

____

2 Mix blue and red together, and you will get purple.

____

3 Both reading and skiing are graceful, harmonious activities. 기출 응용

____

4 Neither baseball nor American football is as popular in Europe as in the U.S.

____

5 Your responsibility affects not only your job but also your learning abilities. 기출 응용

____

영작 연습

[6-9] 다음 괄호 안의 단어를 우리말과 같은 뜻이 되도록 배열하여 문장을 완성하시오.

6 고혈압은 심장마비나 뇌졸중을 초래할 수 있다. (heart, or, attack, a, either)
High blood pressure can result in ______________________ a stroke.

7 통곡물은 비타민과 미네랄뿐 아니라 에너지도 제공한다. (well, minerals, vitamins, as, and, as, energy)
Whole grains provide ______________________.

8 미국은 Christopher Columbus가 아닌 Amerigo Vespucci의 이름을 따서 명명되었다.
(but, Amerigo Vespucci, Christopher Columbus, not)
America is named after ______________________.

9 이러한 반응은 신체가 위험과 싸우거나 위험에서 벗어날 수 있도록 준비한다. (the, or, fight, either, to, danger)
This reaction prepares the body ______________________ to escape it. 기출 응용

어법 연습

[10-11] 다음 괄호 안에서 어법상 알맞은 말을 고르고, 그 이유를 쓰시오.

10 Neither you nor he (need / needs) to attend the sales meeting.

____

11 It's important both to learn about other cultures and (understanding / to understand) them.

____

1

다음 글의 밑줄 친 부분 중, 문맥상 낱말의 쓰임이 적절하지 않은 것은?

The red imported fire ant, native to South America, is already an invasive species in many parts of the world and may continue to ① spread to new regions in the near future. It is **not only** a threat to public safety due to its venomous sting, **but also** an agricultural pest that damages crops and ② interferes with vital farming activities. The venom from their stings creates a burning sensation, cause skin redness and swelling, and can even lead to death in extreme cases. The species is ③ responsible for an estimated $6 billion in economic losses in the United States alone, and it also has a serious impact on the ecosystem. It **not only** ④ reduces local native ant populations **but also** affects the interactions of other ant species on a larger scale. We must **either** work to ⑤ preserve this invasive species **or** face an ecological disaster.

*invasive species (식물) 침입종

Q 내신·서술형
밑줄 친 문장에서 어법상 틀린 부분을 찾아 바르게 고치시오.

2

다음 빈칸에 들어갈 말로 가장 적절한 것은?

Living creatures—**both** those with highly developed brains **and** those with less-developed brains—use habits to quickly respond to familiar events. This is convenient, as they allow us to perform tasks without focusing on them. For example, if we need to unlock a door **as well as** explain an important point to a companion, we can do both at the same time. The structure of the brain makes it possible for us to act without being fully aware of what we are doing. In other words, we are not always in control of our actions. This loss of control is intentional, for the creation of a habit is the brain's way of reducing the cognitive energy it must expend. It takes many repetitions of a task to create a habit, but once a habit has been established, it is difficult to break. One of the defining qualities of habits is that they are ______________.

① constantly changing
② of little practical use
③ resistant to extinction
④ a burden on the brain
⑤ uncommon and short-lived

Q 내신·서술형
다음은 본문을 요약한 문장이다. 빈칸에 알맞은 단어를 본문에서 찾아 쓰시오. (필요하면 형태를 바꿀 것)
The __________ of a habit enables us to perform tasks without __________.

정답 및 해설 pp. 52~54

3

다음 글의 밑줄 친 부분 중, 어법상 틀린 것은?

Working on arts and crafts projects is **both** fun **and** beneficial for children, as ①it helps them develop a wide range of skills. One of the most important of these is fine motor skills. Activities such as **holding** a paintbrush, **cutting** out shapes, **and threading** beads onto a piece of string ②require fine motor coordination, encouraging children to exercise and refine these skills. It may be good to provide very young children with larger objects that are easier ③to manipulate, such as oversized beads, while older children should be fine with smaller ones. In addition, arts and crafts projects enhance cognitive skills. They require some planning, such as **making** patterns, **choosing** colors, **or deciding** on shapes. Deciding on the details that will determine ④what they want their project to look will encourage them to exercise their planning and problem-solving skills. While this may present a challenge at a young age, these are essential skills ⑤for them to use later in life.

Q **내신·서술형**
다음은 본문의 주제이다. 빈칸에 주어진 철자로 시작하는 단어를 쓰시오.
the two b__________ of arts and crafts projects for children

Words & Expressions

1 red imported fire ant 붉은불개미 native 원산의 venomous 독성의 venom 독 sting 침, 쏘기 agricultural 농업의 pest 해충 interfere with ~을 방해하다 vital 필수적인 burning 타는 듯한, 심한 sensation 감각 swelling 부기 estimated 견적의 population 개체 수 affect 영향을 미치다 interaction 상호작용 on a large scale 큰 규모로 disaster 재앙

2 highly 매우 developed 발달된 respond 반응하다 convenient 편리한 perform 행하다 unlock 열다 companion 동료 at the same time 동시에 be aware of ~을 인식하다 be in control of ~을 통제하다, 관리하다 intentional 의도적인 cognitive 인지의 expend (시간·에너지를) 쏟다 repetition 반복 defining 본질적인 의미를 결정하는 quality 특성, 성질

3 arts and crafts 미술공예 beneficial 이로운 fine motor skill 소근육 운동 thread 꿰다 bead 구슬 string 줄 coordination (여러 근육의) 협동, 조정 refine 정교화하다, 갈고 닦다 manipulate 조작하다, 다루다 in addition 게다가 enhance 고양시키다 cognitive 인지적인 determine 결정하다 present 주다 essential 필수적인

26 종속접속사 구문

중요 구문

1 종속접속사 구문

종속접속사는 주절과 종속절(부사절/명사절/형용사절)을 연결해 주는 접속사이다. 부사절을 이끄는 종속접속사는 주절에 시간(when/as/before/after/while/until/till/since), 이유(as/because/since), 조건(if/unless), 양보(though/although), 대조(while/whereas)의 의미를 더해 주는 절을 이끈다.

1 **While** the festival is being held, / visitors can enjoy fireworks / every night. <시간>
축제가 열리는 동안 / 방문객들은 불꽃놀이를 즐길 수 있다 / 매일 밤

2 **Because** they lacked funds, / they had to put off / the space development project. <이유>
자금이 부족했기 때문에 / 그들은 연기해야 했다 / 우주 개발 프로젝트를

3 **If** you don't go after / what you want, / you'll never have it. <조건>
당신이 뒤쫓지 않는다면 / 당신이 원하는 것을 / 당신은 그것을 결코 가질 수 없을 것이다

4 **Although** a big fire broke out, / no one was killed or hurt. <양보>
대형 화재가 일어났지만 / 어느 누구도 죽거나 다치지 않았다

비교해서 알아두기 접속사 because 뒤에는 「주어+동사」의 절이 오지만, 같은 의미의 전치사구 because of 뒤에는 명사(구)가 온다. 이와 같은 예로 while(접속사) – during(전치사), (al)though(접속사) – despite(전치사) 등이 있다.

Because of / Because *a lack of funds*, / they had to put off / the space development project.
자금 부족 때문에 / 그들은 연기해야 했다 / 우주 개발 프로젝트를

2 접속사 역할을 하는 어구들

두 개 이상의 단어가 모여 접속사 역할을 하는 어구들이 있다. 접속사와 마찬가지로 이 어구들 뒤에는 「주어+동사」의 절이 온다.

5 **By the time** this year ends, / exports will have surpassed imports. <시간>
올해가 끝날 때쯤에는 / 수출이 수입을 앞섰을 것이다

6 **As long as** you honor the trade agreement, / we won't break it, either. <조건>
당신들이 무역 협정을 준수하는 한 / 우리도 그것을 깨뜨리지 않을 것이다

7 She had fallen **so** often / **that** she sprained her ankle / and had to rest for three months. <결과>
그녀는 너무 자주 넘어져서 / 발목을 삐었고 / 석 달 동안 쉬어야 했다

8 The government / collaborates with local communities / **so that** they can support farming. <목적>
정부는 / 지역 사회와 협력한다 / 농업을 지원하기 위하여

★ 접속사 역할을 하는 어구들

as long as (~하는 한)
by the time (~할 때쯤)
the moment (~하자마자)
in case (that) (~한다면, ~하는 경우에)
as far as (~하는 한)
every time (~할 때마다)
now that (~ 때문에)
so[such] ~ that (너무 ~해서 …하다)
as soon as (~하자마자)
next time (다음에 ~할 때)
in that (~한다는 점에서)
so that[in order that] (~하기 위해)

구문 연습 내신·서술형

정답 및 해설 p. 54

해석 연습

[1-5] 다음 주어진 문장에서 종속접속사가 이끄는 절에 밑줄을 긋고, 문장 전체를 해석하시오.

1 Bats are mammals although they have wings and can fly.

____

2 The summer is getting hotter, whereas the winter is getting shorter and warmer.

____

3 If there's a disagreement between the employer and workers, consult the committee.

____

4 As soon as the white ray hit the prism, it separated into the colors of the rainbow. 기출 응용

____

5 Share your favorites with your family so that they can get a good laugh. 기출 응용

____

영작 연습

[6-9] 다음 괄호 안의 단어를 우리말과 같은 뜻이 되도록 배열하여 문장을 완성하시오.

6 곰은 봄이 올 때까지 동굴에서 나오지 않는다. (spring, has, the, come, until)
Bears don't come out of their cave ______________________.

7 다음에 베트남을 방문할 때, 당신은 완전히 달라진 나라를 보게 될 것이다. (time, visit, you, Vietnam, next)
______________________, you will see a totally different country.

8 그 선수는 올림픽에서 금메달을 따기 위해 열심히 훈련한다. (he, a, so, medal, win, gold, that, can)
The athlete trains hard ______________________ in the Olympics.

9 그녀는 너무 지쳐서 한 마디도 할 수 없었다. (exhausted, so, that, was)
She ______________________ she couldn't say a word.

어법 연습

[10-11] 다음 주어진 문장에서 어법상 틀린 곳을 찾아 바르게 고치시오.

10 Light always travels(①) in a straight line(②) unless(③) it is unobstructed.

11 The two countries have been fighting(①) for decades(②) because of(③) they want the land.

1

다음 글의 밑줄 친 부분 중, 문맥상 낱말의 쓰임이 적절하지 않은 것은?

> **내신·서술형**
> 본문의 주제어를 찾아 쓰시오. (2단어)

Have you ever started eating some cookies and found them **so** delicious **that** you couldn't stop **until** the entire bag was empty? You might ① blame your lack of will power, but the real reason you couldn't stop is something called the "bliss point." This is the moment when we find the exact balance of fat, salt and sugar that our bodies ② crave. During prehistoric times, these three elements were **so** crucial to our survival and **so** exceedingly hard to acquire **that** our bodies evolved to make the right combination of them extremely ③ easy to resist. Every adult human has about 10,000 taste buds, each of which has receptors that respond to fat, salt and sugar by stimulating the brain's pleasure zone. As a result, the brain encourages us to eat as ④ much of whatever is in front of us as possible. Fat, salt and sugar complement one another, **so that** they are even more enjoyable when ⑤ combined.

2

Frida Kahlo에 관한 다음 글의 내용과 일치하지 않는 것은?

> **내신·서술형**
> 문맥상 빈칸에 들어갈 연결사로 가장 적절한 것은?
> ① besides
> ② however
> ③ therefore
> ④ at last
> ⑤ for example

Born in 1907, Frida Kahlo was a Mexican artist known for her vibrant and brilliantly colored self-portraits. As a teenager, she began her education with the intention of becoming a doctor. Unfortunately, at the age of 18, she was in a terrible traffic accident. **Although** she eventually recovered, the accident left her weak and in pain for the rest of her life. **While** she was recovering, ____________, Kahlo taught herself to paint. In 1928, Kahlo showed some of her work to Diego Rivera, a famous Mexican painter, and he encouraged her to continue to paint. One year later, they got married. Kahlo had her first public exhibition in 1938, and the following year her artwork was exhibited in Paris. The Louvre also acquired one of her works, making Kahlo the first 20th-century Mexican artist to be included in the museum's collection. **By the time** she died in 1954, she was even more famous than her husband.

① 강렬한 색상의 자화상으로 유명하다.
② 18세 때 교통사고를 당하면서 몸이 허약해졌다.
③ Diego Rivera의 화풍에 영향을 받았다.
④ 1939년에 파리에서 작품을 전시했다.
⑤ 루브르 박물관에 작품이 소장되었다.

정답 및 해설 pp. 54~56

3

다음 빈칸에 들어갈 말로 가장 적절한 것은?

In *Through the Looking Glass,* the sequel to *Alice in Wonderland,* the Red Queen and Alice go for a run. However, no matter how fast they run, they don't get anywhere. This is because their surroundings are moving just as quickly. This is where the name of the Red Queen hypothesis comes from. It states that all species exist in an environment which is constantly changing and that in order to survive they need to adapt with it. For example, **when** frogs develop longer tongues, flies must develop the ability to fly faster. **As long as** both of these changes take place at the same rate, both species will survive, leading to no change in the relative interactions between them. In other words, keeping our position in the ever-changing world is possible when we are ______________________.

*sequel 속편, 후속작

① responsive to change
② indifferent to our rivals
③ able to resist evolution
④ aware of its potential danger
⑤ satisfied with our surroundings

Q 내신·서술형
밑줄 친 rate와 바꿔 쓸 수 있는 단어는?
① ratio ② price
③ speed ④ grade
⑤ position

Words & Expressions

1 blame ~을 탓하다, 비난하다 will power 의지력 bliss point 만족 지점 crave 갈망하다 prehistoric times 선사 시대 element 요소 crucial 중요한 exceedingly 몹시, 대단히 acquire 얻다, 획득하다 evolve 진화하다 combination 조합 extremely 극도로 resist 저항하다 taste bud 미뢰 receptor 수용체 respond 반응하다 stimulate 자극하다 pleasure 쾌감 complement 보완하다 combine 합치다, 조합하다

2 vibrant 강렬한 brilliantly 찬란히, 선명하게 self-portrait 자화상 intention 의도 eventually 결국 recover 회복하다 artwork 미술품 exhibit 전시하다 collection 소장품, 수집품

3 surroundings 주변, 환경 hypothesis 가설, 가정 constantly 끊임없이 adapt 적응하다, 순응하다 take place 일어나다, 발생하다 relative 상대적인 interaction 상호 작용, 관계 in other words 즉, 다시 말해서 ever-changing 계속 변화하는 responsive 대응하는, 반응하는 indifferent 무관심한 resist 저항하다 evolution 진화 potential 잠재적인

27 to부정사/동명사 관용 구문

중요 구문

1 to부정사 관용 구문

to부정사가 포함된 다양한 관용구의 뜻을 알아둔다. 대표적인 관용구로 「too+형용사[부사]+to-v(너무 …해서 ~할 수 없다)」와 「형용사[부사]+enough to-v(~할 만큼[하기에] 충분히 …하다)」가 있다. 문장 앞에 쓰여 문장 전체를 수식해 주는 독립부정사도 관용구로 알아 둔다.

[1] Light / travels **too** fast **to be measured** / in these instruments.
빛은 / 너무 빨리 이동해서 측정될 수 없다 / 이런 도구들로

[2] Food crops / are abundant **enough to feed** / all the people in the world.
식용 작물은 / 먹일 만큼 충분히 많다 / 전 세계의 모든 사람들을

[3] **To be brief**, / our future / depends on / how well we can live and work together.
간단히 말하면 / 우리의 미래는 / 달려 있다 / 우리가 얼마나 잘 살고 함께 협력하는지에

★ to부정사의 관용 구문

be willing to-v (기꺼이 ~하다)
be eager to-v (간절히 ~하고 싶어하다)
can[cannot] afford to-v (~할 여유가 있다[없다])
be likely to-v (~할 것 같다)
be reluctant to-v (마지못해 ~하다)
be about to-v (막 ~하려 하다)
be[make] sure to-v (확실히 ~하다)
have no choice but to-v (~하지 않을 수 없다)

★ 독립부정사 구문

to begin with (우선)
to sum up (요약하자면)
to tell the truth (사실을 말하자면)
to be sure (확실히)
to be frank with you (솔직히 말하자면)
to make matters worse (설상가상으로)
to be brief (간단히 말하면)
strange to say (이상한 말이지만)
to say nothing of (~은 말할 것도 없고)

2 동명사 관용 구문

동명사가 포함된 다양한 관용구의 뜻을 알아둔다. 특히, to부정사의 to와 혼동하지 않도록 「look forward to v-ing(~하기를 기대하다)」와 같이 전치사 to와 함께 쓰인 관용 구문에 유의한다.

[4] Many parents / used to **spend their time correcting** left-handedness / in children.
많은 부모가 / 왼손잡이를 고치는 데 시간을 쓰곤 했다 / 아이들의

[5] Numerous polar bears / **are having difficulties securing** food.
수많은 북극곰들이 / 식량을 확보하는 데 어려움을 겪고 있다

[6] Alexander the Great / went to Delphi, / **looking forward to getting** an oracle / in 335 B.C.
알렉산더 대왕은 / 델포이에 갔다 / 신탁을 받기를 기대하며 / 기원전 335년에

★ 동명사의 관용 구문

be worth v-ing (~할 가치가 있다)
look forward to v-ing (~하기를 기대하다)
cannot help v-ing (~하지 않을 수 없다)
it's no use v-ing (~해도 소용없다)
be busy v-ing (~하느라 바쁘다)
be used to v-ing (~하는 데 익숙하다)
devote oneself to v-ing (~하는 데 헌신하다)
there's no v-ing (~하는 것은 불가능하다)
feel like v-ing (~하고 싶다)
far from v-ing (절대 ~하지 않는)
on v-ing (~하자마자)

구문 연습 내신·서술형

정답 및 해설 p. 56

[1-5] 다음 주어진 문장의 밑줄 친 부분에 유의하여 문장 전체를 해석하시오.

1 No book is worth reading once if it is not worth reading many times.

2 Dairy products should be kept in the refrigerator because they are likely to go bad fast.

3 To sum up, what you and your parents need is quality time to talk. 기출 응용

4 Microplastics are small enough to pass through the nets used to collect them. 기출 응용

5 Great artists spend countless hours exploring their ideas and experiences. 기출 응용

영작 연습

[6-9] 다음 괄호 안의 단어를 우리말과 같은 뜻이 되도록 배열하여 문장을 완성하시오. (필요하면 형태를 바꿀 것)

6 소년은 독감 주사를 맞을 때, 아파서 울부짖지 않을 수 없었다. (cry out, not, help, could)
The boy ______________________ in pain when he got his flu shot.

7 신임 사장은 너무 바빠서 회의에 참석할 수 없었다. (busy, attend, too)
The new president was ______________________ the meeting.

8 우리는 인공 지능에 의해 지배되는 세계에 사는 데 익숙해져야 할지도 모른다. (live, be, to, used)
We may have to ______________________ in a world ruled by AI.

9 그 공장은 폐수가 심각한 질병에 책임이 있다는 것을 마지못해 인정했다. (admit, reluctant, was)
The factory ______________________ that its waste water was responsible for a serious disease.

어법 연습

[10-11] 다음 괄호 안에서 어법상 알맞은 말을 고르고, 그 이유를 쓰시오.

10 (On / As soon as) crossing the finish line, the athlete fell to the ground.

11 Hunter "Patch" Adams devoted himself to (help / helping) people through humor therapy.

1

(A), (B), (C)의 각 네모 안에서 문맥에 맞는 낱말로 가장 적절한 것은?

Q 내신·서술형
밑줄 친 go를 어법에 맞게 고치시오.

Freedom is the most important thing in the world to the average teen, whether it is the freedom to choose their own clothes or the freedom to decide when go to bed. In fact, teenagers crave freedom the same way many adults crave wealth and power. Having freedom makes teenagers feel like they have control of their lives, so they want as (A) [much / little] as possible. Fortunately, there is a happy medium between the absolute freedom teenagers demand and the strict control that parents instinctively desire. Once this middle ground is found, the relationship between teens and their parents **is likely to grow** far less (B) [close / stormy]. The idea of giving teens too much freedom is terrifying **enough to make** parents lose sleep. On the other hand, teenagers who **have no choice but to** (C) [**deny / obey**] every order of their parents **are** more **likely to** eventually **rebel.**

	(A)		(B)		(C)
①	little	……	close	……	deny
②	little	……	stormy	……	obey
③	much	……	close	……	deny
④	much	……	stormy	……	obey
⑤	much	……	close	……	obey

2

글의 흐름으로 보아, 주어진 문장이 들어가기에 가장 적절한 것은?

Q 내신·서술형
본문을 읽고, Tasman 바다의 새들의 뱃속에서 플라스틱이 나온 이유를 우리말로 쓰시오. (50자 내외)

> According to the scientists, the problem is that the birds are predators that will eat anything that is available.

A BBC team recently documented the devastating impact plastic pollution has on seabirds. (①) Filming in the Tasman Sea, which lies between Australia and New Zealand, they recorded numerous birds that had died because their stomachs were **too** full of plastic **to be able to digest** any food. (②) The team also filmed a group of scientists trying to save the birds. (③) The scientists were capturing young birds and physically removing the plastic from their stomachs, in the hopes that this would allow them to survive. (④) As they don't have the ability to tell plastic from non-plastic, they **are likely to end up** with large amounts of plastic in their stomachs. (⑤) **To make matters worse**, adult birds also feed plastic to their young, not realizing that it is killing them.

정답 및 해설 pp. 56~58

3

다음 빈칸에 들어갈 말로 가장 적절한 것은?

Traditional advertising is a one-way street. Rather than a dialogue between seller and consumer, it is a message sent by the seller and received by the consumer. Many modern companies are finding that this model is no longer effective. Today's consumers have greater expectations for ________________. They don't want to simply be persuaded that a product **is worth buying.** Instead, they want to contribute to improving the brand's products. This change is mostly due to the ubiquitous availability of the Internet. People now have a wide variety of communication tools at their fingertips, so they **are used to receiving** direct responses to their suggestions and criticisms. **There is no denying** that brands that actually make an effort to engage consumers in a conversation are usually rewarded with greater customer satisfaction and loyalty. One example of interactive marketing is inviting customers to share their experiences with a product on social media.

> **내신·서술형**
> 밑줄 친 this model이 의미하는 바를 우리말로 쓰시오

① the advertisements they view online
② the quality of the products they buy
③ the replies to the complaints they send
④ the technology they use to communicate
⑤ their interactions with their preferred brands

Words & Expressions

1 crave 열망[갈망]하다 medium 중간물, 매개물 absolute 절대적인 strict 엄격한 instinctively 본능적으로 stormy 격렬한, 논쟁적인 terrifying 무시무시한 on the other hand 반면에 obey 순종하다 eventually 결국 rebel 반항하다

2 predator 포식자 available 이용 가능한 document 보도하다, 기록하다 devastating 파괴적인, 충격적인 digest 소화하다 capture 붙잡다, 포획하다 physically 물리적으로 end up with 결국 ~하게 되다 to make matters worse 설상가상으로 feed 먹이를 주다, 먹이다

3 one-way street 일방 통행로 advertising 광고 effective 효과적인 expectation 기대, 희망 persuade 설득하다 contribute 기여하다 ubiquitous 어디에나 있는, 아주 흔한 fingertip 손가락 끝 deny 부인하다 engage (주의·관심을) 끌다 reward 보상하다 loyalty 충성 interactive 상호적인 interaction 상호 작용

28
중요 구문

도치 구문 / 강조 구문

1 도치 구문

부사(구)나 never / little / seldom과 같은 부정어(구)가 강조되어 문장의 맨 앞으로 이동할 경우, so / neither로 시작하여 앞 문장의 내용에 동의하는 경우, 가정법의 조건절에서 if가 생략된 경우에 주어와 (조)동사는 도치된다.

1 ***In the middle of Trafalgar Square*** / **stands a tall column** / honoring Admiral Nelson. <부사구 강조>
(stands: V, a tall column: S)

트라팔가 광장 한가운데에는 / 높은 기둥이 서 있다 / 넬슨 제독을 기념하는

2 ***Not only* could they** see nothing / in front of them, / but they could not walk any farther. <부정어 강조>
(could: V, they: S)

그들은 아무것도 볼 수 없었을 뿐만 아니라 / 그들 앞에 있는 / 더 이상 걸을 수가 없었다

3 The Senate rejected the bill, / and ***so* did the House of Representatives.**
(did: V, the House of Representatives: S)

상원은 그 법안을 거부했다 / 그리고 하원도 그랬다

4 **Had I** been there, / I would have seen / quite a number of my old friends.
(Had: V, I: S)

내가 거기에 있었더라면 / 나는 봤을 텐데 / 꽤 많은 나의 옛 친구들을

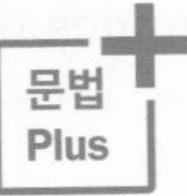

주어와 동사가 도치될 때 be동사가 아닌 일반동사가 있는 문장은 「do / does / did + 주어 + 동사원형」 형태가 된다. 단, 부사(구)가 도치되는 경우에는 「부사(구) + 동사 + 주어」로 쓴다.

Not only *does* the 'leaf fish' look like a leaf, / but it also drifts underwater like a leaf. (일반동사 look)
(does: V, the 'leaf fish': S)

'잎모양 물고기'는 잎사귀처럼 보일 뿐만 아니라 / 그것은 또한 잎사귀처럼 물속에서 떠다닌다.

Under the big tree sat Kurt and Sebastian still drinking iced tea. (부사구 Under the big tree)
(sat: V, Kurt and Sebastian: S)

큰 나무 아래에 / 앉아있었다 / Kurt와 Sebastian이 / 여전히 아이스 티를 마시면서

2 강조 구문

문장에서 주어 / 목적어 / 부사(구)를 강조할 때는 「It is[was] ~ that」의 형태로 쓰며 '…한 것은 바로 ~이다'로 해석한다. 동사를 강조할 경우에는 「do / does / did + 동사원형」 형태로 쓰고 '정말로 ~하다'라고 해석한다.

5 **It was** the scandal / **that** made the vice president resign. <주어 강조>

바로 스캔들이었다 / 부통령을 사임하도록 만든 것은

6 **It was** in the 19th century / **that** scientists realized / apes were distant relatives of man. <부사구 강조>

바로 19세기였다 / 과학자들이 깨달은 것은 / 유인원이 인류의 먼 친척이라는 것을

7 American women / **did** get / the right to vote in 1920. <동사 강조>

미국 여성들은 / 정말로 얻게 되었다 / 1920년에 투표권을

「It is[was] ~ that」 강조 구문에서 강조되는 어구에 따라 that 대신 who(사람) / which(동물, 사물) / when(시간의 부사구) / where(장소의 부사구)를 쓸 수 있다.

It was on Bikini / where[that] the U.S. government tested their nuclear bomb.
바로 비키니 섬에서였다 / 미국 정부가 핵폭탄을 실험한 곳은

구문 연습 내신·서술형

정답 및 해설 p. 58

[1-5] 다음 주어진 문장에서 밑줄 친 부분에 유의하여 문장 전체를 해석하시오.

1 Haiti is located in the Caribbean Sea, and so is Jamaica.

____

2 Under the streets of Seoul stretch several lines of subways.

____

3 Some easily spoiled drugs do require refrigeration. 기출 응용

____

4 It was in 1969 when humans landed on the moon for the first time.

____

5 It is tolerance that protects the diversity which makes the world so exciting. 기출

____

영작 연습

[6-9] 다음 괄호 안의 단어를 우리말과 같은 뜻이 되도록 배열하여 문장을 완성하시오.

6 유머는 인간관계에서 정말로 중요한 역할을 한다. (an, does, role, play, important)
Humor ______________________ in human relationships.

7 첫 번째 해결책은 적절하지 않았으며 두 번째도 또한 아니었다. (second, was, and, the, neither)
The first solution wasn't proper, ______________________.

8 스페인어를 공용어로 사용하는 대부분의 국가는 바로 라틴아메리카에 있다. (in, that, is, it, Latin America)
______________________ most countries use Spanish as an official language.

9 모든 콘서트에 유명한 음악가들을 고용할 여력이 있는 음악 단체는 드물다. (are, the, rare, musical, organizations)
______________________ that can afford to hire famous musicians for every concert. 기출 응용

어법 연습

[10-11] 다음 괄호 안에서 어법상 알맞은 말을 고르고, 그 이유를 쓰시오.

10 The U.S. did (boycotted / boycott) the 1980 Olympics to protest the Soviet invasion of Afghanistan.

____

11 It was penicillin (which / who) saved millions' lives in the early 19th century.

____

구문 적용 독해

1

글의 흐름으로 보아, 주어진 문장이 들어가기에 가장 적절한 곳은?

> However, there were many other factors that may have affected the children's behavior.

In front of a five-year-old boy was a marshmallow. He had been told to wait 15 minutes before eating it. If he did, he would be given a second marshmallow. (①) If he did not wait, there would be no second marshmallow. (②) Fourteen years later, the children who had been patient enough to wait 15 minutes had better grades and were more socially successful than the children who ate the marshmallow right away. (③) Some people believed the results of this experiment were related to self-control. (④) For example, children who grew up dealing with poverty and abuse may not have believed that they really would have been given a second marshmallow **had they waited.** (⑤) In their case, a lack of trust may have been responsible for their behavior, rather than a lack of self-control.

내신·서술형
아래 주어진 영영 풀이에 해당하는 단어를 본문에서 찾아 쓰시오.

cruel, violent, or unfair treatment of someone

2

다음 글의 밑줄 친 부분 중, 어법상 틀린 것은?

Driving while distracted by a smartphone is considered ① to be just as dangerous as driving while drunk. Fortunately, stricter law enforcement and higher public awareness have helped reduce accidents ② related to this unsafe behavior. Meanwhile, however, accidents caused by using a smartphone while walking ③ have been increasing more rapidly than ever. More and more pedestrians, especially younger people, are sending text messages, listening to music, and ④ check their social media pages while they walk. Some cities, such as Fort Lee, New Jersey, have passed laws that ⑤ fine people who walk and use their smartphones at the same time. As a result, this risky behavior **did decrease** dramatically. Even if your city doesn't have any similar laws yet, you should think twice before looking down at your smartphone while walking. After all, **it is** convenience, not danger, **that** we want to get from these devices.

내신·서술형
다음은 본문의 주제이다. 빈칸에 알맞은 단어를 본문에서 찾아 두 단어로 쓰시오.

Using smartphones ________________ is very dangerous.

정답 및 해설 pp. 58~60

3

주어진 문장 다음에 이어질 글의 순서로 가장 적절한 것은?

It has become clear that passwords are no longer an effective safeguard.

> 내신·서술형
> 밑줄 친 connect를 어법상 알맞은 형태로 고치시오.

(A) The authenticator can be a hardware security key connect to a phone or a computer, or a biometric ID, such as a fingerprint or a face scan. Web authentication is more secure than a password, and it eliminates the need to memorize multiple strings of characters.

(B) **No longer will we have to face** the annoyance of going through a login process for every site we visit. This is because a more secure type of login system, known as web authentication, is set to take their place. This system allows users to access websites and apps using an "authenticator" instead of a password.

(C) **Not only are weak or stolen passwords** the cause of most data breaches, they are also a waste of our time and often a source of frustration. Fortunately, it looks like usernames and passwords will soon be a thing of the past.

① (A) – (C) – (B)　② (B) – (A) – (B)　③ (B) – (C) – (A)
④ (C) – (A) – (B)　⑤ (C) – (B) – (A)

Words & Expressions

1 factor 요인　patient 참을성 있는　experiment 실험　self-control 자기 통제　deal with ~을 다루다, 처리하다　poverty 가난
abuse 학대, 남용　be responsible for ~의 원인이 되다　lack 부족

2 distract 산만하게 하다, (주의를) 딴 데로 돌리다　strict 엄격한　enforcement 시행, 집행　awareness 인식　reduce 줄이다
meanwhile 그 동안에　pedestrian 보행자　fine 벌금을 부과하다　risky 위험한　dramatically 극적으로　convenience 편리
device 장치, 기구

3 effective 효과적인　safeguard 보호 장치　authenticator 입증[인증]하는 것, 인증자　security 보안　biometric 생체 측정의, 생체 인식의
authentication 인증, 입증　eliminate 없애다, 제거하다　multiple 많은, 다수의　string 줄, 열　character 문자
face 마주하다, 직면하다　annoyance 성가심, 짜증　secure 안전한, 안심하는　be set to ~하도록 예정되어 있다
access 접속하다　breach 침해, 위반　frustration 좌절

29
중요 구문

생략 구문 / 동격 구문 / 부정 구문

1 생략 구문

문장에서 반복 어구는 자주 생략된다. 주절과 주어가 같은 경우 부사절의 「주어+be동사」가 생략되며, 관계사절에서 「주격 관계대명사+be동사」도 생략된다.

1 This cake / is a favorite of customers / but (**it is**) a challenge for the bakers.
이 케이크는 / 고객들이 가장 좋아하는 것이지만 / 제빵사들에게는 도전이다

2 Although (**it was**) not passed by Congress, / the policy was supported by many people.
비록 의회에서 통과되지는 않았지만 / 그 정책은 많은 사람들의 지지를 받았다

3 All the cars / (**which were**) produced before 1938 / were for right-handed drivers.
모든 차량은 / 1938년 이전에 생산된 / 오른손잡이 운전자들을 위한 것이었다

2 동격 구문

앞선 명사(구)를 부연 설명하기 위해 콤마(,)/of/that절을 사용하여 동격의 어구나 절을 덧붙인다.

4 **Winston Churchill, the famous statesman,** / was also a writer.
유명한 정치가인 Winston Churchill은 / 작가이기도 했다

5 My family / is planning a trip / to the **apple city of Daegu** / next week.
우리 가족은 / 여행을 계획하고 있다 / 사과의 도시인 대구로 / 다음 주에

6 **The scandal that the vice president got a bribe** / made him resign.
부통령이 뇌물을 받았다는 스캔들은 / 그를 사임하도록 만들었다

혼동하기 쉬운 구문

명사 뒤에 that절이 올 경우 「It is[was] ~ that」 강조 구문의 that인지 동격의 that인지 헷갈릴 수 있다. that절이 완전한 절을 이루면 동격의 that이고, 주어나 목적어가 빠진 불완전한 절이면 강조 구문의 that이다. **(강조 구문 → p.130)**

It was ***the scandal*** / **that** made the vice president resign. (주어 the scandal을 강조)
바로 스캔들이었다 / 부통령을 사임하도록 만든 것은

3 부정 구문

부정 구문에는 진술 전체를 부정하는 전체 부정과 진술의 일부만을 부정하는 부분 부정이 있다. every/all/always/necessarily 등이 not과 함께 쓰이면 '모두[항상/반드시] ~하는 것은 아니다'와 같이 부분 부정을 나타낸다.

7 **No** young people / were part of that decision-making process. <전체 부정>
어떤 젊은이도 / 그 의사결정 과정의 일부분이 아니었다

8 TV commercials are **not always** informative; / sometimes they are just entertaining. <부분 부정>
TV 광고가 항상 유익한 것은 아니다; / 때때로 그것들은 그냥 재미있다

문법 Plus

few/little/seldom/hardly/rarely/barely와 같은 부사는 그 자체로 부정의 의미가 있는 준부정어이다.

Few people would be willing to ride a bicycle / in the cold weather.
자전거를 타려고 하는 사람은 거의 없을 것이다 / 추운 날씨에

구문 연습 내신·서술형

정답 및 해설 p. 60

[1-5] 다음 주어진 문장에서 동격, 부정어, 생략 가능한 부분에 밑줄을 긋고, 문장 전체를 해석하시오.

1 Cats like to be alone and hardly express their feelings.

____

2 Many athletes enter the race with the dream of setting the world record.

____

3 Children felt powerful when they were asked to draw a dinosaur. 기출 응용

____

4 Kids do not always understand why their parents make certain rules. 기출 응용

____

5 The man was born on an island that is close to the equator.

____

영작 연습

[6-9] 다음 괄호 안의 단어를 우리말과 같은 뜻이 되도록 배열하여 문장을 완성하시오.

6 어떤 나라도 다른 나라에 그 나라의 정치 시스템을 강요할 수 없다. (can, no, impose, country)
______________ its political system on another.

7 이것은 매일 영어를 말하는 습관을 형성하는 것을 도와준다. (habit, the, speaking, English, of)
This helps form ______________ every day.

8 그 나라는 작고 가난하지만, 무한한 잠재력을 갖고 있다. (small, poor, though, and)
______________, the country has unlimited potential.

9 많은 사람들이 모든 남자아이들이 스포츠를 좋아하는 건 아니라는 사실을 잊는다.
(fact, like, that, the, boys, all, not)
Many people forget ______________ sports.

어법 연습

[10-11] 다음 주어진 문장에서 어법상 틀린 곳을 찾아 바르게 고치시오.

10 I work so(①) much overtime that I hard(②) ever see(③) my children.

11 The news of(①) many people were wounded(②) by the bombing surprised(③) all of us.

구문 적용 독해

1

다음 글의 밑줄 친 부분 중, 문맥상 낱말의 쓰임이 적절하지 않은 것은?

There are many causes of excessive eye dryness, including an unusually dry climate, the use of fans or air conditioners, and long hours spent in front of a computer screen. A diet ① lacking sufficient amounts of omega-3 fatty acids and other nutrients can make the condition even worse. One of the primary symptoms of eye dryness is **a feeling that there is something in the eye**. Other symptoms include a burning sensation, the production of an ② excessive amount of tears, pain, and redness. Dry eyes can also cause people to experience blurry vision and feel as though their eyelids are growing heavier. Although the condition is not completely ③ curable, it is possible to manage it successfully. Steps to take include ④ ensuring prolonged periods of uninterrupted computer use, blinking more frequently, and cleaning your eyelids **while washing your face**. It also helps to position your computer screen ⑤ below eye level to prevent your eyes from opening too wide.

> 내신·서술형
> 본문을 읽고, 안구 건조증을 성공적으로 관리하기 위해서 취해야 할 조치 4가지를 우리말로 쓰시오.

2

다음 글의 제목으로 가장 적절한 것은?

DNA **does not always** stay intact for long periods of time, so it is sometimes impossible for scientists examining the fossilized remains of an animal to figure out what type of predator was responsible for its death. However, there is a new method that may help scientists identify ancient killers. It relies on **the fact that when predators swallow the bones of their prey, the digestive juices found in their stomach leave behind microscopic etchings on the surface of the victim's bones**. The patterns in which these tiny etchings are arranged are unique in each species of predator. This means they can be used much like fingerprints are used by the police to solve cases, explained **Rebecca Terry, a paleontologist**. She added that the use of this new technique will help scientists better understand which species of predators were present in various ancient ecosystems, especially in areas where there are few fossils to be found.

① A Scientist Has Discovered How Fossils Are Formed
② Digestive Juices Destroy All Evidence of Animal DNA
③ Fossils Contain DNA That Can Be Used by the Police
④ Scientists Discover Fossilized Bones of a New Predator
⑤ A New Technique Identifies What Killed Ancient Animals

> 내신·서술형
> 밑줄 친 fingerprints를 비유한 단어를 본문에서 찾아 한 단어로 쓰시오.

정답 및 해설 pp. 61~62

3

다음 글의 내용을 한 문장으로 요약하고자 한다. 빈칸 (A), (B)에 들어갈 말로 가장 적절한 것은?

A series of experiments using rhesus monkeys showed the importance of contact comfort in the development of primate infants. Baby monkeys that had been raised in isolation by the researchers were given a choice of two artificial mothers. The first artificial mother was constructed of only wire and wood, while **the second** was covered in foam rubber and soft cloth. In some cases, the wire-and-wood mother was equipped with a bottle of milk for feeding and the cloth-and-rubber mother **was not.** In the others, the situation was reversed. Regardless of which of the two artificial mothers had the milk, the baby monkeys spent much more time with the cloth-and-rubber mother than **with the one made of wire and wood.** When the wire-and-wood mother had the bottle of milk, the babies would go to her only to feed, immediately returning to the softer mother once they had finished.

*rhesus monkeys 붉은털원숭이

Q **내신·서술형**
밑줄 친 the situation was reversed가 의미하는 바를 우리말로 쓰시오.

⬇

Experiments demonstrated that ___(A)___ between infants and mothers is driven by the need for ___(B)___ contact rather than the desire to feed.

	(A)		(B)
①	difference	……	spiritual
②	difference	……	physical
③	bonding	……	physical
④	bonding	……	indirect
⑤	hostility	……	indirect

Words & Expressions

1 excessive 과도한, 지나친 eye dryness 안구 건조증 nutrient 영양소 primary 주된, 기본적인 symptom 증상 sensation 느낌, 감각 blurry 흐릿한 curable 치유 가능한 prolonged 장기적인, 오래 계속되는 uninterrupted 중단되지 않는 blink 눈을 깜빡이다 position 두다, 위치를 정하다 prevent A from B A가 B하지 못하게 하다

2 intact 온전한, 손상되지 않은 fossilized 화석화된 remains 유해, 잔존물 figure out 알아내다, 이해하다 predator 포식자 identify 식별하다 swallow 삼키다 prey 먹이 digestive juice 소화액 microscopic 미세한, 극히 작은 etching 에칭, 식각 victim 희생자, 피해자 fingerprint 지문 paleontologist 고생물학자

3 a series of 일련의, 연속된 primate 영장류 in isolation 고립된 채 artificial 인공적인 be constructed of ~로 구성되다 wire 철사 foam rubber 거품 고무 be equipped with ~을 갖추고 있다 feed 먹이다 reverse 거꾸로 하다, 뒤집다 regardless of ~에 상관없이 immediately 즉시 demonstrate 보여 주다, 증명하다

Memo

Memo

Memo

시험에 더 강해진다!

동아출판

보카클리어 시리즈

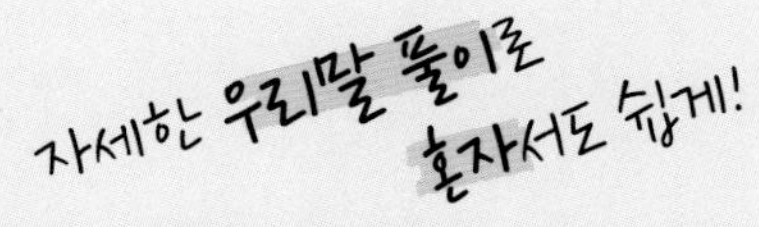

하루 25개 40일, 중학 필수 어휘 끝!

중등 시리즈

중학 기본편 | 예비중~중학 1학년
중학 기본+필수 어휘 1000개

중학 실력편 | 중학 2~3학년
중학 핵심 어휘 1000개

중학 완성편 | 중학 3학년~예비고
중학+예비 고등 어휘 1000개

시험에 꼭 나오는
유의어, 반의어, 숙어가 한 눈에!

고교필수·수능 어휘 완벽 마스터!

고등 시리즈

고교필수편 | 고등 1~2학년
고교 필수 어휘 1600개
하루 40개, 40일 완성

수능편 | 고등 2~3학년
수능 핵심 어휘 2000개
하루 40개, 50일 완성

학습 지원 서비스

휴대용 미니 단어장

어휘 MP3 파일

중등

고등

모바일 어휘 학습 '암기고래' 앱
일반 모드 입장하기 〉 영어 〉 동아출판 〉 보카클리어

안드로이드

iOS

Supreme

수능·내신 프리미엄 고등 영어 시리즈

정답 및 해설

구문독해

아출판

수능·내신 프리미엄 고등 영어 시리즈

정답 및 해설

구문독해

Chapter

1 주어의 이해

01 to부정사구/동명사구 주어

구문 연습 » p. 13

1 To drink coffee before going to sleep
잠자기 전에 커피를 마시는 것은 나쁜 생각이다.

2 To wait for people who are never punctual
결코 시간을 지키지 않는 사람들을 기다리는 것은 나를 화나게 만든다.

3 Creating a friendly working environment
우호적인 작업 환경을 만드는 것은 생산성을 향상시킬 수 있다.

4 you
강한 유대 관계를 형성하기 위해서, 너는 경청하는 습관을 들여야 한다.

5 Reading and listening to others' thoughts
다른 사람들의 생각을 읽고 듣는 것은 그 개념을 확실하게 이해하는 데 기여한다.

6 To accept the truth

7 Comparing yourself with others

8 To speak more than two languages

9 Learning about diverse cultures

10 ① Have → Having[To have]
해석 자신에 대해 많은 질문을 하는 것은 청소년기에 정상이다.
해설 주어는 동명사 또는 to부정사 형태로 올 수 있으므로 Having이나 To have로 쓴다.

11 ② are → is
해석 외국 영화를 보는 것은 새로운 언어를 배우는 데 도움이 된다.
해설 주어가 동명사구일 때는 단수 취급하여 단수 동사를 쓴다.

구문 적용 독해 » pp. 14~15

1 ③ 2 ④ 3 ④

내신·서술형
1 The first items shoppers look at 2 Boredom, creative
3 numbers cannot be divided by zero

1 ③

지문해석

당신은 슈퍼마켓에 잠깐 다녀오려고 하지만 2시간 뒤에는 엄청난 양의 식료품을 들고 집에 오게 된다. 슈퍼마켓 구매의 약 60%는 계획되지 않은 것이다. 이것의 한 이유는 슈퍼마켓 카트의 크기의 증대이다. 이것은 사람들이 인지하지 못한 채 그들의 카트에 더 많이 담을 수 있다는 것을 뜻한다. 한 연구에 따르면, 쇼핑 카트의 크기를 두 배로 늘리는 것이 40%의 구매 증가를 야기한다. 또 다른 이유는 상품의 배치이다. 고객들이 보게 되는 첫 번째 물품들은 눈높이에 있는 것들인데 이는 물품들이 더 잘 팔리게 한다. 이것을 알고 슈퍼마켓들은 더 비싼 옵션들을 중간 선반에 진열한다. 마지막으로 '한시 할인'이라는 표시를 보는 것은 고객들이 계획한 것보다 더 많은 상품을 사도록 야기한다. 긴박감을 조성함으로써 슈퍼마켓들은 사람들이 필요로 하는 것보다 더 많이 사도록 만든다. 실제로 대부분의 '한시' 할인은 모든 상품이 팔릴 때까지 계속된다.

구문해설

5행 According to a study, / doubling the shopping cart size (S(동명사구)) / causes (V) a 40% increase in purchases.
한 연구에 따르면 / 쇼핑 카트의 크기를 두 배로 늘리는 것이 / 40%의 구매 증가를 야기한다

6행 The first items (S) / [(that) shoppers look at] (목적격 관계대명사절) / are (V) those at eye level, / [**which** causes them to sell better].
계속적 용법의 주격 관계대명사절 (앞 절 전체가 선행사) / cause+목적어+목적격보어(to부정사): ~가 …하도록 야기하다
첫 번째 물품들은 / 고객들이 보게 되는 / 눈높이에 있는 것들인데 / 이는 물품들이 더 잘 팔리게 한다

8행 Finally, / seeing signs with "limited time" offers (S(동명사구)) / may cause (V) shoppers to buy more of that product / than they (= shoppers) planned.
마지막으로 / '한시 할인'이라는 표시를 보는 것은 / 더 많은 상품을 사도록 야기한다 / 고객들이 계획한 것보다

문제해설

슈퍼마켓 구매의 60%는 계획되지 않은 것인데 그 이유로 '쇼핑 카트 크기의 증가, 비싼 옵션의 상품 배치, 시간 한정 판매에 의한 긴박감 조성'을 설명하는 내용이므로, 글의 제목으로 ③ '슈퍼마켓에 의해 사용되는 다양한 속임수들'이 가장 적절하다.
① 슈퍼마켓의 성장과 몰락
② 슈퍼마켓에서 돈을 아끼는 법
④ 슈퍼마켓: 크면 클수록 더 좋다
⑤ 슈퍼마켓이 적자가 나고 있는 이유

내신·서술형 The first items shoppers look at
바로 앞 절에서 언급한 구매자들이 보게 되는 첫 번째 물품(The first items shoppers look at)을 가리킨다.

2 ④

지문해석

사람들은 산책을 하거나, 버스를 타고 있을 때나 혹은 아침에 샤워를 하는 동안에 종종 좋은 아이디어들을 떠올린다. 왜 이러한가? 한 실험에서 한 그룹의 참가자들은 전화번호부에서 번호들을 옮겨 적으라는 지시를 받았다. 그런 다음 연구자들은 그들에게 한 쌍의 플라스틱 컵으로 가능한 한 많은 용도를 만들어 보라고 요구했다. 지루한 과업을 부여 받지 않았던 대조군에 비해, 이 사람들은 더 창의적인 아이디어들을 생각해 냈다. 나중에 연구자들은 동일한 실험에 세 번째 그룹을 추가했다. 단순히 긴 전화번호 목록을 읽는 것이 그들의 과업이었다. 전체에서 가장 지루한 과업을 했던 이 세 번째 그룹이 다른 두 그룹보다 훨씬 더 창의적인 대답을 생각해 냈다. 지루함이 당신의 마음이 집중할 흥미로운 뭔가를 찾도록 하기 때문에 지루함이 더 창의적인 해결 방법들을 이끌어 낼 수 있다고 믿어진다.

구문해설

1행 To simply read the long list of phone numbers / was their task.
(To simply read the long list of phone numbers: S(to부정사구), was: V)

단순히 긴 전화번호 목록을 읽는 것이 / 그들의 과업이었다

3행 In an experiment, / a group of participants / **was told to copy** / numbers from a phone book.
(a group of participants: S, was told to copy: to부정사를 목적격보어로 취하는 5형식 동사의 수동태)

한 실험에서 / 한 그룹의 참가자들은 / 옮겨 적으라는 지시를 받았다 / 전화번호부에서 번호들을

6행 Compared to a control group / {**that** had not been given a boring task}, / these people came up with more inventive ideas.
(that: 주격 관계대명사절, had not been given: 과거완료 수동태, come up with: 생각해 내다, 떠오르다)

대조군에 비해 / 지루한 과업을 부여 받지 않았던 / 이 사람들은 더 창의적인 아이디어들을 생각해 냈다

10행 **It** is believed / [**that** boredom may lead to more creative solutions / {**because** it causes / your mind to seek out something interesting to focus on}].
(It: 가주어, that절: 진주어(that절), because: <이유>의 부사절, causes ~ to seek out: cause+목적어+목적격보어(to부정사), to focus on: to부정사 형용사적 용법)

믿어진다 / 지루함이 더 창의적인 해결 방법들을 이끌어 낼 수 있다고 / 야기시키기 때문에 / 당신의 마음이 집중할 흥미로운 뭔가를 찾도록

➔ It is believed that ~은 '~라고 믿어진다'라는 뜻으로 that절이 목적어인 문장의 수동태 구문이다.

문제해설

주어진 문장은 단순히 긴 전화번호 목록을 읽는 것이 그들이 한 일이라는 새로운 과업의 소개 내용이므로, 세 번째 그룹이 소개되는 부분과 세 그룹 중 가장 창의적인 대답을 생각해 냈다는 내용 사이인 ④에 들어가는 것이 가장 적절하다.

내신·서술형 Boredom, creative

지루함이 오히려 창의성을 더 자극해 줄 수 있다는 내용이다.

3 ④

지문해석

여러분들은 아마도 수학 시간에 숫자들은 0으로 나눌 수 없다는 것을 배웠을 것이다. 그런데 왜 그럴 수가 없을까? 상황을 이해하는 가장 좋은 방법은 다른 사람들에게 피자를 나눠 주는 것을 생각해 보는 것이다. 얼마나 많은 사람들이 절반의 피자를 얻을 수 있는지 계산하는 것은 쉽다. 1을 1/2로 나누면 2가 된다. 그래서 두 사람이 각각 절반의 피자를 얻을 수 있다. 우리가 절반을 1/100로 바꾸면 어떻게 될까? 1을 1/100로 나누면 100이 된다. 즉, 1/100은 1퍼센트와 같다. 그래서 100명의 사람들이 각각 1/100의 피자를 얻을 수 있다. 그것은 매우 작은 조각의 피자일 것이다! 이제, 얼마나 많은 사람들이 0퍼센트의 피자를 얻을 수 있는지 알아보자. 0퍼센트는 아무것도 없는 것과 같으므로 수학적인 답이 없다. 한정된(→ 무한히 많은) 사람들이 0퍼센트의 피자를 얻을 수 있다. 그러므로, 수학적으로 0으로 나눈다는 것은 말이 안 된다.

구문해설

1행 You have probably learned / in math class / [**that** numbers cannot be divided by zero].
(have probably learned: 현재완료(경험), that절: have learned의 목적어(명사절), cannot be divided: 조동사의 수동태)

여러분들은 아마도 배웠을 것이다 / 수학 시간에 / 숫자들은 0으로 나눌 수 없다는 것을

3행 To calculate / [**how many** people can get half of the pizza] / is easy.
(To calculate ~ pizza: S(to부정사구), [how many ~ pizza]: calculate의 목적어(의문사절), is: V)

계산하는 것은 / 얼마나 많은 사람들이 절반의 피자를 얻을 수 있는지를 / 쉽다

8행 Now, / let's figure out / [**how many** people can get zero percent of the pizza].
(figure out: 알아내다, 계산하다, [how many ~ pizza]: figure out의 목적어(의문사절))

이제 / 알아보자 / 얼마나 많은 사람들이 0퍼센트의 피자를 얻을 수 있는지를

10행 Therefore, / dividing by zero mathematically / doesn't make any sense.
(dividing by zero: S(동명사구), doesn't make: V)

그러므로 / 수학적으로 0으로 나눈다는 것은 / 말이 안 된다

문제해설

한정된(limited) 사람들이 아니라 무한히 많은(limitless) 사람들이 피자를 나눴을 때 각각 0%의 조각을 얻을 수 있는 것이므로, ④의 limited는 limitless로 바꿔야 자연스럽다.

내신·서술형 numbers cannot be divided by zero

본문은 숫자들을 0으로 나누는 것이 불가능하다는 내용을 설명하고 있다.

02 명사절 주어

구문 연습

» p. 17

1 What we need to slow global warming
지구 온난화를 늦추기 위해 우리가 필요한 것은 녹색 에너지이다.

2 What we remember and how we remember it
우리가 무엇을 기억하고 그것을 어떻게 기억하는지가 우리의 개성을 형성한다.

3 That young people would seek assistance from the Internet
젊은 사람들이 인터넷에서 도움을 구하는 것은 자연스러운 일이다.

4 How ancient Egyptians moved heavy pyramid stones
고대 이집트인들이 무거운 피라미드 돌을 어떻게 옮겼는지는 여전히 수수께끼로 남아 있다.

5 Whether there is a real gender difference in math ability
수학적 능력에 성별 차이가 진짜 있는지는 오랫동안 논란이 되어 왔다.

6 What he told us

7 Where he went yesterday

8 That seat belts save lives

9 How you came up with

10 ① That → What
해석 우리가 먹는 것은 우리의 신체적 조건에 영향을 미칠 수 있다.
해설 뒤에 eat의 목적어가 없으므로 선행사를 포함한 관계대명사 What으로 고쳐야 한다.

11 ② depend → depends
해석 프로젝트가 성공하게 될지 아닐지는 팀원들의 능력에 달려 있다.
해설 whether 명사절은 단수 취급하여 단수 동사를 쓴다.

구문 적용 독해

» pp. 18~19

1 ③ 2 ① 3 ③

내신·서술형

1 (D)ifferences 2 face 3 약 1미터 높이의 테이블이라면 토스트는 반 바퀴를 회전한다는 것

1 ③

지문해석

우리가 흔히 '별똥별'이라고 부르는 것은 실제로는 유성이다. 유성은 높은 속도로 지구의 대기권에 들어올 때 타 버리는 작은 돌 덩어리들이다. 눈에 보이는 짧고 하얀 꼬리는 물질이 식을 때 빛이 나는 타 버린 물질이다. 한편 혜성은 얼음과 먼지로 이루어져 있으며, 그것들은 태양에 접근할 때 꼬리를 형성한다. 지구가 혜성이 남겨 놓은 먼지 구름을 통과할 때, 유성우가 발생한다. 때때로 대기 중으로 떨어지는 유성은 하늘을 가로지르는 유별나게 밝은 줄무늬를 만드는데, 이것은 화구(火球)라고 불린다. 만약 화구가 대기를 통과할 때 완전히 증발되지 않으면, 그것은 지구의 표면에 부딪칠 것이다. 그렇게 될 때, 그것은 운석으로 알려진다.

구문해설

1행 Comets, / on the other hand, / are composed of ice and dust, / and they form tails / [when approaching the Sun].
(S: Comets / be composed of: ~로 이루어지다 / they = comets / 부사절의 「주어+be동사(they are)」가 생략됨)

혜성은 / 한편 / 얼음과 먼지로 이루어져 있으며 / 그것들은 꼬리를 형성한다 / 태양에 접근할 때

3행 **What** we commonly call "shooting stars" / are actually meteors.
(S: What we commonly call "shooting stars" — 선행사를 포함하는 관계대명사(= The things that) → 복수동사 / V: are)

우리가 흔히 '별똥별'이라고 부르는 것은 / 실제로는 유성이다

5행 The short, white trail / [**that** can be seen] / is burned-off material / [**that** glows / {**as** it cools down}].
(S: The short, white trail / 주격 관계대명사절 / V: is / 주격 관계대명사절 / it = material / <시간>의 부사절)

짧고 하얀 꼬리는 / 눈에 보이는 / 타 버린 물질이다 / 빛이 나는 / 물질이 식을 때

7행 Sometimes / a meteor [**falling** through the atmosphere] / causes an unusually bright streak / across the sky / — this is called a fireball.
(S: a meteor / 현재분사구 / V: causes)

때때로 / 대기 중으로 떨어지는 유성은 / 유별나게 밝은 줄무늬를 만드는데 / 하늘을 가로지르는 / 이것은 화구(火球)라고 불린다

11행 When it does, / it is known as a meteorite.
(does = hits Earth's surface)

그렇게 될 때 / 그것은 운석이라고 알려진다

문제해설

주어진 문장은 '한편'이라는 연결사와 함께 혜성에 대한 설명을 시작하는 내용이므로 혜성이 남겨 놓은 먼지 구름을 통과할 때 유성우가 발생한다는 내용 앞인 ③에 들어가는 것이 가장 적절하다.

내신·서술형 (D)ifferences

유성, 혜성, 운석의 각각의 발생과 형태에 대한 설명을 함으로써 그것들의 차이를 보여 주는 글이므로 Differences가 적절하다.

2 ①

지문해석

우리들 대부분은 우리의 접시에 무엇이 있는지는 면밀히 관찰하지만 시계에는 그러지 않는다. 연구들은 우리가 매일의 각 끼니를 언제 먹느냐가 무엇을 먹느냐 만큼 중요하다는 것을 보여 준다. 당신의 신진대사는 24시간 주기 리듬이라고도 알려져 있는 생체 시계 때문에 실제로 하루 종일 변화한다. 만일 당신이 24시간 주기 리듬과 조화를 이루어 먹지 않으면, 당

신은 심장질환, 당뇨병, 비만의 큰 위험에 직면할 수도 있다. 핵심은 태양인데, 태양은 당신의 24시간 주기 리듬을 설정하는 것이다. 몸은 태양이 빛날 때 먹고 밤에는 쉬기를 좋아한다. 오후 3시 전에 대부분의 칼로리를 소비하는 식이요법자들이 낮에 더 늦은 시간에 식사를 하는 사람들보다 더 많은 체중을 감량하는 것으로 나타났다. 그러므로, 당신의 24시간 주기 리듬에 주의를 기울여라. 그러면 일반적으로 더 에너지 넘치고 더 건강해지는 것을 느낄 것이다.

구문해설

2행 Studies show / [**that** {**when** we eat each of our daily meals} / is as important / as {**what** we eat}].
show의 목적어(명사절) / S(의문사절) / V / 의문사절
연구들은 보여준다 / 우리가 매일의 각 끼니를 언제 먹느냐가 / 중요하다는 것을 / 무엇을 먹느냐 만큼

6행 The key is the sun / — this is [**what** sets your circadian rhythm].
= the sun / 주격보어(선행사를 포함하는 관계대명사절)
핵심은 태양인데 / 태양은 당신의 24시간 주기 리듬을 설정하는 것이다

8행 **It** has been shown / [**that** dieters {**who** consume most of their calories before 3 p.m.} / lose more weight / than those {**who** eat later in the day}].
가주어 / 현재완료 수동태 / 진주어(that절) / 주격 관계대명사절 / 주격 관계대명사절 / = people
나타났다 / 오후 3시 전에 대부분의 칼로리를 소비하는 식이요법자들이 / 더 많은 체중을 감량한다 / 낮에 더 늦은 시간에 식사하는 사람들보다

문제해설

(A) that절 안에서 주어는 의문사절인 when ~ meals이므로 단수 취급하여 단수 동사 is가 적절하다.

(B) prefer의 목적어인 to eat와 to rest가 and로 연결된 병렬 구조가 되어야 한다.

(C) 「명령문 ~, and …」는 '~해라, 그러면 …할 것이다'의 뜻이고 「명령문 ~, or …」는 '~해라, 그렇지 않으면 …할 것이다'의 뜻인데 내용의 흐름상 and가 적절하다.

내신·서술형 face

'불쾌한 어떤 것을 대하다'라는 의미를 가진 f로 시작하는 단어로는 face(직면하다)가 적절하다.

3 ③

지문해석

잼이 발라진 토스트 한 조각이 테이블에서 떨어지는 것을 상상해 보라. 어떤 사람들은 그것이 잼이 있는 면으로 떨어지면, 운이 안 좋다고 말한다. 그러나 그 상황을 논리적으로 생각해 보자. 요인으로는 토스트의 크기와 그것이 떨어지는 각도뿐만 아니라 중력과 그것이 떨어지는 테이블의 높이가 있는데, 그것들이 토스트가 회전하는 움직임을 결정한다. 토스트가 잼이 바닥에 닿는 위치로 회전하는지 아닌지는 토스트를 회전하게 하는 힘에 달려 있다. 테이블이 약 1미터 높이라고 가정하면, 그 토스트는 약 반 바퀴를 회전할 것이다. 이것은 토스트의 잼이 있는 쪽이 이제 아래를 향하고 있을 것임을 의미한다. 그러므로 너의 토스트가 잼이 있는 쪽으로 떨어진다는 것은 불운이 아니다. 그것은 단지 단순한 과학일 뿐이다.

구문해설

1행 Imagine / [(that) a piece of toast with jam on it / falls off a table].
Imagine의 목적어(명사절) / = a piece of toast
상상해 보라 / 잼이 발라진 토스트 한 조각이 / 테이블에서 떨어지는 것을

3행 The factors include / gravity and the height of the table [it fell off], / as well as the size of the toast and the angle [**at which** it fell], / [**which** determine the motion of the toast's rotation].
목적격 관계대명사절(that 생략됨) / A as well as B: B뿐만 아니라 A도 / 전치사+목적격 관계대명사 / 계속적 용법의 주격 관계대명사절 (앞 문장의 4가지 요소들이 선행사이므로 복수동사)
요인으로는 있다 / 중력과 그것이 떨어지는 테이블의 높이 / 토스트의 크기와 그것이 떨어지는 각도뿐만 아니라 / 그것들이 토스트가 회전하는 움직임을 결정한다

5행 [**Whether** the toast rotates to a position {**in which** the jam is touching the floor} or not] / depends on the force / [**that** causes the toast to rotate].
S(명사절) / 전치사+목적격 관계대명사(= where) / V / 주격 관계대명사절
토스트가 잼이 바닥에 닿는 위치로 회전하는지 아닌지는 / 힘에 달려 있다 / 토스트를 회전하게 하는

7행 [**Assuming that** the table is about one meter tall], / the toast will rotate / about half a turn.
~이라 가정하면
테이블이 약 1미터 높이라고 가정하면 / 그 토스트는 회전할 것이다 / 약 반 바퀴를

9행 [**That** your toast lands on the jam side] / is therefore not bad luck.
S(명사절) / V
너의 토스트가 잼이 있는 쪽으로 떨어진다는 것은 / 그러므로 불운이 아니다.

문제해설

잼이 발라진 토스트가 떨어질 때 여러 요인들이 작용하여 바닥에 닿는 부분이 결정된다는 내용으로, 뒷문장에서 토스트가 회전하는 위치에 대해 언급하고 있다. 따라서 빈칸에 들어갈 말로 가장 적절한 것은 ③ '토스트가 회전하는 움직임'이다.

① 토스트에 발라진 잼의 양
② 토스트가 떨어질 가능성
④ 잼이 떨어지는 바닥 위치
⑤ 토스트가 떨어지는 총 거리

내신·서술형 약 1미터 높이의 테이블이라면 토스트는 반 바퀴를 회전한다는 것

바로 앞 문장에서 설명하는 내용을 의미한다.

03 긴 주어를 대신하는 가주어 it

구문 연습

» p. 21

1 to ride a motorcycle without a helmet
헬멧 없이 오토바이를 타는 것은 위험하다.

2 to check the garden for potential dangers
잠재적인 위험성을 알기 위해 정원을 확인하는 것은 매우 중요하다.

3 how successful the movie was at the global box office
그 영화가 세계 박스 오피스에서 얼마나 성공적이었는지 놀라웠다.

4 that humans take advantage of nature to benefit themselves
인간이 자신들의 이익을 얻기 위해 자연을 이용한다는 것은 명백하다.

5 to name the building after its founder
그 회사가 그 건물의 이름을 설립자의 이름을 따서 지은 것은 당연했다.

6 It, spending some time

7 It, for her to follow

8 It, whether you agree or not

9 It, that we hear

10 ① That → It
해석 무엇이 섭식 장애를 유발하는지는 정확히 알려지지 않았다.
해설 what causes eating disorders가 진주어인 가주어-진주어 구문이므로 That을 가주어 It으로 고쳐야 한다.

11 ② of → for
해석 내가 로고의 이름과 디자인을 결정하는 것은 힘들었다.
해설 「It ~ to-v」 구문에서 to부정사의 의미상의 주어는 앞에 사람의 성질을 나타내는 형용사가 올 때는 of를 쓰고, 그 외에는 for를 쓴다.

구문 적용 독해

» pp. 22~23

1 ② 2 ⑤ 3 ①

내신·서술형
1 errors, mental 2 ② 3 ⓐ robots ⓑ ingredients

1 ②

지문해석

우리는 모두 머릿속에 대략적인 세계 지도를 가지고 있다. 이 머릿속의 지도가 늘 신뢰할 만한 것은 아니라는 것은 놀랄 일이 아니다. (A) 예를 들면, 남아메리카가 북아메리카의 바로 남쪽에 있다고 믿는 것은 아주 흔한 오류이다. 실제로 남아메리카는 거의 남동쪽에 있다. 이 오해에는 명백한 이유가 있는데, 그것은 남동아메리카가 아니라 남아메리카로 불려서이다. (C) 종종 위치가 잘못되는 또 다른 대륙은 아프리카이다. 사람들은 보통 적도가 아프리카의 중앙을 지나간다고 생각한다. 하지만 아프리카 대륙의 2/3가량은 적도의 북쪽에 있다. 최북단 지역은 실제로 거의 서울과 같은 위도에 있다. (B) 우리가 이러한 흔한 오류에 대한 진실을 알게 된 후에도, 우리는 좀처럼 우리의 머릿속 지도를 애써 수정하려 하지 않는다. 한 가지 이유는 아마도 이 지도들이 단지 대략적인 스케치일 뿐이기 때문일 것이다. 이 지도들이 완벽하지 않더라도 그것들은 유용하다.

구문해설

1행 **It**'s not surprising / [**that** these mental maps aren't always reliable].
(It: 가주어 / that절: 진주어(that절) / not always: 부분부정(항상 ~인 것은 아니다))
놀랄 일이 아니다 / 이 머릿속 지도들이 늘 신뢰할 만한 것은 아니라는 것은

3행 For example, / **it** is a very common error / [**to believe** / {**that** South America is directly south of North America}].
(it: 가주어 / to believe ~: 진주어(to부정사구) / that절: believe의 목적어(명사절))
예를 들면, / 아주 흔한 오류이다 / 믿는 것은 / 남아메리카가 북아메리카의 바로 남쪽에 있다고

10행 Another continent / [**that** is often misplaced] / is Africa.
(that절: 주격 관계대명사절)
또 다른 대륙은 / 종종 위치가 잘못되는 / 아프리카이다

11행 However, / about two-thirds of the continent / is north of the equator.
(two-thirds: 분수 표현: 분자(기수)+분모(서수) / 분수 표현에서 동사의 수는 of 뒤에 나오는 명사의 수에 따름)
하지만 / 아프리카 대륙의 2/3가량은 / 적도의 북쪽에 있다

문제해설

머릿속 지도가 항상 신뢰할 만한 것은 아니라는 주어진 글에 이어, 남아메리카가 북아메리카 바로 남쪽에 위치하는 것으로 생각하는 아주 흔한 오류의 예를 드는 (A)가 나오고, 그 다음에 또 하나의 추가 예로 아프리카의 위치를 잘못 인식하고 있다는 내용의 (C)가 이어진 후, 사람들은 머릿속 지도가 완벽하진 않지만 유용하기 때문에 굳이 수정하려 하지 않는다는 내용을 제시한 (B)가 나오는 것이 자연스럽다.

내신·서술형 errors, mental
사람들의 머릿속 지도에서 흔히 발견되는 오류들에 대한 글이다.

2 ⑤

지문해석

흔히 거짓말 탐지기로 알려진 폴리그래프는 땀, 혈압, 맥박수를 포함한 몇 가지 신체 기능을 측정함으로써 사람의 신경 흥분 정도를 판단한다. 전형적인 폴리그래프 테스트에서 테스트를 받는 사람은 먼저 두 가지 유형의 통제 질문들을 받게 된다. 하나는 진실된 답을 받을 것으로 예상되는 것이고 다른 하나는 거짓말로 답해질 것으로 예상되는 것이다. 이러한 질문들에서 나온 폴리그래프 결과는 후에 그 사람이 진실을 말하고 있는지 여부를 결정하기 위해서 다른 질문들의 결과와 비교된다. 하지만 사람들이 통

제 질문들에 진실하게 대답할 때 의도적으로 자신의 신경 흥분 정도를 높이는 것이 가능하다. 사람들이 이렇게 할 때, 조사관은 나중에 그 사람이 거짓말을 하고 있는지 아닌지를 결정하기가 더 어려워진다. 그러므로, 폴리그래프가 생리적인 요인을 측정하는 데 비효율적이라(→ 효율적이라) 할지라도, 그것이 항상 거짓말과 진실을 구별할 수 있을 것임을 의미하지는 않는다.

구문해설

1행 Polygraphs, / [commonly **known** as lie detectors], / gauge a person's level of nervous excitement / by measuring several bodily functions, / including perspiration, blood pressure, and pulse rate.

S, 삽입구(과거분사구), V, by+v-ing: ~함으로써(수단), 동명사(전치사 by의 목적어), 전치사(~을 포함해서)

폴리그래프는 / 흔히 거짓말 탐지기로 알려진 / 사람의 신경 흥분 정도를 판단한다 / 몇 가지 신체 기능을 측정함으로써 / 땀, 혈압, 맥박수를 포함한

6행 The polygraph results from these questions / are later compared / with those of other questions / in order to determine / [**whether** or not the person is telling the truth].

S, 전치사구, V, = results, to부정사 부사적 용법(목적), determine의 목적어(명사절)

이러한 질문들에서 나온 폴리그래프 결과는 / 후에 비교된다 / 다른 질문들의 결과와 / 결정하기 위해서 / 그 사람이 진실을 말하고 있는지 여부를

8행 However, / **it**'s possible / for people [**to** purposely **raise** their level of nervous excitement] / when answering the control questions truthfully.

가주어, to부정사 의미상의 주어, 진주어(to부정사구)

하지만 / 가능하다 / 사람들이 의도적으로 자신의 신경 흥분 정도를 높이는 것이 / 통제 질문들에 진실하게 대답할 때

10행 [**When** they do], / **it** becomes more difficult / for the examiner [**to decide** {**whether** or not the person is lying later}].

<시간>의 부사절, 가주어, to부정사 의미상의 주어, 진주어(to부정사구), decide의 목적어(명사절)

사람들이 이렇게 할 때 / 더 어려워진다 / 조사관은 나중에 그 사람이 거짓말을 하고 있는지 아닌지를 결정하기가

문제해설

even if는 '비록 ~일지라도'의 의미로 뒤의 내용과 역접의 관계가 되어야 하므로 문맥상 폴리그래프가 생리적인 요인을 측정하는 데 효율적이라는 내용이 적절하다. 그러므로 ⑤의 ineffective는 effective로 바꿔야 자연스럽다.

내신·서술형 ②

빈칸 앞에서는 통제 질문에서 얻은 결과로 후에 다른 질문과의 비교를 통해 진실을 판단한다는 내용인데 빈칸 다음에는 통제 질문에 대답할 때 의도적으로 신경 흥분 정도를 높여 진실을 판가름하는 것을 어렵게 만든다고 하였으므로 역접의 뜻인 ② However(그러나)가 오는 것이 적절하다.
① 그러므로 ③ 예를 들어 ④ 그럼에도 불구하고 ⑤ 게다가

3 ①

지문해석

요즘 로봇들이 점점 더 흔해지고 있다. 사실, 로봇들이 전혀 사용되지 않는 곳을 생각하는 것이 힘들다. 이제는 레스토랑에서도 그것들을 찾을 수 있을 정도다. 예를 들어, 보스턴에 있는 한 새로운 레스토랑은 로봇 요리사들을 활용한다. 이 요리사들은 3분 이내에 건강에 좋고 저렴한 음식을 준비하는 것이 쉽다. 손님들은 터치스크린을 이용해서 주문을 한다. 이것은 레스토랑의 재료 배달 시스템으로 하여금 재료들을 모으고, 그것들을 자동화된 냄비에 담게 한다. 그 냄비는 음식을 그릇에 붓기 전에 음식이 고르게 요리되도록 일정한 움직임을 유지한다. 그 후, 로봇들은 냄비들을 닦기도 하는데, 보통의 식기세척기보다 80% 적은 물을 사용한다. 로봇들은 효율적이고 월급을 필요로 하지 않기 때문에, 식사에 대한 그것들의 최고의 효율은 소비자들을 위한 비용 절감일 수 있다.

구문해설

1행 In fact, / **it**'s hard / [**to think** of a place / {**where** robots aren't used at all}].

가주어, 진주어(to부정사구), 관계부사절, not ~ at all: 전혀 ~ 아니다

사실 / 힘들다 / 곳을 생각하는 것이 / 로봇들이 전혀 사용되지 않는

4행 **It**'s easy / for these chefs / [**to prepare** healthy and affordable food / in less than three minutes].

가주어, to부정사 의미상의 주어, 진주어(to부정사구), ~보다 적은

쉽다 / 이 요리사들은 / 건강에 좋고 저렴한 음식을 준비하는 것이 / 3분 이내에

6행 This causes / the restaurant's ingredient delivery system / [to collect the ingredients / and deposit them into an automated pan].

S, V, causes의 목적격보어(to부정사), (to), and로 병렬 연결됨, = ingredients

이것은 ~하게 한다 / 레스토랑의 재료 배달 시스템으로 하여금 / 재료들을 모으고 / 그것들을 자동화된 냄비에 담게

7행 The pan remains in constant motion, / [**ensuring** / {**that** the food cooks evenly}], / before pouring it into a bowl.

분사구문(= and it ensures), ensuring의 목적어(명사절), 동명사(전치사 before의 목적어)

그 냄비는 일정한 움직임을 유지한다 / 보장하면서 / 음식이 고르게 요리되도록 / 음식을 그릇에 붓기 전에

문제해설

로봇 요리사들은 3분 이내에 건강에 좋고 저렴한 음식을 만들 수 있고, 식기세척기보다 80% 적은 물을 사용하여 그릇을 닦고, 월급을 필요로 하지 않는다고 했으므로, 빈칸에 들어갈 말로 가장 적절한 것은 ① '소비자들을 위한 비용 절감'이다.
② 건강에 좋은 재료에 대한 더 큰 집중
③ 레스토랑 수의 감소
④ 집 요리의 인기 상승
⑤ 선호하는 음식에 대한 취향 변화

내신·서술형 ⓐ robots ⓑ ingredients

ⓐ는 레스토랑에서도 찾을 수 있는 것들로 앞 문장의 robots를 가리키고,

ⓑ는 자동화된 냄비에 넣는 것으로 앞의 절의 ingredients를 가리킨다.

04 수식을 받아 길어진 주어

구문 연습

» p. 25

1 with the quality of our service
서비스 품질에 대한 불만이 계속되었다.

2 seeking to enter the Chinese market
중국 시장에 진출하려는 회사들이 증가하고 있다.

3 most popular with foreign visitors
외국인 관광객들에게 가장 인기 있는 축제는 삼바 축제이다.

4 to guard and maintain human progress
인간의 발전을 지키고 유지하기 위한 노력들은 지속 불가능하다.

5 that just opened in town
시내에 막 문을 연 그 식당은 이미 호평을 받고 있다.

6 difficult to understand

7 that contributes to the debate

8 interested in music at an early age

9 of closing libraries on Mondays

10 to
이유: that이라면 주격 관계대명사 역할을 하여 create가 3인칭 단수 동사인 creates가 되어야 하는데 동사원형이 왔으므로 to가 알맞다.
해석 일자리를 창출하려는 정부의 노력은 효과적이지 못했다.

11 produced
이유: 수식 받는 errors와 수동 관계이므로 수동의 의미를 갖는 과거분사가 알맞다.
해석 원칙을 무시함으로써 발생한 오류의 유형은 예측 가능하다.

구문 적용 독해

» pp. 26~27

1 ③ 2 ① 3 ②

내신·서술형
1 ⓐ was → were 2 다른 과업을 수행하는 것
3 6월 13일 (토요일) 저녁 7시 전까지

1 ③

지문해석

중절모자를 쓰고 줄무늬 바지를 입은 노인인, 흰 머리의 Uncle Sam은 유명한 미국의 상징이다. 전설에 따르면, 이 캐릭터는 Samuel Wilson의 이름을 딴 것이었다. 그는 종업원들에게 Uncle Sam이라고 불렸던 인기 있는 정육업자였다. 그가 1812년 전쟁 중에 군대에 납품한 소고기 통은 그것들이 미국 정부의 자산이라는 것을 나타내기 위해 이니셜 U.S.가 찍혀 있었다. 그런데, 그의 종업원 중 한 명이 그 이니셜이 무엇을 나타내는지 질문을 받았을 때, 그는 실수로 'Uncle Sam'이라고 말했다. 그 실수는 시간이 지나면서 계속되었고, 마침내 그의 개인적인 별명은 또한 미국을 부르는 별명이 되었다. 그러나 널리 알려진 Uncle Sam의 이미지가 만들어진 것은 제1차 세계 대전이 되어서였다. 1961년에 의회에서 통과된 결의안은 Wilson을 Uncle Sam의 동일 인물로 인정했다.

구문해설

1행 White-haired Uncle Sam, / an old man [**wearing** a top hat and striped pants] / is a well-known symbol of the United States.
(S: White-haired Uncle Sam / 동격: an old man / 현재분사구: wearing ~ / V: is / well-known = famous)

흰 머리의 Uncle Sam은 / 중절모자를 쓰고 줄무늬 바지를 입은 노인인 / 유명한 미국의 상징이다

4행 The barrels of beef / [**that** he supplied the army with during the War of 1812] / were stamped with the initials U.S. / to indicate [**that** they were property of the United States government].
(S: The barrels of beef / 목적격 관계대명사절 / supply A with B: A에게 B를 공급하다 / V: were stamped / to부정사 부사적 용법(목적) / indicate의 목적어(명사절))

소고기 통은 / 그가 1812년 전쟁 중에 군대에 납품한 / 이니셜 U.S.가 찍혀 있었다 / 그것들이 미국 정부의 자산이라는 것을 나타내기 위해

10행 **It** wasn't until World War I, / however, / **that** the widely recognized Uncle Sam image was created.
(not until: ~이후에야 비로소 / 「It is[was] ~ that」 강조 구문(not until World War I 강조) / 과거 수동태)

제1차 세계 대전이 되어서였다 / 그러나 / 널리 알려진 Uncle Sam의 이미지가 만들어진 것은

11행 In 1961, / a resolution [**passed** by Congress] / recognized Wilson / as being the namesake of Uncle Sam.
(S: a resolution / 과거분사구 / V: recognized / 동명사(전치사 as의 목적어))

1961년에 / 의회에서 통과된 결의안은 / Wilson을 인정했다 / Uncle Sam의 동일 인물로

문제해설

③은 one of his workers를 가리키며, 나머지는 Samuel Wilson을 가리킨다.

내신·서술형 ⓐ was → were

이 문장에서 주어는 The barrels이므로 ⓐ was를 복수 동사인 were로 고쳐야 한다.

2 ①

지문해석

한 실험에서 뇌졸중이 온 후 기억 상실증을 앓고 있는 사람들에게 단어 목록을 외우라고 요청하고 나서 다른 과업을 수행하도록 했다. 10분 후, 그들은 목록에 있는 단어들 중에서 평균 14%만을 기억할 수 있었다. 그러

나 대신에 아무것도 하지 않으면서 어두운 방에 혼자 앉아 있을 때, 이 비율은 49%까지 급격히 상승했다. 이것은 잠깐의 휴식조차도 새로운 기억이 빨리 사라지는 것을 막는 데 도움이 될 수 있다는 것을 보여준다. 또 다른 실험에서 연구자들은 사람들이 자신들이 외웠던 단어들을 영화를 본 후보다 90분 동안 잠을 잔 후에 더 잘 기억해 낸다는 것을 발견했다. 그들은 일상적 습관으로 규칙적인 낮잠을 자는 사람들이 수면으로부터 가장 큰 혜택을 받는다는 것을 알아 냈다. 낮잠에 익숙하지 않은 사람들은 그들의 기억에 특별히 강력한 상승 효과를 얻지 못했다.

구문해설

1행 In an experiment, / people [**who** had had a stroke and were suffering from amnesia] / were asked to memorize a list of words / and were then given another task to perform.
(과거완료(기억 상실증을 겪기 전) / 주격 관계대명사절 / V1 / V2 / to부정사 형용사적 용법)
한 실험에서 / 뇌졸중이 온 후 기억 상실증을 앓고 있는 사람들에게 / 단어 목록을 외우라고 요청하고 / 그런 다음 다른 과업을 수행하도록 했다

6행 This shows / [**that** even a short break can help / prevent new memories from quickly disappearing].
(shows의 목적어(명사절) / prevent+목적어+from+v-ing: ~가 …하는 것을 막다)
이것은 보여준다 / 잠깐의 휴식이라도 도움이 될 수 있다는 것을 / 새로운 기억이 빨리 사라지는 것을 막는 데

7행 In another experiment, / researchers found / [**that** people could recall pairs of words / {they had memorized} / better after sleeping for 90 minutes / than after watching a movie].
(found의 목적어(명사절) / (which/that) 목적격 관계대명사절 / than으로 병렬 연결됨)
또 다른 실험에서 / 연구자들은 발견했다 / 사람들이 단어들을 기억해 낸다는 것을 / 자신들이 외웠던 / 90분 동안 잠을 잔 후에 더 잘 / 영화를 본 후보다

9행 They noted / [**that** people {**whose** daily habits included a regular afternoon nap} / received the greatest benefit from sleeping].
(noted의 목적어(명사절) / 소유격 관계대명사절 / 동명사(전치사 from의 목적어))
그들은 알아 냈다 / 일상적 습관으로 규칙적인 낮잠을 자는 사람들이 / 수면으로부터 가장 큰 혜택을 받는다는 것을

11행 People [**who** weren't accustomed to napping] / didn't receive / a particularly strong boost to their memories.
(S / 주격 관계대명사절 / be[get] accustomed to v-ing: ~에 익숙하다[익숙해지다] / V)
낮잠에 익숙하지 않은 사람들은 / 얻지 못했다 / 그들의 기억에 특별히 강력한 상승 효과를

문제해설

뒷문장에서 잠깐의 휴식이 기억이 사라지는 것을 막아 준다고 했으므로 단어를 외우고 다른 과업을 하면 14%만 기억하지만 그보다 많은 49%를 기억하기 위해서는 휴식을 취한 경우가 적절하다. 그러므로 빈칸에 들어갈 말로 가장 적절한 것은 ① '아무것도 하지 않으면서'이다.

② 아이디어를 생각하면서 ③ 운동을 하면서
④ 영화를 보면서 ⑤ 단어를 암기하면서

내신·서술형 다른 과업을 수행하는 것

뒤에 다른 조건이 제시되어 있는 것으로 보아, 본문의 서두에서 설명한 다른 과업을 수행하는 조건을 의미한다.

---

3 ②

지문해석

Austin Symphony 자선 콘서트

지난주 네팔에서 일어난 끔찍한 지진의 피해자들을 위한 특별 콘서트가 다음 주 City Arena에서 열립니다. Austin Symphony Orchestra는 최신 앨범인 Amazing Mozart에 실린 곡들을 연주할 것입니다. 이 행사의 티켓 판매 및 Austin Symphony Orchestra 앨범 판매에서 나오는 모든 수익금은 지진 피해자들에게 기부될 것입니다.

시간과 날짜: 6월 14일, 일요일, 저녁 7시
공연 시간: 2시간 30분(휴식 시간 20분 포함)
티켓: 어른(16세 이상): 10달러
학생(신분증 지참 시): 8달러
어린이(7세 이하): 무료

주의 사항
- 티켓 전액 환불은 행사 시작 24시간 전까지 가능합니다.
- 휴식 시간 중 로비에서 스낵과 음료가 무료 제공됩니다.
- 행사 중 녹화와 녹음은 금지됩니다.

구문해설

2행 A special concert / [for the victims {of last week's terrible earthquake in Nepal}] / will be held next week at City Arena.
(S / 전치사구 / 전치사구 / V(미래 수동태))
특별 콘서트가 / 지난주 네팔에서 일어난 끔찍한 지진의 피해자들을 위한 / 다음 주 City Arena에서 열립니다

5행 All the proceeds / [from ticket sales and sales of Austin Symphony Orchestra CDs at the event] / will be donated to the victims of the earthquake.
(S / 전치사구 / V(미래 수동태))
모든 수익금은 / 이 행사의 티켓 판매 및 Austin Symphony Orchestra 앨범 판매에서 나오는 / 지진 피해자들에게 기부될 것입니다

문제해설

공연이 7시에 시작하는데 휴식 시간 20분을 포함하여 2시간 30분의 공연 길이가 공지되어 있으므로 대략 9시 30분에 끝난다는 ②가 안내문의 내용과 일치한다.
① 공연 수익금은 지진 피해자들에게 기부된다.
③ 신분증 지참 시 학생 요금은 8달러이다.
④ 로비에서 스낵과 음료를 무료로 제공한다.
⑤ 콘서트 관람 중 녹화와 녹음은 모두 불가능하다.

내신·서술형 6월 13일 (토요일) 저녁 7시 전까지
전액 환불은 행사 24시간 전까지 가능하다고 했다.

Chapter
2 목적어의 이해

05 to부정사구/동명사구 목적어

구문 연습
>> p. 31

1 delaying things they should do
많은 사람들이 그들이 해야 할 일을 계속해서 미룬다.

2 to reveal more details of the space project
그들은 우주 프로젝트에 관한 더 상세한 내용을 밝히는 것을 거부했다.

3 having paid no attention to the advice of his father
Mark는 아버지의 충고에 전혀 주의를 기울이지 않았던 것을 후회한다.

4 working late hours
새로운 법의 시행 때문에 대부분의 직원들은 늦게까지 일하는 것을 피한다.

5 to look into the causes of the accident
그들은 그 사고의 원인을 조사하는 것에 동의했다.

6 decided to provide free healthcare

7 forgot giving his business card

8 stopped to look at an old castle

9 suggested changing the word

10 to get
이유: promise는 to부정사를 목적어로 취하는 동사이다.
해석 Liam은 주말까지 그 일을 끝내기로 약속했다.

11 operating
이유: 앞에서 소음이 많이 발생했다는 것으로 보아 '작동하기 위해' 멈춘 것이 아니라 '작동하는 것을' 멈췄다는 의미가 되어야 하므로 동명사를 써야 한다.
해석 세탁기가 큰 소리를 내더니 나중에는 완전히 작동하는 것을 멈췄다.

구문 적용 독해
>> pp. 32~33

1 ④ 2 ⑤ 3 ④
내신·서술형
1 accumulate 2 ④ 3 sustainable

1 ④

지문해석
미대륙을 발견한 후, 유럽인들은 이 새로운 땅에서 다양한 많은 물품들을 수입하기 시작했다. 그 중 일부는 옥수수, 커피, 호박과 같이 오늘날 여전히 인기가 있다. 하지만 다른 것들은 이제 상대적으로 알려져 있지 않다. 그러한 물품 하나가 연지벌레라고 하는 곤충인데, 이것은 수세기 동안 가장 가치 있는 미국의 수출품 중 하나였으며 유럽에서 매우 인기 있었다. 이 작고 붉은 곤충은 가시로 뒤덮인 배 선인장의 밝은 빨간색 열매를 먹는다. 이것이 곤충의 몸에 붉은색이 쌓이게 하고, 그래서 천이나 음식을 붉게 만드는 데 사용될 수 있게 된다. (염료를 만들어 내는 것은 시간이 오래 걸리는 일이어서 대개 노인들이나 여자들이 일을 했다.) 하지만 점점 더 많은 회사들이 이제 인공 염료 사용을 선택하기 때문에 이 곤충은 상업적 중요성을 잃어가고 있다.

구문해설

1행 [**After discovering** the Americas], / Europeans **began to import** many different products / from these new lands.
분사구문(= After they discovered ~) / begin은 to부정사와 동명사를 둘 다 목적어로 취함 / = the Americas
미대륙을 발견한 후 / 유럽인들은 다양한 많은 물품들을 수입하기 시작했다 / 이 새로운 땅에서

4행 One such product / is an insect [**named** the cochineal], / [**which** was one of the most valuable American exports / and was very popular in Europe / for centuries].
과거분사구 / 선행사 / 계속적 용법의 주격 관계대명사절 / one of the+최상급+복수명사: 가장 ~한 …들 중 하나 / 수세기 동안
그러한 물품 하나가 / 연지벌레라고 하는 곤충인데 / 이것은 가장 가치 있는 미국의 수출품 중 하나였으며 / 유럽에서 매우 인기 있었다 / 수세기 동안

7행 This / causes the color to accumulate in its body, / [**which** can then be used / to make cloth or food red].
cause+목적어+목적격보어(to부정사) / to부정사 부사적 용법(목적) / 계속적 용법의 주격 관계대명사절(= and it) / make+목적어+목적격보어(형용사)
이것이 / 곤충의 몸에 붉은색이 쌓이게 하고 / 그래서 사용될 수 있게 된다 / 천이나 음식을 붉게 만드는 데

8행 [**Producing** dyes] / was time-consuming labor, / so it was usually done / by the elderly and women.
S(동명사구–단수 취급) / V / = elderly people / the+형용사: ~한 사람들
염료를 만들어 내는 것은 / 시간이 오래 걸리는 일이어서 / 대개 행해졌다 / 노인들이나 여자들에 의해

10행 However, / [**because** more and more companies
<이유>의 부사절
now **choose to use** artificial dyes], / it has been
choose는 to부정사를 목적어로 취함 현재완료진행형
losing its commercial importance.

하지만 / 점점 더 많은 회사들이 이제 인공 염료 사용을 선택하기 때문에 / 이 곤충은 상업적 중요성을 잃어가고 있다

문제해설

연지벌레라는 곤충의 붉은색 염료 생산에 있어서 역사적, 상업적 중요성의 변화를 서술한 글이므로 염료를 만드는 데 노인과 여성들이 주로 일을 했다는 ④는 글의 흐름과 관계가 없다.

내신·서술형 accumulate

'서서히 수나 양적으로 증가하다'에 해당하는 단어는 accumulate(쌓이다, 축적하다)가 적절하다.

---

2 ⑤

지문해석

괴롭힘은 오랫동안 존재해 왔지만, 스마트폰과 소셜 미디어 사용의 증가가 새로운 괴롭힘의 형태를 만들었다. 괴롭힘이 소셜 미디어 사이트, 문자 앱, 게임 또는 온라인 포럼에서 발생할 때, 그것은 사이버불링으로 알려져 있다. 이런 종류의 행동은 일반적으로 다른 사람들에 대한 부정적이고, 유해하거나 거짓인 정보를 보내거나, 게시하거나, 공유하는 것을 포함한다. 그것은 당혹스러움과 굴욕감을 일으키도록 의도된 개인 정보나 이미지를 공유하는 것을 포함할 수 있다. 하지만 사이버불링은 단지 피해자들에게만 상처를 주는 것이 아니라, 괴롭힘을 하는 사람들에게도 부정적인 결과를 가져올 수 있다는 것을 주목하는 것이 중요하다. 온라인에서 발생하는 모든 것은 영구적인 공공 정보로 기록되고 영원히 저장된다. 이러한 공공 기록은 미래에 괴롭히는 사람들이 대학을 지원하거나 직장을 구하려고 노력할 때 그들에게 계속 피해를 줄 수 있는 온라인 평판으로 간주될 수 있다.

구문해설

2행 [**When** bullying occurs on / social media sites,
<시간>의 부사절
texting apps, games or online forums], / it is known
be known as: ~로 알려져 있다
as cyberbullying.

괴롭힘이 발생할 때 / 소셜 미디어 사이트, 문자 앱, 게임 또는 온라인 포럼에서 / 그것은 사이버불링으로 알려져 있다

4행 This kind of behavior / generally **involves / sending, posting** or **sharing** information / about others /
involves의 목적어인 동명사들이 or로 병렬 연결됨
[**that** is negative, harmful, or false].
주격 관계대명사절

이런 종류의 행동은 / 일반적으로 포함한다 / 정보를 보내거나, 게시하거나, 공유하는 것을 / 다른 사람에 대한 / 부정적이고, 유해하거나 거짓인

6행 It can **include / sharing** personal information or images / [**intended** to cause / embarrassment and humiliation].
include는 동명사를 목적어로 취함
과거분사구

그것은 포함할 수 있다 / 개인 정보나 이미지를 공유하는 것을 / 일으키도록 의도된 / 당혹스러움과 굴욕감을

7행 But / **it** is important / [**to note** / {**that** cyberbullying doesn't only hurt the victims / — it can have negative consequences / for those (**doing** the bullying)}].
note의 목적어(명사절)
가주어
진주어(to부정사구)
부분부정(단지 ~한 것만은 아니다)
현재분사구

하지만 / 중요하다 / 주목하는 것이 / 사이버불링은 단지 피해자들에게만 상처를 주는 것이 아니라 / 부정적인 결과를 가져올 수 있다는 것을 / 괴롭힘을 하는 사람들에게도

11행 This public record can be thought of / as an online reputation / [**that** can **keep hurting** the bullies / in the future / {**when** they apply to colleges / or **try to find** a job}].
think of ~ as: ~을 …이라고 생각하다
주격 관계대명사절
keep은 동명사를 목적어로 취함
관계부사
try+to부정사: ~하려고 노력하다

이러한 공공 기록은 간주될 수 있다 / 온라인 평판으로 / 괴롭히는 사람들에게 계속 피해를 줄 수 있는 / 미래에 / 그들이 대학을 지원하거나 / 또는 직장을 구하려고 노력할 때

문제해설

사이버불링에 대한 정의를 설명하고 이 행동이 피해자뿐만 아니라 가해자에게도 부정적인 영향을 미친다는 내용을 예를 들어 설명하는 글이므로, 글의 요지로 가장 적절한 것은 ⑤이다.

내신·서술형 ④

온라인에 기록이 저장되어 대학을 지원하거나 직장을 구하려고 할 때 계속 피해를 줄 수 있다고 했으므로, 이러한 것들은 '부정적인' 결과에 해당한다.

---

3 ④

지문해석

대부분의 사람들은 새해 결심을 하지만, 그들 중에서 1월이 지나고도 그들의 결심을 고수하는 사람은 거의 없다. 자신을 향상시키기 위해 조치를 취하려고 노력하는 것은 좋지만, 그렇게 하기 위해 결심을 이용하는 것은 실패의 비결이다. 이것은 결심이 일시적일 뿐만 아니라 융통성이 없기 때문이다. 사람들은 한 번 실패하게 되면 그들의 결심이 깨졌다고 생각하는 경향이 있어서, 예전의 방식으로 돌아온다. 이런 상황을 피하기 위하여, 자신에게 완벽함을 요구하지 마라. 자기 비판을 멈추고 자기 동기 부여를 시작하라! 한 번의 좌절이 당신이 열심히 한 모든 일의 끝은 아니다. 또한, 이 목표들이 측정 가능한지 확인하라. 예를 들어, 당신의 목표가 체중을 감량하는 것이라면, 당신이 무엇을 먹고 무슨 운동을 하는지와 같은 모든 것을 기록하는 것을 기억하라. 마지막으로, 행동의 변화를 필요로 하는 목표들을 선택하라. 이것은 당신이 삶에서 2월 1일에 끝나지 않을 지속 가능한 변화들을 발전시킬 수 있도록 도울 것이다.

구문해설

2행 [**Trying to take** steps / to improve yourself] / is great, / but [**using** resolutions / to do so] / is a recipe for failure.
S(동명사구) / try+to부정사: ~하려고 노력하다 / to부정사 부사적 용법(목적) / V / S(동명사구) / to부정사 부사적 용법(목적) / V

조치를 취하려고 노력하는 것은 / 자신을 향상시키기 위해 / 좋지만 / 결심을 이용하는 것은 / 그렇게 하기 위해 / 실패의 비결이다

3행 This is / [**because** resolutions are / **not only** temporary / **but also** inflexible].
주격보어 / not only ~ but also ...: ~뿐만 아니라 …도

이것은 / 결심이 ~하기 때문이다 / 일시적일 뿐만 아니라 / 융통성이 없기

4행 [**When** people fail once], / they **tend** / **to consider** their resolutions broken, / so they return / to their old ways.
<조건>의 부사절 / tend는 to부정사를 목적어로 취함 / consider+목적어+목적격보어(과거분사): 목적어와 목적격보어가 수동 관계

사람들이 한 번 실패하게 되면 / 경향이 있다 / 그들의 결심이 깨졌다고 생각하는 / 그래서 돌아온다 / 예전의 방식으로

7행 **Stop** / **being** self-critical / and **start** / **being** self-motivating!
stop은 동명사를 목적어로 취함 / start는 to부정사와 동명사를 모두 목적어로 취함

멈춰라 / 자기 비판을 / 그리고 시작하라 / 자기 동기 부여를

9행 If your goal is [**to lose** weight], / for example, / just **remember / to write** everything, / such as [**what** you eat] and [**what** exercises you do].
주격보어(to부정사구) / remember+to부정사: ~할 것을 기억하다 / 전치사구 such as의 목적어(의문사절이 and로 병렬 연결됨)

당신의 목표가 체중을 감량하는 것이라면 / 예를 들어 / 기억하라 / 모든 것을 쓰는 것을 / 당신이 무엇을 먹고 무슨 운동을 하는지와 같은

문제해설

(A) 앞에 역접의 접속사 but으로 보아 자신을 향상시키기 위해 결심을 이용하는 것은 '실패'의 비결이라는 내용이므로 failure가 적절하다.
(B) 한 번의 실패 때문에 예전의 방식으로 돌아가는 것을 피하기 위해 자신에게 '완벽함'을 요구하지 말라는 내용이므로 perfection이 적절하다.
(C) 행동의 변화를 필요로 하는 목표 설정을 통해서 2월 1일에도 '끝나지' 않고 계속되는 변화들을 발전시킬 수 있다는 내용이므로 end가 적절하다.

내신·서술형 sustainable

temporary는 '일시적인'이라는 뜻으로 반대의 뜻을 나타내는 단어로는 '지속가능한'의 의미를 가진 sustainable이 적절하다.

06 명사절 목적어

구문 연습

» p. 35

1 what were probably first balls
이집트인들은 아마도 최초의 공이었던 것을 개발했다.

2 how they can satisfy customers most effectively
대부분의 회사들은 어떻게 고객들을 가장 효과적으로 만족시킬 수 있는지를 찾아낸다.

3 if it is possible to make a group reservation for Saturday
나는 토요일로 단체 예약하는 것이 가능한지를 모르겠다.

4 that all users reset their passwords as soon as possible
우리는 모든 사용자들이 가능한 한 빨리 비밀번호를 재설정할 것을 권장한다.

5 whether some charities are really having a positive impact
그들은 몇몇 자선 단체들이 실제로 긍정적인 영향을 끼치고 있는지를 궁금해 한다.

6 where the treasure is hidden

7 that there was no truth

8 whether he was suited

9 how the inhabitants stored their food

10 what
이유: 뒤에 주어가 없는 불완전한 절이 이어지므로 절에서 주어 역할을 하는 의문사 what이 알맞다.
해석 연구원들은 무엇이 이 문제를 야기했는지 알고 싶어했다.

11 whether
이유: 문맥상 '도착했는지'의 의미를 나타내야 하므로 접속사 whether가 알맞다.
해석 나는 부모님이 무사히 도착하셨는지를 아직 모른다.

구문 적용 독해

» pp. 36~37

1 ② 2 ④ 3 ④

내신·서술형
1 ⓑ do → doing 2 thrive 3 **옳거나 그른 답이 없기 때문에 학생들로 하여금 자유롭게 생각하게 한다.**

1 ②

지문해석

한 교수가 물 한 컵을 들고 학생들에게 컵의 무게가 얼마나 된다고 생각하는지 물었다. 그들은 광범위한 범위의 답을 외쳤다. 그녀는 말했다. "제 생각에, 실제 무게는 중요하지 않습니다. 이 컵이 얼마나 무거운가는 제가

그것을 얼마나 오래 들고 있느냐에 달려 있습니다. 제가 그것을 몇 초만 들고 있다면, 그것은 전혀 무겁지 않습니다. 하지만 제가 그것을 한 시간 동안 들고 있어야 한다면, 그것은 금방 상당히 무거워질 것입니다. 컵의 실제 무게는 변하지 않지만, 무게에 대한 제 인식은 변합니다." 그녀는 스트레스와 걱정은 똑같은 방식으로 작용한다고 설명을 이어갔다. 네가 네 문제들에 대해 잠깐 동안만 생각하면, 나쁜 일은 일어나지 않는다. 하지만 네가 그것들에 대해 계속 생각하면, 스트레스와 걱정은 네가 그것들에 대해 아무것도 할 수 없을 때까지 점점 더 무거워지게 된다.

구문해설

1행 A professor held up a cup of water / and asked (수여동사) her students (간접목적어) / [how much (they thought) the cup weighed] (직접목적어(의문사절), 삽입절).

한 교수가 물 한 컵을 들고 / 학생들에게 물었다 / 컵의 무게가 얼마나 된다고 생각하는지

3행 [How heavy this cup is] (S(의문사절)) / depends on (V) / [how long I hold it (= the cup)] (depends on의 목적어(의문사절)).

이 컵이 얼마가 무거운가는 / 달려 있다 / 내가 그것을 얼마나 오래 들고 있느냐에

5행 **If** I **had to hold** it up / for an hour, / however, / it **would** quickly **grow** quite heavy.
「If+주어+동사의 과거형, 주어+would+동사원형」: 가정법 과거(현재 사실과 반대되는 내용을 가정)

내가 그것을 들고 있어야 한다면 / 한 시간 동안 / 하지만 / 그것은 금방 상당히 무거워질 것이다

9행 But / [**if** you continually think / about them (= your problems)] (<조건>의 부사절), / your stress and worry grow heavier and heavier (비교급+and+비교급: 점점 더 ~한) / [**until** you are incapable of doing anything about them (= stress and worry)] (<결과>의 부사절, 전치사 of의 목적어(동명사)).

하지만 / 네가 계속 생각하면 / 그것들에 대해 / 스트레스와 걱정은 점점 더 무거워지게 된다 / 네가 그것들에 대해 아무것도 할 수 없을 때까지

문제해설

컵의 무게에 대한 예와 스트레스에 대한 예를 통해 짧게 생각하면 아무 일도 일어나지 않는 데 비해 끊임없이 생각하다 보면 대처할 수 없을 만큼 더 힘들어진다고 했으므로, 컵의 무게는 변하지 않는데 무게에 대한 '생각'이 변하기 때문에 무겁게 느껴진다는 말이 자연스럽다. 그러므로 빈칸에 들어갈 말로 가장 적절한 것은 ② '인식'이다.
① 현실 ③ 공헌 ④ 규율 ⑤ 오해

내신·서술형 ⓑ do → doing
전치사 of의 목적어가 되어야 하므로 동명사 doing으로 고쳐야 한다.

---

2 ④

지문해석

영화를 볼 때, 시청자들이 알기 원하는 것은 주인공이 누구이며, 그들이 무엇을 원하고, 어떤 장애물이 그들을 막고 있으며, 만약 그들이 실패하면 어떤 끔찍한 일이 일어날 것이고, 실패하지 않는다면 어떤 멋진 일이 일어날 것인가 하는 것이다. 만약 시청자들이 이러한 질문에 대한 만족스러운 답변을 얻지 못하면, 그들이 그 영화를 즐기지 못할 가능성이 매우 높다. 브랜드에 있어서도 똑같다. 소비자들은 그들이 구입하는 제품에 대해 의문이 있는데, 만약 회사가 답을 제시하지 않으면 그들은 다른 브랜드로 바꾸기 쉽다. 만약 회사가 소비자가 무엇을 원하고, 제품이 무엇을 위한 것인지 그리고 그 소비자들이 제품을 통해 어떤 혜택을 얻는지를 알지 못하면, 그 회사는 경쟁적인 시장에서 번창하지 못할 것이다. 어떤 상황이든지 간에, 여러분은 고객에게 분명한 메시지를 전달해야 한다.

구문해설

1행 [**When** (they are) watching a movie], / [**what** viewers want to know] (S(관계대명사절)) / is (V) / [**who** the main characters are, / **what** they want, / **what** obstacles are standing in their way (stand in one's way: 길을 막다), / **what** terrible things will happen {if they fail} (<조건>의 부사절), / and **what** wonderful things will happen {if they don't (fail)} (<조건>의 부사절)] (주격보어(의문사절이 and로 병렬 연결됨)).

영화를 볼 때 / 시청자들이 알기 원하는 것은 / 이다 / 주인공이 누구이며 / 그들이 무엇을 원하고 / 어떤 장애물이 그들을 막고 있으며 / 만약 그들이 실패하면 어떤 끔찍한 일이 일어날 것이고 / 실패하지 않는다면 어떤 멋진 일이 일어날 것인가

4행 [**If** viewers don't receive satisfactory answers / to these questions] (<조건>의 부사절), / **it** (가주어) is highly unlikely / [**that** they (= viewers) will enjoy the movie] (진주어(that절)).
it is unlikely that ~: ~할 것 같지 않다, ~는 일어나지 않을 것 같다

만약 시청자들이 만족스러운 답변을 얻지 못하면 / 이러한 질문에 대한 / 못할 가능성이 매우 높다 / 그들이 그 영화를 즐기지

8행 [**If** a company doesn't know / {**what** its customers want, / **what** its products are used for, / and **what** benefits its customers receive from its products}] (<조건>의 부사절, know의 목적어(의문사절이 and로 병렬 연결됨)), / that (지시형용사) company will not be able to thrive / in a competitive marketplace.

만약 회사가 알지 못하면 / 소비자가 무엇을 원하고 / 제품이 무엇을 위한 것인지 / 그리고 그 소비자들이 제품을 통해 어떤 혜택을 얻는지를 / 그 회사는 번창하지 못할 것이다 / 경쟁적인 시장에서

문제해설

The same은 앞에서 예를 든 영화에서의 상황이 브랜드에서도 같다는 의미로, 영화의 시청자들이 질문에 대한 만족스러운 대답을 추구한다는 내용이다. 따라서 밑줄 친 부분이 의미하는 바로는 ④ '회사는 소비자들이 원하는 것에 대한 명확한 그림을 가지고 있어야 한다.'가 가장 적절하다.
① 제품은 포장에 세부적인 정보를 포함시켜야 한다.
② 영화는 회사의 제품을 효율적으로 광고하는 데 사용될 수 있다.
③ 관객은 자신이 선호하는 브랜드를 상기시키는 영화를 좋아한다.
⑤ 소비자들은 그들에게 질문을 하게 하는 브랜드를 고집하지 않을 것이다.

내신·서술형 thrive

'매우 성공적이 되거나 매우 강력하고 건강해지다'에 해당하는 단어는 thrive(번창하다)가 적절하다.

---

3 ④

지문해석

학생들에게 벽에는 아무것도 없고 가구도 거의 없는 방의 사진을 보여 주었다. 누가 그 방에 살고 있고 그 사람이 남자인지 여자인지 질문을 받았을 때, 대부분은 '남자'라고 대답했다. 그들의 대답을 설명하라고 했을 때, 그들의 이유는 다양했다. 어떤 학생들은 방에 장식이 거의 없다고 설명했다. 다른 학생은 대답하길 여자가 거기 산다면 적어도 가족이나 아이들의 사진 몇 장은 있을 것이라고 했다. 몇몇 학생들은 다른 학생들이 알아차리지 못했던 세부 사항들을 알아차렸고 각각은 자신의 신념을 이용하여 이미지에 대한 더 깊은 이야기를 만들어 냈다. 이러한 방법은 학생들로 하여금 자유롭게 생각하도록 독려하는데, 그러한 활동에는 옳거나 그른 답이 없기 때문이다. 학생들에 의해 얻어지는 궁극적인 교훈은 사람들은 똑같은 기본적인 정보로부터 다른 인상과 생각들을 갖는 것이 매우 가능하다는 점이다.

구문해설

2행 When asked (they were) / [**who** lived in the room / and **whether** that person was a man or a woman], / most answered "a man."
(asked의 목적어(의문사절과 접속사 whether절이 and로 병렬 연결됨); that: 지시형용사)

질문을 받았을 때 / 누가 그 방에 살고 있고 / 그 사람이 남자인지 여자인지 / 대부분은 '남자'라고 대답했다

4행 Some explained / [**that** there were few decorations in the room].
(explained의 목적어(명사절); few+복수명사: ~이 거의 없는)

어떤 학생들은 설명했다 / 방에 장식이 거의 없다고

6행 Some students noticed details / [**that** the others hadn't (noticed)] / and each used their own beliefs / to build a deeper story around the image.
(that: 목적격 관계대명사절; the others: (다수 중) 나머지 전부; to build: to부정사 부사적 용법(목적))

몇몇 학생들은 세부 사항들을 알아차렸다 / 다른 학생들이 알아차리지 못했던 / 그리고 각각은 자신의 신념을 이용했다 / 이미지에 대한 더 깊은 이야기를 만드는 데

9행 The ultimate lesson [(that is) **learned** by students] / is [**that** **it** is very possible / for people / {**to come** away with different impressions and thoughts / from the same basic information}].
(The ultimate lesson: S; learned ~: 과거분사구; is: V; that ~: 주격보어(명사절); it: 가주어; for people: to부정사 의미상의 주어; to come ~: 진주어(to부정사구))

학생들에 의해 얻어지는 궁극적인 교훈은 / 매우 가능하다는 점이다 / 사람들이 / 다른 인상과 생각들을 갖는 것이 / 똑같은 기본적인 정보로부터

문제해설

이러한 방법의 특징은 활동에 옳거나 그른 답이 없어서 학생들이 자유롭게 자신의 생각을 할 수 있도록 독려한다고 했으므로, 빈칸에 들어갈 말로 가장 적절한 것은 ④ '다른 인상과 생각들'이다.

① 세부 사항 중 오직 가장 광범위한 것들
② 완전히 잘못된 신념들
③ 부당한 편견과 선입견
⑤ 누군가에 대한 더 나은 이해

내신·서술형 옳거나 그른 답이 없기 때문에 학생들로 하여금 자유롭게 생각하게 한다.

바로 뒷문장에서 설명하고 있다.

---

07 긴 목적어를 대신하는 가목적어 it

구문 연습

» p. 39

1 living with a pet
너는 애완동물과 함께 사는 것이 도움이 된다는 것을 알게 될 것이다.

2 to establish clear rules
학생들은 명확한 규칙을 세우는 것이 필요하다고 생각한다.

3 that we respect each other's differences
나는 우리가 서로의 차이를 존중하는 것이 매우 중요하다고 생각한다.

4 to refund the money
그들은 구매자들이 플라스틱을 되가져오면 환불해 주는 것을 원칙으로 한다.

5 to communicate with people freely
인터넷은 사람들과 자유롭게 의사소통하는 것을 가능하게 해 준다.

6 thought it unpleasant walking

7 find it difficult to recruit staff

8 made it clear that he wouldn't accept

9 consider it important that the information

10 ② that → it
해석 투자자들은 정부가 정한 조건을 충족시키는 것이 쉽다고 생각한다.
해설 문장의 목적어는 to 이하가 진목적어이므로, find 뒤에는 가목적어 it을 써야 한다.

11 ③ get → to get 또는 getting
해석 시간이 부족하면 공부를 최대한 활용하기가 더 어렵다.
해설 동사 makes 다음에 가목적어 it 쓰였고, 진목적어는 to부정사나 동명사로 나타내야 한다.

구문 적용 독해

» pp. 40~41

1 ③ 2 ⑤ 3 ⑤

내신·서술형

1 fire 2 ⓐ Distraction ⓑ to get back to the task you were working on 3 (1) 썩은 고기나 과일 냄새를 발산한다. (2) 곤충의 암컷과 닮은 모습을 한다.

1 ③

지문해석

인터넷은 복사기에 비유되어 왔다. 즉, 일단 무엇인가 온라인에 게시되면, 그것은 반복해서 복사될 것이다. 그러므로, 여러분이 그것이 비공개이길 원할지라도, 여러분이 인터넷에 게시하는 어떤 것이라도 공개적인 것이 된다. 이러한 복사 효과는 때때로 유익할 수 있다. 인터넷은 수천 명의 사람들에 의해 여러분의 작업이 보여지도록 하는 것을 이전보다 용이하게 한다. 하지만, 세계 모든 사람이 볼 준비가 되어 있지 않은 작업을 게시하는 것은 큰 잘못이 될 수 있다. 한 시사 평론가는 다음과 같은 충고를 한다. '그것을 읽을 수 있는 모든 사람이 당신을 해고할 힘을 가지고 있는 것처럼 무언가를 게시하라.' 다시 말해서, 다른 사람들로부터 피드백을 받기를 원한다면 불완전하고 미완성의 작업을 공유하는 것은 괜찮다. 하지만 여러분은 여러분의 상사가 읽으면 여러분이 당황하게 될 어떤 것도 게시해서는 안 된다.

구문해설

1행 However, / [**posting** work / {**that** isn't ready for everyone in the world to see}] / can be a big mistake.
(posting work: S(동명사구) / that: 주격 관계대명사절 / everyone in the world: to부정사 의미상의 주어 / to see: to부정사 부사적 용법(형용사 ready 수식))
하지만 / 작업을 게시하는 것은 / 세계 모든 사람이 볼 준비가 되어 있지 않은 / 큰 잘못이 될 수 있다

3행 The Internet / has been compared to a copy machine / — [**once** something is posted online], / it will be copied / over and over.
(been compared to: be compared to: ~와 비유되다 / once ...: <조건>의 부사절(일단 ~하면) / will be copied: 미래 수동태 / over and over: 계속해서)
인터넷은 / 복사기에 비유되어 왔다 / 즉, 일단 무엇인가 온라인에 게시되면 / 그것은 복사될 것이다 / 반복해서

6행 The Internet / makes **it** easier than ever / [**to get** your work seen by thousands of people].
(it: 가목적어 / easier than: 비교급+than: ~보다 더 …한 / to get ...: 진목적어(to부정사구) / get+목적어+목적격보어(과거분사)–목적어와 목적격보어가 수동 관계)
인터넷은 / 이전보다 용이하게 한다 / 수천 명의 사람들에 의해 여러분의 작업이 보여지도록 하는 것을

9행 In other words, / **it**'s okay / [**to share** imperfect and unfinished work] / [**if** you want feedback from others].
(it: 가주어 / to share ...: 진주어(to부정사구) / if ...: <조건>의 부사절)
다시 말해서 / 괜찮다 / 불완전하고 미완성의 작업을 공유하는 것은 / 다른 사람들로부터 피드백을 받기를 원한다면

10행 But / you should not post anything / [**that** you'd be embarrassed / for your boss to read].
(that: 목적격 관계대명사절 / for your boss: to부정사 의미상의 주어 / to read: to부정사 부사적 용법(조건))
하지만 / 여러분은 어떤 것도 게시해서는 안 된다 / 여러분이 당황하게 될 / 여러분의 상사가 읽으면

문제해설

주어진 문장은 역접의 연결사 However로 시작하여 준비되지 않은 일을 온라인에 게시하는 것이 문제거리가 될 수 있다는 내용이므로 긍정적인 면이 끝나고 부정적인 시각이 시작되는 내용 사이인 ③에 들어가는 것이 가장 적절하다.

내신·서술형 fire

'누군가가 직장을 떠나도록 강요하다'에 해당하는 단어는 fire(해고하다)이다.

2 ⑤

지문해석

산만함은 여러분이 인식하는 것보다 목표를 성취하는 데 더 큰 장애물이 될 수 있다. 그것은 여러분을 경로에서 벗어나게 할 뿐만 아니라 여러분이 애쓰고 있는 과업으로 돌아오는 것을 더 힘들게도 한다. 결과적으로, 그것은 여러분이 마침내 과업을 할 때, 완전히 생산적이 되는 것을 저해할 수 있다. 산만함을 막기 위해서는, 전문가들은 무엇이 여러분을 전형적으로 산만하게 만드는지를 인지하고 일을 시작하기 전에 그것을 제거 또는 적어도 최소화할 방법을 찾는 것이 중요하다고 생각한다. 예를 들어, 여러분이 스마트폰을 보고 싶은 유혹이 들게 될 것을 안다면, 그것을 보지도 듣지도 못하는 곳에 두어라. 또는 여러분이 무작위의 소음에 의해 쉽게 산만하게 된다면, 소음을 제거하는 귀마개를 착용해 보라. 산만함이 생기기 전에 그것을 예상함으로써, 여러분은 스스로 완벽한 작업 환경을 만들 수 있다.

구문해설

2행 It **not only** throws you off track, / it **also** makes **it** harder / for you [**to get** back to the task / {(that) you were working on}].
(It: = Distraction / it: = distraction / not only A (but) also B: A뿐만 아니라 B도 / it: 가목적어 / for you: to부정사 의미상의 주어 / to get ...: 진목적어(to부정사구) / (that) you were working on: 목적격 관계대명사절(on의 목적어))
그것은 여러분을 경로에서 벗어나게 할 뿐만 아니라 / 더 힘들게도 한다 / 여러분이 과업으로 돌아오는 것을 / 애쓰고 있는

3행 As a result, / it / can prevent you from being fully productive / [**when** you finally do].
(prevent+목적어+from+v-ing: ~가 …하는 것을 막다 / when ...: <시간>의 부사절 / do: = work on the task)
결과적으로 / 그것은 / 여러분이 완전히 생산적이 되는 것을 저해할 수 있다 / 여러분이 마침내 과업을 할 때

4행 To prevent distractions, / experts consider **it** important / [**to be** aware of {**what** typically distracts you} / and **find** ways to get rid of —or at least minimize—them / {**before** you start working}].

to부정사 부사적 용법(목적) / S / V / 가목적어 / 진목적어(to부정사구) / 전치사 of의 목적어(의문사절) / (to) / to부정사 형용사적 용법 / (to) / <시간>의 부사절

산만함을 막기 위해서는 / 전문가들은 중요하다고 생각한다 / 무엇이 여러분을 전형적으로 산만하게 만드는지를 인지하고 / 그것을 제거 또는 적어도 최소화할 방법을 찾는 것이 / 일을 시작하기 전에

7행 For example, / if you know / [(that) you will be tempted / to look at your smartphone], / put it in a place / [**where** you neither see nor hear it].

know의 목적어(명사절) / 관계부사절 / neither A nor B: A도 B도 아닌

예를 들어 / 여러분이 안다면 / 유혹이 들게 될 것을 / 스마트폰을 보고 싶은 / 그것을 곳에 두어라 / 보지도 듣지도 못하는

문제해설

목표를 성취하는 데 있어서 산만함은 생각보다 큰 장애물이므로 일을 시작하기 전에 산만하게 만드는 요소를 예상하여 제거하라는 내용이므로 필자의 주장으로 가장 적절한 것은 ⑤이다.

내신·서술형 ⓐ Distraction ⓑ to get back to the task you were working on

ⓐ의 It은 앞 문장의 Distraction(산만함)을 가리키고, ⓑ의 it은 가목적어로 뒤의 진목적어인 to부정사구를 가리킨다.

3 ⑤

지문해석

꽃들은 수분을 통해 번식하므로 그들은 곤충의 참여가 필요하다. 어떤 꽃들은 썩은 고기나 과일의 냄새와 비슷한 냄새를 뿜어 내며 먹이의 보장으로 곤충을 유혹한다. 하지만 어떤 꽃들은 다른 접근법을 이용하는데, 그들은 실제로 짝을 찾는 수컷을 속이기 위해 암컷 곤충과 닮은 모습을 한다. 많은 사람들은 꽃들이 곤충을 속이기 위해 성을 이용한다는 것을 놀랍게 생각한다. 이것은 일부 난초 종들이 자신의 유전자를 널리 퍼뜨리는 것을 가능하게 하는 효과적인 전략이다. 예를 들어, 망치 난초의 꽃은 가지의 꼭대기에서 자신을 찾는 수컷 말벌을 기다리는 암컷 말벌과 매우 닮았다. 이 꽃은 심지어 암컷 말벌의 페로몬과 유사한 냄새를 발산하기도 한다. 수컷 말벌이 날아와 앉으면 말벌은 꽃가루에 덮이게 된다. 짝짓기를 하지 못하게 되어 수컷은 다른 '암컷'에게 날아가는데, 그 암컷은 또 다른 망치 난초일 가능성이 있다. 이런 식으로, 그는 꽃에서 꽃으로 꽃가루를 전달한다.

구문해설

2행 Some flowers lure insects / with the promise of food, / [**releasing** scents similar / to those of rotting flesh or fruit].

분사구문(부대상황) / = scents / 전치사 of의 목적어(동명사)

어떤 꽃들은 곤충을 유혹한다 / 먹이의 보장으로 / 비슷한 냄새를 뿜어내며 / 썩은 고기나 과일의 냄새와

5행 Many people find **it** surprising / [**that** flowers use sex / to trick insects].

가목적어 / 진목적어(that절) / to부정사 부사적 용법(목적)

많은 사람들은 놀랍게 생각한다 / 꽃들이 성을 이용한다는 것을 / 곤충을 속이기 위해

7행 For example, / the flower of the hammer orchid / closely resembles a female wasp / [**waiting** on top of a branch for / a male to spot her].

매우 / 현재분사구 / to부정사 형용사적 용법

예를 들어 / 망치 난초의 꽃은 / 암컷 말벌과 매우 닮았다 / 가지 꼭대기에서 기다리는 / 자신을 찾는 수컷 말벌을

11행 [**Unable** to mate], / he will fly on to another "female," / [**which** is likely to be another hammer orchid].

분사구문(= Because he is unable to mate) / 선행사 / 계속적 용법의 주격 관계대명사절

짝짓기를 하지 못하게 되어 / 수컷은 다른 '암컷'에게 날아가는데 / 그 암컷은 또 다른 망치 난초일 가능성이 있다

문제해설

망치 난초가 수분을 위해서 곤충을 유혹하는 방법에 대한 내용으로 빈칸 앞에서 수컷 말벌이 망치 난초에 속아서 꽃가루에 덮인 채 다른 난초에게 날아간다고 했으므로, 빈칸에 들어갈 말로 가장 적절한 것은 ⑤ '꽃에서 꽃으로 꽃가루를 전달한다'이다.

① 자신을 돕도록 난초를 속인다
② 여러 다양한 난초 종을 만난다
③ 지역의 말벌 개체 수를 늘린다
④ 자신만의 페로몬을 만드는 것을 배운다

내신·서술형 (1) 썩은 고기나 과일 냄새를 발산한다. (2) 곤충의 암컷과 닮은 모습을 한다.

앞 부분의 Some flowers ~.와 Others, ~.를 통해 2가지 방법을 소개하고 있다.

Chapter
3 보어의 이해

08 to부정사구/동명사구 보어

구문 연습

» p. 45

1 to be effective only for certain cancer patients
이 치료는 특정 암 환자에게만 효과가 있는 것으로 보인다.

2 delivering oxygen to all parts of your body
심장의 주요 기능은 신체의 모든 부분에 산소를 전달하는 것이다.

3 to send up to 100 messages at one time
이 애플리케이션은 사용자가 한 번에 메시지를 100개까지 보낼 수 있게 해 준다.

4 to write down the beautiful note
슈베르트가 가졌던 한 가지 고귀한 목적은 아름다운 곡을 쓰는 것이었다.

5 to create their own zoos this Halloween
그는 호박을 사는 사람들이 이번 핼러윈에 그들만의 동물원을 만드는 것을 금지한다.

6 to be adjusting well

7 to produce[producing] profits

8 to decide[deciding] priorities

9 the teenagers to verbalize

10 to lead
이유: appear는 주격보어로 to부정사를 취한다.
해석 온화한 겨울은 감염을 증가시키는 것으로 보인다.

11 to persist
이유: expect는 목적격보어로 to부정사를 취한다.
해석 경제 호황이 얼마나 지속될 것으로 예상하십니까?

구문 적용 독해

» pp. 46~47

1 ③ 2 ④ 3 ⑤

내신·서술형
1 venom 2 obedience, 순종 3 ④

1 ③

지문해석
코모도왕도마뱀은 세상에서 가장 큰 도마뱀 종이며, 3미터가 넘는 길이로 성장한다. 그것의 이빨은 톱의 날처럼 날카로움을 지니고 있으며 길고 예리하다. 코모도왕도마뱀은 비록 짧은 거리이긴 하지만, 시속 20킬로미터까지의 속도로 달릴 수 있다. 위협을 받으면, 그것은 도망치기 위해 토해서 위를 비워내어 스스로를 보다 가볍게 만든다. 즐겨하는 사냥 방법은 (동물의) 흔적 옆에서 기다리며 동물이 지나가기를 기다리는 것이다. 그것은 돼지, 염소, 도마뱀, 심지어 커다란 버팔로에 이르기까지 거의 어떤 것이든 먹는 습성이 있다. 코모도왕도마뱀은 세상에서 독을 가진 몇 안 되는 도마뱀 중 하나여서, 코모도왕도마뱀에게 물리는 것은 매우 위험하다. 이 독은 코모도왕도마뱀의 먹이를 약화시킨다. 만약 그 공격자의 입으로부터 겨우 도망친다 하더라도, 그것은 24시간 이내에 죽게 된다. 예민한 후각을 이용해서, 코모도는 죽은 동물을 찾아내서 식사를 마치곤 한다.

구문해설

3행 The Komodo dragon can run / at speeds of up to 20 km/h, / [**although** (it can run) only for short distances].
(~까지 / <양보>의 부사절(비록 ~이지만))
코모도왕도마뱀은 달릴 수 있다 / 시속 20킬로미터까지의 속도로 / 비록 짧은 거리이긴 하지만

5행 Its favorite way to hunt / is [**to wait** next to a trail / and (to) **wait** for an animal to walk by].
(to부정사 형용사적 용법 / 주격보어(to부정사구) / to부정사 형용사적 용법)
즐겨하는 사냥 방법은 / (동물의) 흔적 옆에서 기다리며 / 동물이 지나가기를 기다리는 것이다

11행 [**Using** its keen sense of smell], / the Komodo will find the dead animal / and finish its meal.
(분사구문(부대상황) / S / ~하곤 한다(습성, 경향) / V1 / V2)
예민한 후각을 이용해서 / 코모도는 죽은 동물을 찾아내서 / 식사를 마치곤 한다

문제해설
위협을 받으면 위를 비워내어 몸을 가볍게 하여 도망친다고 했으므로 ③은 글의 내용과 일치하지 않는다.

내신·서술형 venom
'뱀, 곤충 등이 당신을 물거나 쏠 때 만들어 내는 액체 독'을 나타내는 단어는 venom(독)이다.

---

2 ④

지문해석
전 세계의 부모들은 자녀에 대한 사랑을 표현하지만, 일부 부모들은 자신들이 믿기에 성공으로 이끌 행동쪽으로 아이들을 안내하기 위해 자신들의 애정을 이용한다. 자녀들이 좋은 성적을 받거나, 학교 대회에서 우승하거나, 또는 좋은 대학에 입학하게 될 때, 이런 부모들은 그들의 자부심과 사랑을 더 강하게 표현한다. 불행히도, 이것은 그들의 사랑이 성과에 기반한 것처럼 보이도록 한다. 단순히 '너를 사랑한다'고 말하는 대신에, 그들은 '네가 내 말을 듣고 성공하게 되어 널 사랑한다'라고 암시하고 있는 것이다. 과거의 대부분의 부모들은 아이들이 이의 없이 자신들에게 단지 순종하기를 기대했지만, 오늘날의 대부분의 부모들은 자신의 자녀들이 독립적으로 생각하는 방법을 배우기를 원한다고 말한다. 하지만 많은 부모들은 여전히 자녀들로부터 순종을 원하고 있다. 단지 그것을 더 이상 직접적으로 요구하지 않을 뿐이다.

구문해설

1행 Parents (around the world) / express their love for their children, / but some use their affection / to guide their children toward behavior / [that {they believe} / will lead to success].

S, V, 등위접속사(하지만), to부정사 부사적 용법(목적), 주격 관계대명사절, 삽입절, ~로 이끌다

전 세계의 부모들은 / 자녀에 대한 사랑을 표현한다 / 하지만 일부 부모들은 자신들의 애정을 이용한다 / 행동쪽으로 아이들을 안내하기 위해 / 자신들이 믿기에 / 성공으로 이끌

3행 [**When** their children get good grades, / win school contests, / or get accepted to a good college], / these parents express / their pride and love more strongly.

<시간>의 부사절, V1, V2, 등위접속사, V3

자녀들이 좋은 성적을 받을 때 / 학교 대회에서 우승할 때 / 또는 좋은 대학에 입학할 때 / 이런 부모들은 표현한다 / 그들의 자부심과 사랑을 더 강하게

5행 Unfortunately, / this causes / their love / to appear to be merit-based.

cause+목적어+목적격보어(to부정사): ~로 하여금 …하게 하다

불행히도 / 이것은 하게 한다 / 그들의 사랑이 / 성과에 기반한 것처럼 보이도록

7행 [**Although** most parents in the past / expected their children to simply obey them / without question], / most parents today say / [they want their children to learn / {how to think independently}].

<양보>의 부사절, expect+목적어+목적격보어(to부정사): ~가 …하는 것을 기대하다, (that) say의 목적어(명사절), want+목적어+목적격보어(to부정사), learn의 목적어(의문사+to부정사구)

비록 과거의 대부분의 부모들은 / 아이들이 자신들에게 단지 순종하기를 기대했지만 / 이의 없이 / 오늘날의 대부분의 부모들은 말한다 / 자신의 자녀들이 배우기를 원한다고 / 독립적으로 생각하는 방법을

문제해설

부모가 원하는 결과가 나올 때 자녀들에게 사랑을 표현하는 것은 자녀들로 하여금 부모들의 사랑이 성과를 바탕으로 한 것처럼 보이게 한다는 내용이므로 빈칸에 들어갈 말로 가장 적절한 것은 ④ '성과에 기반한'이다.

① 협동적인 ② 강력한 ③ 정중한 ⑤ 성미가 급한

내신·서술형 obedience, 순종

밑줄 친 it은 앞에 나온 obedience를 가리키며, obedience는 '순종, 복종'이라는 뜻이다.

3 ⑤

지문해석

패션 산업에서 사용되는 천의 약 15%는 결국 버려지고 있다고 한다. 불행하게도, 이것은 패스트 패션 산업(저렴한 의류를 짧은 주기로 세계적으로 생산 및 판매하는 패션 산업)이 환경에 미치는 여러 부정적인 영향들 중 하나에 불과하다. 이런 상황에 대응하기 위해서, 새로운 패션 운동이 생겨났다. 그것은 쓰레기 제로 패션 운동으로 알려져 있으며, 버려지는 천이 거의 없거나 아예 없게끔 만들어질 수 있는 옷들을 장려한다. 관건은 서로 완벽하게 맞는 패턴 조각을 디자인하여, 잘려졌을 때 천의 모든 조각들이 사용되게 하는 것이다. 즉, 그것들은 퍼즐 조각들처럼 서로 맞물린다. 이것이 불가능할 경우, 그것들의 남는 조각들은 장신구를 만드는 것과 같은 다른 방식으로 사용된다. 많은 디자이너들이 이미 쓰레기 제로 패션을 열광적으로 수용했고, 환경친화적인 유행하는 옷을 만들기 위해 노력하고 있다.

구문해설

1행 **It** is said / [**that** about 15% of the fabric / {**used** by the fashion industry} / ends up being wasted].

가주어, 진주어(that절), 과거분사구, 동명사 수동태(ends up의 목적어)

~라고 한다 / 천의 약 15%는 / 패션 산업에서 사용되는 / 결국 버려지고 있다

2행 Unfortunately, / this is only one of several negative impacts / [(**that**) the fast-fashion industry has on the environment].

생략 가능, one of+복수명사: ~한 것들 중의 하나, 목적격 관계대명사절, have an impact on: ~에 영향을 미치다

불행하게도 / 이것은 여러 부정적인 영향들 중 하나에 불과하다 / 패스트 패션 산업이 환경에 미치는

6행 The key / is [**designing** pattern pieces / {**that** fit together perfectly}], / so that every part of the cloth is used / [**when** they are cut out].

주격보어(동명사구), 주격 관계대명사절, 결과, <시간>의 부사절

관건은 / 패턴 조각을 디자인하는 것이다 / 서로 완벽하게 맞는 / 그래서 천의 모든 조각들이 사용되게 하는 것이다 / 잘려졌을 때

문제해설

환경을 위해 버려지는 천이 없도록 퍼즐 조각들처럼 완벽하게 서로 맞물리도록 디자인을 하는 쓰레기 제로 패션 운동에 관한 내용이므로, 글의 제목으로 ⑤ '의류 제조업을 더 친환경적으로 만들기 위한 노력들'이 가장 적절하다.

① 패션 산업의 몰락

② 천연 직물 사용의 혜택

③ 새 옷에 돈을 낭비하는 것을 멈추라

④ 계속 사용될 수 있는 직물

내신·서술형 ④

movement는 '(사람들이 조직적으로 벌이는) 운동'을 뜻하므로 ④ campaign과 바꿔 쓸 수 있다.

09 명사절 보어

구문 연습
» p. 49

1 where we are and what we are
과학이 우리에게 알려주는 것은 우리가 어디에 있고 우리가 무엇인가이다.

2 how she was cured of her cancer
내가 알고 싶었던 것은 그녀가 어떻게 암에서 완치되었는가였다.

3 that he didn't practice enough for the match
Bill의 문제는 그가 시합을 위해 충분히 연습하지 않았다는 것이었다.

4 whether building a new power plant is cost-effective
쟁점은 새로운 발전소 건설이 비용 대비 효과가 있는지 아닌지이다.

5 what some coaches ask for
외국인 선수들의 수에 대한 제한은 몇몇 감독들이 요구하는 것이다.

6 what leads to prejudice

7 whether Charlie cheated

8 where the accident occurred

9 that nobody had mastered the manual

10 that
이유: 뒤에 완전한 문장이 이어지므로 접속사 that이 알맞다.
해석 그 이론의 배후에 있는 가정은 불일치가 잘못되었다는 것이다.

11 whether
이유: if가 이끄는 절은 주격보어로 쓸 수 없다.
해석 제기된 초기 의문점은 그녀가 범죄 의도를 가지고 있었는지였다.

구문 적용 독해
» pp. 50~51

1 ② 2 ⑤ 3 ⑤

내신·서술형
1 (그 두 국가들은) 멀리 떨어진 곳까지 용품을 수급할 다른 선택 사항이 거의 없기 때문에
2 태아의 발달 첫 15주 동안에는 운동피질이 아직 척수와 연결되지 않는다는 것
3 factors, snoring

1 ②

지문해석

드론은 땅에서 조종되는 소형 무인 항공기다. 드론은 농사, 고고학, 영화 제작, 건설, 오락과 그 이상을 포함한 다양한 목적들로 사용된다. 그러나 사람들의 생명을 구하는 드론들이 있다. 한 회사가 아프리카 국가인 가나와 르완다처럼 많은 사람들이 대도시에서 멀리 떨어져 사는 장소에 의료용품을 배달하기 위해 드론을 사용하고 있다. 전통적인 형태의 교통수단으로는 이러한 장소에 도달하는 데 오래 걸릴 수 있기 때문에, 드론은 필요한 곳에 중요한 의료용품들을 빠르게 수급할 수 있는 가장 좋은 방법이다. 드론은 최대 시속 100km의 속도로 날 수 있어서, 대부분의 배송은 30분 이내로 이루어진다. 가나와 르완다에서 드론의 사용은 많은 다른 국가들보다 더 앞섰다. 이것에 대한 주된 이유는 이 두 국가들이 먼 곳까지 용품들을 수급할 수 있는 선택권이 더 적기 때문이다.

구문해설

4행 A company is using drones / to deliver medical supplies / in places [**where** many people live far away from larger cities, / such as the African countries Ghana and Rwanda].
(to deliver: to부정사 부사적 용법(목적); where: 관계부사절; far away from: ~에서 멀리 떨어져; such as: ~와 같은)

한 회사가 드론을 사용하고 있다 / 의료용품을 배달하기 위하여 / 많은 사람들이 대도시에서 멀리 떨어져 사는 장소에 / 아프리카 국가인 가나와 르완다처럼

6행 As **it** can take a long time / [**to reach** these locations by traditional modes of transportation], / drones are the best way / to quickly get important medical supplies / [**where** they are needed].
(it: 가주어; to reach ~: 진주어(to부정사구); it takes+시간+to부정사: …하는 데 시간이 ~ 걸리다; drones: S; are: V; to quickly get: to부정사 형용사적 용법; where: 관계부사절; they = medical supplies)

오래 걸릴 수 있기 때문에 / 전통적인 형태의 교통수단으로는 이러한 장소에 도달하는 것이 / 드론은 가장 좋은 방법이다 / 중요한 의료용품들을 빠르게 수급할 수 있는 / 그것들이 필요한 곳에

11행 The primary reason for this / is [**that** these two countries have fewer options / for getting supplies to faraway places].
(The primary reason for this: S; is: V; that ~: 주격보어(명사절); getting: 동명사(전치사 for의 목적어))

이것에 대한 주된 이유는 / 이 두 국가들이 선택권이 더 적다는 것이다 / 먼 곳까지 용품들을 수급할 수 있는

문제해설

멀리 떨어진 곳에 의료용품을 빠르게 공급하기 위해 드론을 사용하는 국가들에 관한 내용이므로, 글의 제목으로 ② '드론을 사용하여 멀리 떨어진 지역의 생명을 살리기'가 가장 적절하다.
① 병원에 가기 위한 더 빠른 방법
③ 농사부터 오락까지의 첨단 드론들
④ 대중교통 시스템을 발전시키려고 노력하는 국가들
⑤ 아프리카에서 가장 발달된 국가인 가나와 르완다

내신·서술형 (그 두 국가들은) 멀리 떨어진 곳까지 용품을 수급할 다른 선택 사항이 거의 없기 때문에

본문 마지막 문장에 다른 국가들보다 가나와 르완다에서 드론이 앞섰던 이유에 대해서 선택권이 더 적어서 다른 선택 사항이 거의 없음을 알 수 있다.

2 ⑤

지문해석

인간의 약 10%는 왼손잡이지만, 일부 사람들이 왜 왼손을 선호하는지는 여전히 명확하지 않다. 새로운 연구는 그것이 실제로는 뇌와 아무런 관련이 없을 수도 있다고 주장한다. 연구원들은 태아의 발달 중에 척수 내 유전자 활동에서의 불균형이 사람들로 하여금 왼손잡이나 오른손잡이가 되게 하는 것일 수 있다는 것을 알아냈다. 사람들이 그들의 팔과 손을 움직여야 할 때, 신호들이 뇌의 운동피질로부터 척수로 보내진다. 태아의 발달 첫 15주 동안에는 운동피질이 아직 척수와 연결되지 않는다. 이럼에도 불구하고, 왼손잡이나 오른손잡이는 13주 경에 이미 결정된다. 연구원들은 태아가 그들의 왼쪽 엄지손가락을 빠는 경향이 있는지 오른쪽 엄지손가락을 빠는 경향이 있는지 관찰함으로써 이 사실을 확인했다. 이것은 뇌가 몸의 움직임을 통제한 후에(→ 통제하기 전에) 이미 태아가 한쪽 손을 선호하고 있다는 것을 의미한다.

구문해설

3행 Researchers found / [**that** an imbalance in the gene activity in the spinal cord / during the development of a fetus / could be / {**what** causes people to be left- or right-handed}].
(found의 목적어(명사절); S; V; 주격보어(관계사절); cause+목적어+목적격보어(to부정사))

연구원들은 알아냈다 / 척수 내 유전자 활동에서의 불균형이 / 태아의 발달 중에 / 일 수 있다 / 사람들로 하여금 왼손잡이나 오른손잡이가 되게 하는 것

8행 Despite this, / left- or right-handedness has already been determined / by the 13th week.
(전치사; 현재완료 수동태(완료); ~쯤)

이럼에도 불구하고 / 왼손잡이나 오른손잡이는 이미 결정된다 / 13주 경에

10행 Researchers ascertained this fact / by observing / [**whether** the fetus tends to suck its left or right thumb].
(S; V; by+v-ing: ~함으로써(수단); observing의 목적어(명사절); tend to-v: ~하는 경향이 있다)

연구원들은 이 사실을 확인했다 / 관찰함으로써 / 태아가 그들의 왼쪽 엄지손가락을 빠는 경향이 있는지 오른쪽 엄지손가락을 빠는 경향이 있는지

문제해설

태아의 발달 첫 15주 동안에는 운동피질과 척수가 연결되지 않았는데도 13주 경에 이미 왼손잡이인지 오른손잡이인지 결정된다는 내용으로 뇌가 몸의 움직임을 통제하기 '전에' 이미 한쪽 손을 선호한다는 내용이 적절하므로, ⑤의 after는 before로 바꿔야 자연스럽다.

내신·서술형 태아의 발달 첫 15주 동안에는 운동피질이 아직 척수와 연결되지 않는다는 것

3 ⑤

지문해석

모든 사람은 인생의 어느 시점에 코골이를 경험한다. 하지만 무엇이 실제로 이러한 성가신 소리를 발생하게 하는가? (C) 코골이는 잠자고 있는 사람의 코와 목을 통해 공기가 자유롭게 움직이지 못할 때 발생한다. 이것은 둘러싸고 있는 조직이 진동하게 하는데, 이러한 진동이 코골이 소리를 만들어 내는 것이다. (B) 코골이의 가장 흔한 원인은 목과 코 주위에 너무 많은 조직이 있는 것이다. 그것이 몸무게 증가가 종종 코골이와 연관되는 이유이다. 몸무게 증가는 목 주위에 추가적인 지방을 더하게 되고, 이것은 잠자는 동안 목을 누르게 된다. (A) 잠자는 자세 또한 한 요소이다. 좋지 않은 수면 자세를 갖는 것은 기도를 부자연스럽게 좁아지게 하고, 이것이 코골이를 더 발생하게 한다. 따라서 자세의 단순한 변화가 종종 일시적으로 코골이를 멈추게 하기에 충분하다. 또 다른 가능한 원인은 자는 동안에 입의 뒤쪽으로 혀가 말려 들어가서 기도를 방해하는 것이다.

구문해설

3행 Having poor sleeping posture / can cause your airway to become unnaturally narrow, / [**which** makes snoring more likely].
(S(동명사구); cause+목적어+목적격보어(to부정사); 계속적 용법의 주격 관계대명사절 (선행사가 앞 절 전체); make+목적어+목적격보어(형용사))

좋지 않은 수면 자세를 갖는 것은 / 기도를 부자연스럽게 좁아지게 하고 / 이것이 코골이를 더 발생하게 한다

8행 The most common cause of snoring / is [**that** there's too much tissue / in the throat and nasal areas].
(주격보어(that절))

코골이의 가장 흔한 원인은 / 너무 많은 조직이 있는 것이다 / 목과 코 주위에

9행 That's / [**why** weight gain is often connected to snoring].
(주격보어(관계부사절); be connected to: ~와 연관되다)

그것이 ~이다 / 몸무게 증가가 종종 코골이와 연관되는 이유

13행 This causes the surrounding tissues to vibrate, / and these vibrations are / [**what** produce the snoring sound].
(앞 문장의 내용; 주격보어(관계대명사절))

이것은 둘러싸고 있는 조직이 진동하게 한다 / 그리고 이러한 진동이 / 코골이 소리를 만들어 내는 것이다

문제해설

코골이는 왜 발생하는지에 대한 의문을 던지는 주어진 글에 이어, 코골이의 발생 원리에 대해 설명하는 (C)가 나오고, 그 다음에 코골이의 주된 원인으로 몸무게 증가를 이야기하고 있는 (B)가 이어진 후, 마지막으로 다른 원인으로 수면 자세를 설명하고 있는 (A)가 나오는 것이 자연스럽다.

내신·서술형 factors, snoring

코골이를 유발하는 원인에 관한 글이므로 글의 주제로 '코골이를 유발하는 몇 가지 요소'가 적절하다.

10 분사구/원형부정사구 보어

구문 연습

» p. 53

1 reading a letter from her husband
그녀는 위층으로 올라가 남편에게서 온 편지를 읽으면서 앉아 있었다.

2 unchanged for months or years
비밀번호는 몇 달 혹은 몇 년 동안 변경되지 않은 채로 있다.

3 falling down the mountain
우리는 눈덩이와 바위 덩어리들이 산에서 떨어지는 것을 보았다.

4 drink the red juice every night before bed
그의 고모는 그에게 매일 밤 자기 전에 붉은색 주스를 마시게 했다.

5 see into the mind of the main character
1인칭 시점 서술을 사용함으로써, 작가들은 독자들이 주인공의 마음을 들여다볼 수 있게 한다.

6 saw a spider approach[approaching]

7 made the sleepy student read

8 terrified by the terrible storm

9 them (to) escape from their daily routine

10 ① to overflow → overflow
해석 폭우가 강을 범람하게 해서 지역 주민들이 피난을 갔다.
해설 사역동사 made는 목적격보어로 원형부정사를 취하므로 overflow로 고쳐야 한다.

11 ② opened → open[opening]
해석 나는 누나가 선물 상자를 여는 것을 보았는데, 곧 그녀의 얼굴이 미소로 가득했다.
해설 지각동사 saw는 목적격보어로 원형부정사 또는 현재분사를 취하므로 open 또는 opening으로 고쳐야 한다.

구문 적용 독해

» pp. 54~55

1 ② 2 ③ 3 ②

내신·서술형
1 older, less sensitive 2 날카롭고 뾰쪽한 귀, 짧고 곧은 꼬리
3 • water: long tail, webbed feet
• land: hoofed toes, shape of legs

1 ②

지문해석

먹는 것은 두 가지 감각이 함께 작동하는 것을 포함한다. 우리의 미각은 단맛, 짠맛, 신맛, 쓴맛의 네 가지 기본적인 맛을 식별한다. 동시에, 우리의 후각은 우리가 음식의 향을 즐기도록 해 준다. 하지만, 우리가 나이가 들수록, 맛을 느끼기가 더 어려워진다. (어떤 사람들은 강한 풍미를 즐기는 반면, 다른 사람들은 순한 맛을 내는 음식을 선호한다.) 우리가 중년에 이르면, 우리 미뢰의 수가 감소하고 더 작아지는데, 이것은 미뢰를 덜 민감하게 만든다. 나이는 또한 우리의 후각이 제 기능을 못하게 한다. 냄새를 탐지하는 감각 세포는 정기적으로 죽고 새로운 세포로 교체되지만, 이러한 교체 과정이 노인들에게는 제대로 이루어지지 않는다. 우리의 후각은 맛을 보는 데 도움을 주는 것 이상의 더 많은 일을 하기 때문에 이것은 문제가 될 수 있다. 후각은 음식이 상했을 때 우리에게 경고를 하거나 가스 누출 혹은 화재의 위험으로부터 우리를 경계시킨다.

구문해설

2행 At the same time, / our sense of smell / lets us enjoy the aroma of our food.
(동시에 / S / 사역동사(let)+목적어+목적격보어(원형부정사))
동시에 / 우리의 후각은 / 우리가 음식의 향을 즐기도록 해 준다

5행 [**When** we reach middle age], / our taste buds decrease in number / and get smaller, / [**which** makes them become less sensitive].
(<시간>의 부사절 / 선행사 / 계속적 용법의 주격 관계대명사절 / 사역동사(make)+목적어+목적격보어(원형부정사): ~가 …하게 하다)
우리가 중년에 이르면 / 우리 미뢰의 수가 감소하고 / 더 작아지는데 / 이것은 미뢰를 덜 민감하게 만든다

10행 This can be a problem, / [**as** our sense of smell does more than helps us savor flavors].
(V2 / <이유>의 부사절 / S / V1 / 준사역동사(help)+목적어+목적격보어(원형부정사))
이것은 문제가 될 수 있다 / 우리의 후각은 맛을 보는 데 도움을 주는 것 이상의 더 많은 일을 하기 때문에

11행 It warns us / [**when** food has gone bad] / or alerts us / to danger from gas leaks or fire.
(V1 / <시간>의 부사절 / V2)
후각은 우리에게 경고를 한다 / 음식이 상했을 때 / 또는 우리를 경계시킨다 / 가스 누출 혹은 화재의 위험으로부터

문제해설

나이가 들어감에 따라 음식을 먹는 것과 관련된 후각과 미각이 약화된다는 내용이므로, 강한 맛 또는 순한 맛을 선호하는 사람들에 관한 내용인 ②는 글의 흐름과 관계가 없다.

내신·서술형 older, less sensitive
우리가 나이가 들수록, 우리의 미각과 후각은 덜 민감해진다.

2 ③

지문해석

도베르만 핀셔는 전 세계적으로 인기 있는 개 품종이다. 그것은 날카롭고 뾰쪽한 귀와 짧고 곧은 꼬리로 알려져 있다. 그러나 이것들이 도베르만 핀셔의 자연적인 특징이 아니란 것을 알고 있었는가? 실제로, 그것은 처진 귀와 길고 구부러진 꼬리를 가지고 있다. 하지만 도베르만 핀셔의 주인들은 많은 사람들이 성형 수술을 하는 것과 같은 방법으로, 더 강인하게 보이게 하기 위해서 개의 귀와 꼬리를 외과적으로 변형시킨다. 개를 위한 성형 수술이 존재한다는 것에 놀랄 수도 있겠지만, 그것들은 흔하게 행해지고 있다. 귀 수술이 감염의 위험을 줄인다고 알려졌지만, 우리는 처진 귀를 가진 많은 다른 개들이 건강한 삶을 살고 있는 것을 볼 수 있다. 또한, 개의 꼬리는 다른 개들과 의사소통 하는 데 중요한 역할을 하기 때문에, 그것을 자르는 것은 부정적인 사회적 영향을 미칠 수 있다. 도베르만 핀셔

의 일반적인 이미지는 자연이 의도했던 것이라기보다는 사람들이 바라는 것의 결과인 것이다.

구문해설

1행 It is known / for its sharp, pointed ears / and (its) short, straight tail.
be known for: ~로 알려져 있다 / 등위접속사

그것은 알려져 있다 / 날카롭고 뾰쪽한 귀로 / 그리고 짧고 곧은 꼬리로

4행 Doberman pinscher owners, / however, / have their dogs' ears and tails surgically altered / to make them look tougher / the same way [many people have cosmetic surgery].
사역동사(have)+목적어+목적격보어(과거분사): ~를 …시키다 / to부정사 부사적 용법(목적) / 사역동사(make)+목적어+목적격보어(원형부정사) / 관계부사절

도베르만 핀셔의 주인들은 / 하지만 / 개의 귀와 꼬리를 외과적으로 변형시킨다 / 그들을 더 강인하게 보이게 하기 위해서 / 많은 사람들이 성형 수술을 하는 것과 같은 방법으로

6행 You may be astonished / **that** cosmetic surgeries for dogs exist, / but they are commonly being performed.
사람 주어+감정형용사(과거분사) / 전치사구 / 현재진행 수동태

너는 놀랄 수도 있다 / 개를 위한 성형 수술이 존재한다는 것에 / 그러나 그것들은 흔하게 행해지고 있다

8행 **It** has been reported / [**that** the ear surgery reduces the risk of infections], / but we can see / many other dogs with floppy ears living healthy lives.
가주어 / 현재완료 수동태 / 진주어(that절) / 지각동사(see)+목적어+목적격보어(현재분사)

알려져 있다 / 귀 수술은 감염의 위험을 줄인다 / 그러나 우리는 볼 수 있다 / 처진 귀를 가진 다른 많은 개들이 건강한 삶을 살고 있는 것을

문제해설

주인은 자신의 도베르만을 더 강인하게 보이게 하려고 성형 수술을 시킨다고 했으므로 ③이 글의 내용과 일치하지 않는다.

내신·서술형 날카롭고 뾰쪽한 귀, 짧고 곧은 꼬리

도베르만은 원래 처진 귀와 길고 구부러진 꼬리를 갖고 있었는데, 개의 주인들이 개들을 강인하게 보이게 하려고 성형 수술을 시켜 날카롭고 뾰쪽한 귀와 짧고 곧은 꼬리로 만들었고, 사람들은 이 이미지를 도베르만 핀셔의 일반적인 이미지로 알고 있다.

---

3 ②

지문해석

과학자들은 최근 발굽이 달린 다리 네 개를 가진 고대의 고래를 발견했다. 이 발견은 우리에게 고래가 어떻게 육지에서 바다로 이동했는지에 대한 새로운 정보를 제공한다. (B) 페루 해안가에서 발견된 그 화석은 4천 260만 년 동안 퇴적물에 파묻혀 있었다. 이 현대 고래의 조상은 반은 물에서 사는 생활을 했던 것으로 보인다. 고래의 굽이 있는 발가락과 다리의 모양은 이것이 육지에서 걸을 수 있었다는 것을 시사한다. (A) 그러나 고래의 긴 꼬리와 물갈퀴가 있는 발은 이것이 또한 훌륭한 수영 선수였음을 시사한다. 이 고래는 물에서 대부분의 시간을 보냈지만 때때로 육지로 나왔을 것으로 여겨진다. 시간이 지나면서, 이 고래는 물에 더 적응했을 것 같다. (C) 화석의 위치 또한 과학자들에게 흥미로웠다. 고래는 5천만 년 전쯤에 남아시아에서 생겨났을 것으로 생각된다. 그들의 몸이 물에 더 적합해지게 되자, 그들은 그곳에서부터 전 세계로 이동했다.

구문해설

6행 Over time, / it likely grew more adapted / to the water.
불완전자동사 / 주격보어(과거분사)

시간이 지나면서 / 이 고래는 더 적응했을 것 같다 / 물에

8행 The fossil, / [**which** was discovered on the coast of Peru], / remained embedded in sediment / for 42.6 million years.
S / 주격 관계대명사절 / V(불완전자동사) 주격보어(과거분사) / ~동안

그 화석은 / 페루 해안가에서 발견된 / 퇴적물에 파묻혀 있었다 / 4천 260만 년 동안

12행 Whales are thought / to have originated in South Asia / around 50 million years ago.
V / 완료부정사(주절의 시제보다 더 이전임을 나타냄) / 대략

고래는 생각된다 / 남아시아에서 생겨났을 것으로 / 5천만 년 전쯤에

13행 [**As** their bodies became better suited to water], / they migrated around the globe / from there.
접속사(~함에 따라) / 불완전자동사 / 주격보어(과거분사)

그들의 몸이 물에 더 적합해지게 되자 / 그들은 전 세계로 이동했다 / 그곳에서부터

문제해설

고대의 고래가 발견됨으로써, 육지에서 바다로 어떻게 이동했는지에 대한 정보를 알 수 있다는 주어진 글에 이어, 발굽 등 육지에서 살았던 증거를 제시하는 (B)가 나오고, 그 다음에 물갈퀴가 있고 물에 점점 더 적응했다는 내용의 (A)가 이어진 후, 몸이 물에 더 적합하게 되자 전 세계로 이동했다는 내용을 제시한 (C)가 나오는 것이 자연스럽다.

내신·서술형 • water: long tail, webbed feet / • land: hoofed toes, shape of legs

고대의 고래가 semi-aquatic lifestyle로 살았던 근거로 긴 꼬리와 물갈퀴가 있는 발을 보면 물에서 수영을 잘했을 것이고, 굽이 있는 발가락과 다리 모양은 육지에서 걸을 수 있었다는 것을 시사한다고 했다.

Chapter
4 수식어구의 이해

11 형용사구/전치사구의 수식

구문 연습
» p. 59

1 useful for different careers
학생들은 다양한 직업에 유용한 수학 능력을 습득할 필요가 있다.

2 in the number of multi-racial children
이 보고서는 다민족 아이들 수의 가파른 상승세를 보여 준다.

3 between the two nations
두 나라 사이의 종교적 갈등은 30년 동안 계속되어 왔다.

4 for sweet liquid
인간의 갓난아기들 또한 단 음료에 대한 강한 선호를 보인다.

5 available for fishing next to the dam
댐 옆의 낚시할 수 있는 공간은 정부에 의해 차단될 것이다.

6 participants in the recent riots

7 Classes with fewer than 20 applicants

8 heart tissue similar to that of humans

9 valuable to both the giver

10 with
이유: 앞의 명사 an argument를 수식하여 '~와의 논쟁'이라는 의미가 되어야 하므로 '~와[과]'를 뜻하는 with가 알맞다.
해석 나는 비이성적인 사람과의 논쟁에서 벗어나고 싶다.

11 willing
이유: '기꺼이 ~할'의 의미로 앞의 명사 a person을 수식하는 형용사구가 되어야 하므로 형용사 willing이 알맞다.
해석 당신은 자신이 기꺼이 위험을 감수하는 사람이라고 생각하는가?

구문 적용 독해
» pp. 60~61

1 ③ 2 ③ 3 ②

내신·서술형
1 ask for approval from the government
2 handling 3 ④

1 ③

지문해석

모든 지역에서는 다른 법을 가지고 있지만, 어떤 법은 독특하다. 특이한 법 중 하나는 싱가포르에서 온 것인데, 거기에서는 껌이 수입될 수 없다. 실제로, 공공장소에서 껌을 씹는 것은 불법이다. 이 법은 도시를 깨끗하게 유지하도록 돕기 위한 것이다. 덴마크에서는, 부모들이 자녀들에게 특이한 이름을 지어 주는 것을 법으로 금지하고 있다. 새로운 아기들을 가진 부모들이 고를 수 있는 33,000개의 승인된 이름들의 목록이 있다. 만약 다른 것을 사용하고 싶다면, 그들은 정부로부터 승인을 요청해야 한다. 마지막으로, 누군가가 베니스에서 비둘기에게 먹이를 준다면, 그들은 최대 500 유로의 벌금을 물 수도 있다. 이것은 비둘기들이 도시의 기념물을 더럽게 하고 질병을 퍼뜨리기 때문이다. 이것들은 예상하지 못한 법들의 몇 가지 예시일 뿐이다. 여행자들은 곤란 처하는 것을 피하기 위하여 그들이 방문하는 장소들의 법들을 항상 확인해야 한다.

구문해설

1행 One [of the unusual laws] / is from Singapore, / [**where** chewing gum cannot be imported].
(전치사구 / 선행사 / 계속적 용법의 관계부사절(= and there) / 조동사 수동태)
특이한 법들 중 하나는 / 싱가포르에서 온 것이다 / 거기에서는 껌이 수입될 수 없다

2행 In fact, / **it** is illegal / [**to chew** gum / in public places].
(가주어 / 진주어(to부정사구))
실제로 / 불법이다 / 껌을 씹는 것이 / 공공장소에서

5행 There is a list / [of 33,000 approved names] / [**that** parents {with new babies} can choose from].
(전치사구 / 목적격 관계대명사절 / 전치사구)
목록이 있다 / 33,000개의 승인된 이름들의 / 새로운 아기들을 가진 부모들이 고를 수 있는

6행 If they want to use something different, / they must ask for approval / [from the government].
(「-thing+형용사」의 어순 / 전치사구)
만약 다른 것을 사용하고 싶다면 / 그들은 승인을 요청해야 한다 / 정부로부터

9행 These are just a few examples / [of unexpected laws].
(전치사구)
이것들은 몇 가지 예시일 뿐이다 / 예상하지 못한 법들의

10행 Travelers should always check the laws / [of the places] / [(that) they visit] / to avoid getting in trouble.
(전치사구 / 목적격 관계대명사절 / to부정사 부사적 용법(목적))
여행자들은 법들을 항상 확인해야 한다 / 장소들의 / 그들이 방문하는 / 곤란에 처하는 것을 피하기 위하여

문제해설

다양한 장소에서의 특이한 법들을 구체적인 예시를 사용하여 설명하고 있으므로, 글의 제목으로 ③ '다른 장소들에서 금지된 놀랄만한 것들'이 가장 적절하다.
① 각 도시가 여행자들을 위해 청소하는 방법
② 법을 어겨서 쫓겨났던 사람들
④ 비슷한 전통을 가진 다른 장소들
⑤ 여행객들이 오해로 인해 체포되다

내신·서술형 ask for approval from the government

덴마크에서는 승인된 아기 이름 목록 외의 이름을 짓고 싶으면 정부에 승인을 요청해야 한다고 하였다.

2 ③

지문해석

부주의한 맹목은 여러분의 주의가 다른 곳에 집중되어 있어서 눈에 보이긴 하지만 예상치 못한 물체를 보지 못하는 현상이다. 그 현상은 항상 존재해 왔지만, 현대 사회에서 더 큰 이슈가 되고 있다. 우리 선조들이 살았던 세상은 덜 복잡했고 우리의 즉각적인 주의가 요구되는 물체나 사건이 더 적었다. 이와 반대로, 과학 기술은 현대 세계에 가능한 한 빠르게 끊임없이 많은 양의 주의를 요구하는 수많은 기계와 장비를 가져왔다. 우리의 뇌는 주의를 요하는 시각적인 수요를 처리할 능력이 있긴 하지만, 그렇게 많은 양이나 그렇게 빠른 속도로 처리하지는 못한다. 우리가 길을 걸을 때, 몇 초 동안 무엇인가를 알아채지 못하는 것은 아마도 우리의 생존에 영향을 미치지 않을 것이다. 하지만, 우리가 운전할 때, 예상치 못한 사건을 알아채는 데 단 10분의 1초라도 지연되는 것은 비극적인 결과를 가져올 수 있다.

구문해설

1행 In contrast, / technology has brought the modern world / numerous machines and devices / [**that** continuously require large amounts of our attention / as quickly as possible].
주격 관계대명사절
as+원급+as possible: 가능한 한 ~하게

이와 반대로 / 과학 기술은 현대 세계에 가져왔다 / 수많은 기계와 장비를 / 끊임없이 많은 양의 주의를 요구하는 / 가능한 한 빠르게

4행 Inattentional blindness is the phenomenon / [of failing to see / a visible but unexpected object] / [**because** your attention is focused elsewhere].
전치사구
fail to-v: ~하지 못하다
동명사(전치사 of의 목적어)
<이유>의 부사절

부주의한 맹목은 현상이다 / 보지 못하는 / 눈에 보이긴 하지만 예상치 못한 물체를 / 여러분의 주의가 다른 곳에 집중되어 있어서

12행 [**When** we are driving], however, / a delay [of even a tenth of a second / in noticing an unexpected event] / can have tragic results.
<시간>의 부사절
전치사구
분수 표현: 분자(기수)+분모(서수)
동명사(전치사 in의 목적어)

하지만, 우리가 운전할 때 / 단 10분의 1초라도 지연되는 것은 / 예상치 못한 사건을 알아채는 데 / 비극적인 결과를 가져올 수 있다

문제해설

주어진 문장은 과학 기술의 발전으로 인해 현대 사회에 더 많은 주의를 요하는 기계와 장비가 도입되었다는 내용이므로, 이와 대조되는 우리 선조들이 살았던 세상에 대한 내용 뒤인 ③에 들어가는 것이 가장 적절하다.

내신·서술형 handling

앞에 전치사 of가 있으므로 동명사인 handling으로 고쳐야 한다.

3 ②

지문해석

Jane Austen은 영국 중상류층을 배경으로 하고 19세기 초 여성의 삶에 대한 통찰력을 특징으로 한 책들로 유명한 영국 소설가였다. 그녀는 1775년 Hampshire에서 성직자의 8남매 중 한 명으로 태어났다. 1805년 그녀의 아버지가 죽은 후, Jane과 그녀의 가족은 Chawton으로 이사했다. 그녀는 그녀가 아직 십 대였을 때 글을 쓰기 시작했고, 그녀의 오빠는 그녀가 출판사와 계약을 협상하는 것을 도왔다. 그녀의 첫 번째 소설인 Sense and Sensibility는 1811년에 출판되었고, Pride and Prejudice가 그 뒤를 이었다. Austen의 작품은 꽤 인기가 있었으며 매우 호평을 받았다. 그러나 1816년, Austen은 애디슨병이라고 여겨지는 병으로 고통받기 시작했다. 그녀는 치료를 받기 위해 떠났던 Winchester에서 1817년 세상을 떠났다. Austen은 그녀가 사망할 당시 미완성된 세 번째 책과 더불어 사후에 출간된 두 편의 소설인 Persuasion과 Northanger Abbey를 남겼다.

구문해설

1행 Jane Austen / was an English novelist / [famous for her books / {set among England's middle and upper classes} / and {featuring insights (into the lives of women / in the early 19th century)}].
형용사구
과거분사구
현재분사구
전치사구

Jane Austen은 / 영국 소설가였다 / 책들로 유명한 / 영국 중상류층을 배경으로 하고 / 여성의 삶에 대한 통찰력을 특징으로 한 / 19세기 초

3행 She was born / in Hampshire in 1775, / one [of eight children of a clergyman].
= a child
in+장소 in+년도
전치사구

그녀는 태어났다 / 1775년 Hampshire에서 / 성직자의 8남매 중 한 명으로

4행 [**After** the death {of her father} in 1805], / Jane and her family / moved to Chawton.
<시간>의 부사구
전치사구
move to: ~로 이사하다

1805년 그녀의 아버지가 죽은 후 / Jane과 그녀의 가족은 / Chawton으로 이사했다

5행 She began writing / [**when** she was still a teenager], / and her brother helped / her negotiate a contract [with a publishing company].
<시간>의 부사절
준사역동사(help)+목적어+목적격보어(동사원형)
전치사구

그녀는 글을 쓰기 시작했다 / 그녀가 아직 십 대였을 때 / 그리고 그녀의 오빠는 도왔다 / 그녀가 출판사와 계약을 협상하는 것을

11행 Austen left behind / two novels, / *Persuasion* and *Northanger Abbey*, / [**that** were published posthumously], / along with a third book {unfinished / at the time of her death}.
동격
two novels를 수식하는 주격 관계대명사절
~에 덧붙여
과거분사구
~할 때

Austen은 남겼다 / 두 권의 소설을 / Persuasion과 Northanger Abbey을 / 사후에 출간된 / 미완성된 세 번째 책과 더불어 / 그녀가 사망할 당시

문제해설

Austen의 초기 작품은 꽤 인기가 있었고 호평을 받았다고 했으므로, ②는 글의 내용과 일치하지 않는다.

내신·서술형 ④

'우호적인'의 뜻을 나타내므로, ④의 positive와 바꿔 쓸 수 있다.
① 독특한 ② 특색있는 ③ 냉소적인 ⑤ 해로운

12 분사구/to부정사구의 수식

구문 연습

» p. 63

1 to achieve peace
그는 평화를 얻는 한 가지 방법은 테러와 싸우는 것이라고 생각한다.

2 offered with low-cost plans
염가 기획으로 제공되는 모바일 기기들은 기본적인 기능을 갖고 있다.

3 rising above the building from miles across the city
그는 도시를 가로질러 수마일 떨어진 건물 위로 피어 오르는 검은 연기를 보았다.

4 going around
우리는 그저 떠돌고 있는 많은 바이러스가 있다고 생각하는 경향이 있다.

5 to represent the problem
그 문제를 나타내는 새로운 방식이 갑자기 발견되었다.

6 the only person to understand

7 the files attached to this email

8 something to write with

9 The two people shaking hands

10 stored
이유: 근육에 '저장된' 글리코겐의 의미가 되어야 하므로 수동 의미의 과거분사 stored가 알맞다.
해석 우리의 몸은 우리가 운동을 할 때 근육 속에 저장된 글리코겐을 이용한다.

11 to travel
이유: 앞의 명사 the chance를 수식하여 '여행할'의 의미가 되어야 하므로 to travel이 알맞다.
해석 우리는 쇼핑을 위해 시내를 여행할 수 있는 기회를 준 것에 감사한다.

구문 적용 독해

» pp. 64~65

1 ③ **2** ② **3** ④

내신·서술형
1 to become **2** ②
3 모든 인공위성 내비게이션 시스템은 (기본적으로) 세 개의 부분으로 구성되기 때문에

1 ③

지문해석

터키의 언론인, 작가, 출판인이자 운동가인 Duygu Asena는 삶에 있어서 여성들의 자치를 제한하는 지역 사회 규범과 맞서 싸우는 데 평생을 바쳤다. 그녀는 처음에는 선생님이 되려고 했지만, 1970년대에 Hürriyet와 Cumhuriyet 신문에 글을 쓰면서 언론인으로서 일을 했다. 1978년에 그녀는 터키의 최초 여성 잡지인 Kadınca를 창간했고, 9년 뒤 여성 탄압과 사랑 없는 결혼 사상을 비판하는 소설을 출간했다. The Woman Has No Name이라는 제목의 그 소설은 베스트셀러가 되었고 후에 영화로 각색되었다. 2006년 그녀가 뇌종양으로 세상을 떠난 후, PEN International이라고 불리는 작가 협회는 표현의 자유를 위해 싸우는 여성에게 Duygu Asena 상을 주기 시작했다.

구문해설

1행 Duygu Asena, / a Turkish journalist, author, publisher, and activist, / dedicated her life to fighting against local social norms / [limiting women's autonomy over their own lives].
(동격; dedicate ~ to+v-ing: ~하는 데 (시간·노력을) 바치다; 현재분사구)
Duygu Asena는 / 터키의 언론인, 작가, 출판인이자 운동가인 / 지역 사회 규범과 맞서 싸우는 데 평생을 바쳤다 / 삶에 있어서 여성들의 자치를 제한하는

5행 In 1978, / she founded Turkey's first women's magazine, *Kadınca*, / and nine years later / she published a novel / [criticizing the oppression of women / and the idea {of marriage without love}].
(동격; 현재분사구; 전치사구)
1978년에 / 그녀는 터키의 최초 여성 잡지인 Kadınca를 창간했다 / 그리고 9년 뒤 / 그녀는 소설을 출간했다 / 여성 탄압을 비판하는 / 그리고 사랑 없는 결혼 사상을

9행 [**After** she passed away / from brain cancer in 2006], / a writer's association [called PEN International] / began giving out the Duygu Asena Award / to women [fighting for freedom of expression].
(<시간>의 부사절; S; 과거분사구; V; = to give out; 현재분사구)
그녀가 세상을 떠난 후 / 2006년에 뇌종양으로 / PEN International이라고 불리는 작가 협회는 / Duygu Asena 상을 주기 시작했다 / 표현의 자유를 위해 싸우는 여성에게

문제해설

그녀는 터키의 최초 여성 잡지인 Kadınca를 창간했고, 9년 뒤 여성 탄압과 사랑 없는 결혼 사상을 비판하는 기사가 아닌 소설을 출간했으므로, ③ 이 글의 내용과 일치하지 않는다.

내신·서술형 to become

intend는 to부정사를 목적어로 취하는 동사이므로 동명사가 아닌 to become으로 고쳐야 한다.

2 ②

지문해석

탄수화물과 당이 많은 음식과 음료는 입 안에 특정 박테리아를 형성하게 해서, 식사 후 적어도 20분 동안 치아의 에나멜을 공격한다. 식사 직후 이를 닦음으로써, 박테리아가 어떤 손상을 입히기 전에 그것들을 제거할 수 있다. 그러나 레몬이나 오렌지 주스 같은 산성 음식을 먹은 직후에 이를 닦는 것은 치아의 에나멜에 부정적으로 영향을 미칠 수도 있다. 이를 닦기 전에 적어도 30분을 기다려야 하는데, 이는 입 안에 남아 있는 산이 일시적으로 에나멜을 약화시킬 수 있기 때문이다. 이렇게 약해진 상태에서 이를 닦는 것은 득보다 더 많은 실을 일으킬 수 있다. 이 문제에 대한 좋은 해결책은 산성 물질을 먹기 전에 이를 닦는 것이다. 그러고나서, 식후에 남아 있는 산을 씻어 내기 위해 물 한 잔을 마셔라. 산성의 어떤 것을 먹은 후에 탄수화물과 당이 적은 영양가 높은 음식을 먹는 것은 해로운 산을 줄이는 데 도움이 되는 또 다른 좋은 방법이다.

구문해설

1행 However, / [**brushing** your teeth / directly after consuming acidic foods, / {like lemons or orange juice}], / can also negatively affect your tooth enamel.
(However: 역접 / brushing ...: S(동명사구) / after: ~ 후에 / like ...: 전치사구 acidic foods의 예 / affect: V)

그러나 / 이를 닦는 것은 / 산성 음식을 먹은 직후에 / 레몬이나 오렌지 주스 같은 / 치아의 에나멜에 부정적으로 영향을 미칠 수도 있다

3행 Foods and drinks / [with lots of carbohydrates and sugars] / cause certain bacteria to form in your mouth / and attack your tooth enamel / for at least twenty minutes / [**after** you eat].
(Foods and drinks: S / with ...: 전치사구 / cause: V1 / attack: V2 / at least: 적어도 / after you eat: <시간>의 부사절)

음식과 음료는 / 탄수화물과 당이 많이 들어 있는 / 입 안에 특정 박테리아를 형성하게 해서 / 치아의 에나멜을 공격한다 / 적어도 20분 동안 / 식사 후

6행 You should wait / at least 30 minutes / [before brushing your teeth] / because the acids [remaining in your mouth] / can temporarily weaken your enamel.
(before brushing your teeth: 전치사구 / remaining ...: 현재분사구 / weaken: 약화시키다)

기다려야 한다 / 적어도 30분을 / 이를 닦기 전에 / 입 안에 남아 있는 산이 / 일시적으로 에나멜을 약화시킬 수 있기 때문이다

12행 [**Eating** nutritious food / {low in carbohydrates and sugars} / after eating something acidic] / is another good way / [to help reduce harmful acids].
(Eating ...: S(동명사구) / low in ...: 형용사구 / is: V / to help ...: to부정사구(형용사적 용법))

영양가 높은 음식을 먹는 것은 / 탄수화물과 당이 적은 / 산성의 어떤 것을 먹은 후에 / 또 다른 좋은 방법이다 / 해로운 산을 줄이는 데 도움이 되는

문제해설

주어진 문장은 산성 음식을 먹은 직후에 이를 닦으면 치아의 에나멜에 부정적인 영향을 미칠 수 있다는 내용이므로, 식사 직후 이를 닦는 것이 박테리아를 제거할 수 있다는 내용과 이를 닦기 전에 적어도 30분을 기다리라는 내용 사이인 ②에 들어가는 것이 가장 적절하다.

내신·서술형 ②

'해로운'의 의미와 바꿔 쓸 수 없는 단어는 '유용한'의 뜻을 가진 ② useful이다.

① 해로운 ③ 손상을 주는 ④ 위험한 ⑤ 부정적인

3 ④

지문해석

현대 과학 기술 덕분에, 요즈음 길을 잃는다는 것은 거의 불가능하다. 여러분이 어디를 가든지, 여러분은 여러분의 정확한 위치를 결정하는 데 도움을 줄 수 있는 우주를 돌고 있는 인공위성의 범위 안에 항상 있게 된다. (C) 이러한 인공위성은 여러분이 있는 곳의 현지 시각뿐만 아니라 여러분의 위치와 속도를 알아낼 수 있는 인공위성 내비게이션 시스템의 일부이다. 그것은 지구 전체에 도달하는 전파 신호를 기반으로 하기 때문에, 사람들이 어디에 있든 그것을 이용할 수 있다. 그러나 그것이 어떻게 정확히 작동할까? (A) 많은 인공위성 내비게이션 시스템이 있지만, 그것은 기본적으로 모두 같은 방식으로 작동한다. 그것은 궤도 위성의 정보망, 지구의 통제 기지, 그리고 신호를 받을 수 있는 기능을 갖춘 휴대용 기기의 세 부분으로 구성된다. (B) 정보망 내의 각각의 위성이 지구로 전파 신호를 전송한다. 수신기는 서너 개의 위성으로부터 보내진 신호를 받아서 이 정보를 고도를 포함한 여러분의 정확한 위치를 계산하는 데 이용한다.

구문해설

2행 [**Wherever** you may go], / you are always within reach of satellites / [spinning through space] / [**that** can help you determine your exact location].
(Wherever ...: 복합관계부사절(양보) / spinning ...: 현재분사구 / that: 주격 관계대명사절 / help you determine: 준사역동사(help)+목적어+목적격보어(동사원형))

여러분이 어디를 가든지 / 여러분은 인공위성의 범위 안에 항상 있다 / 우주를 돌고 있는 / 여러분의 정확한 위치를 결정하는 데 도움을 줄 수 있는

5행 They consist of three parts: / a network of orbiting satellites, a control station on Earth, and portable devices [with the ability {to receive signals}].
(consist of: ~로 구성되다 / with ...: 전치사구 / to receive signals: to부정사구(형용사적 용법))

그것은 세 부분으로 구성된다 / 궤도 위성의 정보망, 지구의 통제 기지, 그리고 신호를 받을 수 있는 기능을 갖춘 휴대용 기기

8행 The receiving device picks up signals / [sent from three or four satellites] / and uses this information / to calculate your precise location, / including your altitude.

S / V1 / 과거분사구 / V2 / to부정사 부사적 용법(목적) / ~을 포함하여

수신기는 신호를 받는다 / 서너 개의 위성으로부터 보내진 / 그리고 이 정보를 이용한다 / 여러분의 정확한 위치를 계산하는 데 / 고도를 포함한

문제해설

위치를 찾는 데 도움을 주는 인공위성에 관해 소개하고 있는 주어진 글에 이어, 그것의 작동 원리에 대해 질문을 던지고 있는 (C)가 나오고, 세 부분으로 이루어진 인공위성 내비게이션 시스템에 관한 설명을 하고 있는 (A)가 이어진 후, 마지막으로 그 세 부분이 어떻게 작동하여 위치를 파악하게 되는지 설명하고 있는 (B)가 나오는 것이 자연스럽다.

내신·서술형 모든 인공위성 내비게이션 시스템은 (기본적으로) 세 개의 부분으로 구성되기 때문에

13 관계대명사절의 수식

구문 연습

» p. 67

1 that looks and smells attractive
매력적으로 보이고 매력적인 냄새가 나는 음식은 입 안으로 들어간다.

2 which irritated her
Anthony는 그녀의 메시지에 즉각 답하지 않았는데, 그것은 그녀를 짜증나게 했다.

3 at which the Olympics were held
올림픽이 열렸던 주경기장은 우리 집에서 멀지 않다.

4 we observe about universe
과학자들은 우리가 우주에 관해 관찰하는 자료를 설명하기 위해서 이론을 발명한다.

5 whose families earn less than $50,000 per year
그들은 가족의 연간 소득이 5만 달러 미만인 학생들에게 수업료 전액을 제공했다.

6 the book she used as a reference

7 a person who is worth imitating

8 all of which came in the fourth quarter

9 A patient whose heart has just stopped

10 ② who → whose
해석 그는 내가 기억하지 못하는 제목의 영화에서 연기했다.
해설 who 뒤에 나오는 title을 수식하는 소유격 관계대명사로 고쳐야 한다.

11 ② them → which
해석 그 후보자는 많은 공약을 제안했는데, 그것들 중 대부분은 전에 들은 적이 있었다.
해설 두 개의 절이 이어지므로 접속사와 대명사의 역할을 하는 관계대명사로 고쳐야 한다.

구문 적용 독해

» pp. 68~69

1 ③ 2 ② 3 ⑤

내신·서술형
1 the Holocaust 2 (1) 인식과 기억을 손상시킴 (2) 우울과 불안을 야기함 (3) 다른 건강 문제가 생길 위험을 높임
3 diameter

1 ③

지문해석

보통 사람의 언어 능력은 약 12살까지는 외부의 변화에 의해 쉽게 영향을 받는다. 국제적으로 입양된 아이들에 대한 연구는 그들이 외국으로 이주한 후에 보통 모국어를 잊어버린다는 것을 보여 주었다. 그러나 이것은 외부 상황이 극단적이지 않다면, 어른들에게 일어날 가능성은 적다. 무엇이 사람들로 하여금 그들의 모국어를 잊게 하는가라는 주제에 대한 한 전문가는 홀로코스트 기간 동안 영국이나 미국으로 도망간 독일 유대인 노인들의 독일어를 연구했다. 그들이 얼마나 많은 독일어를 유지했는지는 주로 그들이 얼마나 많은 트라우마를 겪었는지에 달려 있었다. 나치가 처음 정권을 잡았을 때 독일을 도망쳐서 뒤 이은 최악의 비극적인 사건들을 피한 사람들은 독일어를 더 잘했다. 반면에, 더 늦게 떠나서 더 많이 고통을 겪은 사람들은 독일어를 서투르게 하거나 전혀 하지 못했다. 그들에게, 독일어는 잊고 싶은 고통스런 기억을 떠올리게 하는 것이었다.

구문해설

2행 Research on children / [**who** have been adopted internationally] / has shown / [**that** they often forget their native language / after moving abroad].

주격 관계대명사절 / S / 현재완료 수동태 / V / has shown의 목적어(명사절)

아이들에 대한 연구는 / 국제적으로 입양된 / 보여 주었다 / 그들이 보통 모국어를 잊어버린다는 것을 / 외국으로 이주한 후에

5행 An expert / [on the subject of {**what** makes people lose their mother tongue}] / studied the German of elderly German Jews / [**who** fled the country for the UK or US during the Holocaust].

동격의 of / S / 동격 / of의 목적어(의문사절) / 사역동사(make)+목적어+목적격보어(동사원형) / V / 주격 관계대명사절 / during+사건, 일: ~ 동안

전문가는 / 무엇이 사람들로 하여금 그들의 모국어를 잊게 하는가라는 주제에 대한 / 독일 유대인 노인들의 독일어를 연구했다 / 홀로코스트 기간 동안 영국이나 미국으로 도망간

9행 Those [who fled Germany / when the Nazis first took power / and avoided the worst of the tragic events {that followed}] / spoke better German.

주격 관계대명사절 / S / 접속사 and로 병렬 연결됨 / 주격 관계대명사절 / V

독일을 도망친 사람들은 / 나치가 처음 정권을 잡았을 때 / 그리고 뒤 이은 최악의 비극적인 사건들을 피했던 / 독일어를 더 잘했다

11행 Those [who left later and suffered more], / on the other hand, / spoke German poorly or not at all.

S / 주격 관계대명사절 / V / 전혀 ~ 않다

더 늦게 떠나서 더 많이 고통을 겪은 사람들은 / 반면에 / 독일어를 서투르게 하거나 전혀 하지 못했다

문제해설

홀로코스트 기간 동안 외국으로 도망친 사람들이 독일어를 얼마나 많이 잊었는지는 그들이 얼마나 많은 트라우마를 갖고 있는지에 달려 있다고 말하면서 더 많은 고통을 경험한 사람들이 독일어를 더 못한다고 했으므로, 빈칸에 들어갈 말로 가장 적절한 것은 ③ '잊고 싶은 고통스런 기억을 떠올리게 하는 것'이다.

① 극단적 환경에서의 내부 언어
② 자녀들을 입양하려는 그들의 시도를 방해하는 것
④ 국제적인 경험의 부정적 요소
⑤ 독일을 떠나고자 한 그들의 열망을 가중시켰던 것

내신·서술형 the Holocaust

어른들의 경우 외국으로 간다고 해서 그들의 모국어를 잊을 가능성이 적은데, 외부의 극단적인 상황으로 인해 모국어를 잊어버리는 경우에는 발생할 수 있다고 했고, 그 예로 홀로코스트 기간에 독일을 떠난 독일인들이 나왔다.

2 ②

지문해석

모든 사람은 잠을 충분히 자지 않는 것이 다음날 아침에 당신을 기분 나쁘게 할 수 있다는 것을 알고 있다. 그러나 그것은 또한 당신의 인식과 기억을 손상시키고, 우울과 불안을 야기하고, 다른 건강 문제가 생길 위험을 증가시킬 수도 있다. 단 하룻밤의 불충분한 수면이라도 당신의 기분에 부정적으로 영향을 미치고 감정을 적절하게 조절하는 것을 더 어렵게 만들 수 있다. 한 연구에서 감정을 통제하는 능력을 측정하는 것을 목적으로 한 다양한 수면 부족 실험을 겪은 참가자들을 조사했다. 그 후 연구원들은 각각의 참가자들의 PET와 MRI 촬영을 했고, 그것들을 통해 그들은 그들의 뇌 활동을 분석할 수 있었다. 그들은 낮은 질의 수면이 뇌로 하여금 적절하게 정보를 전송하고 처리하는 것을 방해한다는 것을 발견했다. 그것은 또한 참가자들의 사건에 대한 지각과 감정을 조절하는 능력에도 부정적인 영향을 미쳤다.

구문해설

1행 Everyone knows / [that not getting enough sleep / can leave you in a bad mood / the next morning].

knows의 목적어(명사절) / S (not+v-ing: 동명사구 부정) / V

모든 사람은 알고 있다 / 잠을 충분히 자지 않는 것이 / 당신을 기분 나쁘게 할 수 있다는 것을 / 다음날 아침에

2행 However, / it can also impair your cognition and memory, / cause depression and anxiety, / and increase your risk of other health problems.

= not getting enough sleep / V1 / V2 / V3

그러나 / 그것은 또한 인식과 기억을 손상시키고 / 우울과 불안을 야기하고 / 그리고 다른 건강 문제가 생길 위험을 증가시킬 수 있다

5행 A study examined participants / [who went through different sleep deprivation experiments / {whose purpose was (to assess their ability / to control their emotions)}].

주격 관계대명사절 / 소유격 관계대명사절 / 주격보어(to부정사구) / to부정사 형용사적 용법

한 연구에서 참가자들을 조사했다 / 다양한 수면 부족 실험을 겪은 / 능력을 측정하는 것을 목적으로 한 / 감정을 통제하는

8행 The researchers then took PET and MRI scans / of each participant, / [with which they were able to analyze their brain activity.

선행사 / = every / 계속적 용법의 목적격 관계대명사절 / = the participants'

그 후 연구원들은 PET와 MRI 촬영을 했다 / 각각의 참가자들의 / 그들은 그것들을 통해 그들의 뇌 활동을 분석할 수 있었다

문제해설

make의 진목적어인 to properly regulate your emotions를 대신할 가목적어 it이 필요하므로 you는 it이 되어야 한다.

① enough가 명사를 수식하는 형용사로 쓰여 sleep을 앞에서 수식하고 있다.
③ 선행사는 experiments이고 '실험의 목적'이라는 뜻으로 쓰여 소유격 관계대명사인 whose가 왔다.
④ found의 목적어로 that이 이끄는 명사절이 왔다.
⑤ ability를 뒤에서 수식하는 형용사적 용법의 to부정사이다.

내신·서술형 (1) 인식과 기억을 손상시킴 (2) 우울과 불안을 야기함 (3) 다른 건강 문제가 생길 위험을 높임

3 ⑤

지문해석

천문학자들은 블랙홀의 모습을 사상 최초로 찍었는데, 그것은 M87이라고 불리는 먼 은하계에 위치한 것이다. 그 블랙홀은 약 5,500만 광년 떨어져 있다. 그것은 지름이 400억 킬로미터로 추정되는데, 이는 지구보다 300만 배 정도 더 크다. 또한, 약 65억 개의 태양과 동일한 질량으로, 과학자들이 알고 있는 가장 무거운 블랙홀들 중 하나이다. 한 개의 망원경으로는 전체 모습을 기록할 만큼 충분히 강력하지 않았기 때문에 Event Horizon Telescope라고 알려진 8개의 망원경 네트워크가 집합적으로 사용되어 그 사진을 찍어야 했다. 200명의 과학자 한 팀이 그 망원경들로 10일 동안 M87 은하를 촬영했다. 그 후 그들이 모은 자료는 이미지를 만드는 데 사용되었는데, 이것은 현재 최근 몇 년 동안 가장 위대한 과학적 업적들 중의 하나로 여겨진다.

구문해설

1행 Astronomers have taken / the first ever image of a black hole, / [which is located in a distant galaxy {called M87}].
(have taken: 현재완료 / first ever: 사상 최초의 / black hole: 선행사 / which ~: 계속적 용법의 주격 관계대명사절 / called M87: 과거분사구)

천문학자들은 찍었다 / 블랙홀의 모습을 사상 최초로 / M87이라고 불리는 먼 은하계에 위치한 것이다

4행 Also, / with a mass equivalent to about 6.5 billion suns, / it is one of the heaviest black holes / [that scientists know about].
(one of the+최상급+복수명사: 가장 ~한 …들 중 하나 / that ~: 목적격 관계대명사절)

또한 / 약 65억 개의 태양과 동일한 질량으로 / 가장 무거운 블랙홀들 중 하나이다 / 과학자들이 알고 있는

6행 A network of eight telescopes collectively / [(which were) known as the Event Horizon Telescope] / had to be used to take the photo, / [as no single telescope was powerful / enough to record the whole image].
(known ~: 과거분사구 / be used: 수동태 / to take: to부정사 부사적 용법(목적) / as ~: <이유>의 부사절 / 형용사+enough to-v: ~하기에 충분히 …하다)

8개의 망원경 네트워크가 집합적으로 / Event Horizon Telescope라고 알려진 / 사용되어 그 사진을 찍어야 했다 / 한 개의 망원경으로는 강력하지 않았기 때문에 / 전체 모습을 기록할 만큼 충분히

9행 The data [(that) they gathered] / was then used to produce the image, / [which is now considered to be one of the greatest scientific achievements / in recent years].
(The data: S / (that) they gathered: 목적격 관계대명사절 / was: V / to produce: to부정사 부사적 용법(목적) / the image: 선행사 / which ~: 계속적 용법의 주격 관계대명사절 / one of the+최상급+복수명사: 가장 ~한 …들 중 하나)

그들이 모은 자료는 / 그 후 이미지를 만드는 데 사용되었는데 / 이것은 현재 가장 위대한 과학적 업적들 중의 하나로 여겨진다 / 최근 몇 년 동안

문제해설

200명의 과학자들로 구성된 한 팀이 10일 동안 8개의 망원경 네트워크로 촬영했다고 했으므로, ⑤가 글의 내용과 일치하지 않는다.

내신·서술형 diameter

'원의 중심을 지나가는 직선'에 해당하는 단어는 diameter(지름)이다.

14 관계부사절의 수식

구문 연습

» p. 71

1 why they want to live in the country
그들이 그 나라에 살고 싶어 하는 한 가지 이유는 낮은 세금이다.

2 when we have to take an oxygen tank
우리가 산소 탱크를 가지고 다녀야만 할 때가 곧 올지도 모른다.

3 the disease is transmitted
많은 사람들이 그 질병이 전염되는 방법을 알지 못한다.

4 when she almost drowned twice
Ava의 두려움은 그녀의 유년 시절에서 시작되었고, 그때 그녀는 두 번이나 거의 익사할 뻔했다.

5 where it quickly became mixed with sand
해변에서 밀이 그들에게 주어졌는데, 그곳에서 그것은 금방 모래와 섞였다.

6 where air traffic is watched

7 why he quit his job

8 when he was only 23

9 how animals keep warm

10 ② which → where[in which/on which/upon which]
해석 부모들은 자녀들의 교우 관계를 발전시키기 위한 장을 마련해줘야 한다.
해설 선행사 the stage를 수식하는 관계부사 where 또는 「전치사+관계대명사」 형태의 in[on/upon] which로 고쳐야 한다.

11 ② the way how → the way 또는 how
해석 사회학자 Kurt Back은 우정이 형성되는 방법에 관해 생각하기 시작했다.
해설 관계부사 how는 선행사인 the way와 나란히 쓰지 않고 둘 중 하나만 써야 하므로 how 또는 the way로 고쳐야 한다.

구문 적용 독해

» pp. 72~73

1 ⑤ 2 ③ 3 ①

내신·서술형

1 ⓐ melatonin ⓑ to go to bed early 2 ③
3 (1) 아이들이 과거보다 훨씬 많은 칭찬을 받는 것
(2) 아이들이 능력과 재능을 개발하도록 강요받는 것

1 ⑤

지문해석

일반적으로 말해서, 십 대들은 매일 밤 8시간에서 10시간의 수면을 취해야 한다. 불행히도, 많은 십 대들이 충분한 수면을 취하지 못한다. 그 문제의 일부는 과도한 학교 공부이고, 스마트폰을 가지고 노느라 늦게까지 깨어 있는 것 또한 도움이 되지 않는다. 하지만 그 문제의 많은 부분이 십 대들의 24시간 주기 리듬, 즉 체내 시계의 탓으로 돌려질 수 있다. 아이들의

24시간 주기 리듬은 십 대 시절 동안에 바뀐다. 이것은 뇌에서 방출되는 호르몬인 멜라토닌 때문일 가능성이 높다. 그것은 아이들이나 어른들에게서보다 십 대들에게서 밤늦게 방출된다. 이것이 십 대들이 일찍 잠들기 힘들어하는 이유이다. 따라서, 토요일과 일요일 아침이면, 그때 십 대들은 늦게까지 자고 몇 시간 더 자는 경향이 있는데, 그들은 기억력과 학습 능력과 더불어 자신의 정신 건강을 향상시키고 있는 중이다.

구문해설

4행 However, / much of the problem / can be blamed / on the circadian rhythm, or internal clock, / of teenagers.
(much of the problem: S / can be blamed: V(조동사 수동태) / or: 즉, 다시말해서 / circadian rhythm, internal clock: 동격)

하지만 / 그 문제의 많은 부분이 / 탓으로 돌려질 수 있다 / 24시간 주기 리듬, 즉 체내 시계의 / 십 대들의

8행 This is the reason / [**why** teenagers find **it** difficult {**to go** to bed early}].
(the reason ← why: 관계부사절 / it: 가목적어 / to go to bed early: 진목적어(to부정사구))

이것이 이유이다 / 십 대들이 일찍 잠들기 힘들어하는

9행 So, / on Saturday and Sunday mornings, / [**when** teens tend to sleep late / and get a few extra hours of sleep], / they are improving their mental health, / along with their memory and ability to learn.
(Saturday and Sunday mornings: 선행사 / when: 계속적 용법의 관계부사절 / (to) get: 병렬 구조 / along with: ~와 더불어 / ability ← to learn: to부정사 형용사적 용법)

따라서 / 토요일과 일요일 아침이면 / 그때 십 대들은 늦게까지 자고 / 몇 시간 더 자는 경향이 있는데 / 그들은 정신 건강을 향상시키고 있는 중이다 / 기억력과 학습 능력과 더불어

문제해설

십 대들이 늦게 자는 이유는 24시간 주기 리듬, 즉 밤늦게 분비되는 멜라토닌이라는 호르몬의 영향이라는 내용이므로, 글의 제목으로 ⑤ '신체 리듬에 의한 십 대들의 수면 부족'이 가장 적절하다.

① 멜라토닌: 십 대들이 일찍 일어나는 비결
② 얼마나 많은 잠이 십 대들에게 충분한 잠인가?
③ 24시간 주기 리듬을 무시하는 것의 이점
④ 최소한의 수면으로 성공할 가능성

내신·서술형 ⓐ melatonin ⓑ to go to bed early

ⓐ는 앞 문장의 명사인 melatonin을 가리키며, ⓑ는 가목적어의 쓰임으로 뒤에 있는 진목적어 to go to bed early를 가리킨다.

---

2 ③

지문해석

모든 사람은 공짜 물건을 갖기를 좋아하지만, 우리의 경제는 우리가 지불하지 않은 것에 대해서는 작동하지 않는다. 그러므로 어떤 것이 무료인 것처럼 보일지라도, 여러분은 그것에 대해 다른 방식으로 지불하고 있을 가능성이 높다. 그것이 바로 오래된 속담 '공짜 점심과 같은 것은 없다'에 내재되어 있는 생각이다. 그것은 20세기 중반에 시작되었는데, 그때 한 소비자가 술집에서의 무료 음식이 실제로는 공짜가 아니고 그것을 지불하기 위해 음료의 가격이 단지 인상되었다는 것을 알아차렸다. 요즈음, 그것은 경제에서 가장 흔하게 사용되는데, 경제에서 그것은 모든 거래가 교환을 수반한다는 것을 의미한다. 다시 말해서, 여러분이 무언가를 구입하는 순간, 여러분은 그 대신에 무언가를 포기해야 할 것이라는 것을 받아들여야 한다. 이것을 이해하는 것은 여러분이 한 일을 깨닫지도 못한 채 자신의 돈을 내 주는 것을 막을 수도 있다.

구문해설

4행 It originated in the mid-twentieth century, / [**when** a customer observed / {**that** the free food at bars / wasn't really free / — the price of the drinks / was simply raised to pay for it}].
(the mid-twentieth century: 선행사 / when: 계속적 용법의 관계부사절 / that: observed의 목적어(명사절) / the free food at bars: S / wasn't: V / was simply raised: 수동태 / it = the free food)

그것은 20세기 중반에 시작되었는데 / 그때 한 소비자가 알아차렸다 / 술집에서의 무료 음식이 / 실제로는 공짜가 아니라는 것을 / 음료의 가격이 / 그것을 지불하기 위해 단지 인상되었다

6행 These days, / it is most commonly used in economics, / [**where** it means / {**that** all transactions involve a trade-off}].
(economics: 선행사 / where: 계속적 용법의 관계부사절 / that: means의 목적어(명사절))

요즈음 / 그것은 경제에서 가장 흔하게 사용된다 / 경제에서 그것은 의미한다 / 모든 거래가 교환을 수반한다는 것을

8행 In other words, / [**the moment** you get something], / you must accept / {**that** you're going to have to give up something / in return}].
(the moment: <시간>의 부사절 / that: accept의 목적어(명사절) / be going to + have to / in return: 대신에)

다시 말해서 / 여러분이 무언가를 구입하는 순간 / 여러분은 받아들여야 한다 / 무언가를 포기해야 할 것이라는 것을 / 그 대신에

문제해설

세상에 공짜로 제공되는 것은 없으며 우리가 무언가를 구입하면 다른 무언가를 포기해야 한다는 내용이므로, 빈칸에 들어갈 말로 가장 적절한 것은 ③ '교환'이다.

① 이익 ② 승자 ④ 계약 ⑤ 거절

내신·서술형 ③

the moment는 접속사로 쓰여 '~하자마자, ~하는 순간'이라는 의미이므로 ③ as soon as로 바꿔 쓸 수 있다.

① 비록 ~일지라도 ② ~ 때문에 ④ 만약 ~ 아니라면 ⑤ ~이면 좋을 텐데

---

3 ①

지문해석

요즈음 미국에서 아이들이 양육되고 있는 방식에 관해서라면, 두 가지 독특한 양상이 있다. 첫 번째는 칭찬인데, 오늘날의 아이들은 그 어느 때보다도 더 많은 정도로 칭찬받고 있다. 아이들은 항상 부모로부터 격려를 받아 왔으나, 오늘날 천 배나 더 많이 받고 있다. 사실, 대부분의 미국 아이들은 자신들이 얼마나 특별한지 끊임없이 듣고 있다. 두 번째 양상은 아이

들이 전례가 없을 정도로 자신의 능력과 재능을 개발하도록 강요받는다는 것이다. 부모들은 아이들이 명문 대학에 들어가고 높은 임금을 받는 직업을 찾는 것을 우려하여, 그들은 아이들의 기술에 투자하는 데 과거에 그랬던 것보다 훨씬 더 많은 시간을 쓴다. 그리고 이러한 두 가지 자녀 양육 경향이 합쳐질 때, 그 결과는 강렬하고 압도적일 수 있다. 부모들은 아이들에게 사랑과 칭찬을 쏟아 붓지만, 동시에 그들은 높은 수준의 성공과 성과를 보장하기 위해 자녀들의 생활을 조종한다.

구문해설

1행 When it comes to the way / [children are raised in the US these days], / there are two distinct aspects.
(~에 관해서라면 / 관계부사절)

방식에 관해서라면 / 요즈음 미국에서 아이들이 양육되고 있는 / 두 가지 독특한 양상이 있다

5행 The second aspect / is [**that** children are pushed to develop / their abilities and talents / to an unprecedented degree].
(주격보어(명사절) / 전례가 없을 정도로)

두 번째 양상은 / 아이들이 개발하도록 강요받는다는 것이다 / 자신의 능력과 재능을 / 전례 없을 정도로

7행 Parents worry about / their children getting into a prestigious college and finding a high-paying job, / so they spend much more time investing / in their children's skills / than they did in the past.
(동명사의 의미상 주어 / 동명사1(about의 목적어) / 동명사2(about의 목적어) / spend+시간+v-ing: ~하는 데 시간을 보내다 / ~보다 / = spent time investing ~ skills)

부모들은 우려한다 / 아이들이 명문 대학에 들어가고 높은 임금을 받는 직업을 찾는 것을 / 그래서 그들은 훨씬 더 많은 시간을 투자하는 데 쓴다 / 아이들의 기술에 / 과거에 그랬던 것보다

문제해설

부모들이 아이들에게 많은 칭찬과 격려를 하지만, 동시에 성공을 위해 아이들에게 능력을 개발하도록 많은 시간을 소비한다는 내용이므로, 빈칸에 들어갈 말로 가장 적절한 것은 ① '높은 수준의 성공과 성과를 보장하기 위해 자녀들의 생활을 조종한다'이다.

② 자신의 경력과 재정적인 부에 대해 걱정하는 데 더 많은 시간을 쏟는다
③ 아이들이 스스로를 개선하는 데 초점을 맞추도록 격려하고 자극하지 못한다
④ 아이들이 자신에게 가장 적합한 분야와 활동을 찾도록 돕는다
⑤ 아이들이 미래에 성공하기 위해 너무 많은 부담을 느끼지 않도록 확실히 한다

내신·서술형 (1) 아이들이 과거보다 훨씬 많은 칭찬을 받는 것 (2) 아이들이 능력과 재능을 개발하도록 강요받는 것

요즈음 미국 아이들은 많은 칭찬을 받고 있으나 동시에 부모들의 요구에 의해 능력과 재능을 개발하도록 압박을 받고 있다.

15 부사 역할을 하는 to부정사

구문 연습 » p. 75

1 나는 조련사들이 그들의 바다사자들과 함께 일광욕하는 것을 보고 놀랐다.
2 그에게 또다시 돈을 빌려주다니 Sue는 제정신이 아닌 게 틀림없다.
3 당신은 건강을 향상시키기 위해 당신의 사무실까지 걸어가는 것을 시작해야 한다.
4 어떤 사람들에게는 2~3킬로그램의 증가가 탈모를 멈추게 하기에 충분했다.
5 당신은 집에서 뛰쳐나오고 나서야 당신이 탁자 위에 전화기를 두고 나왔다는 것을 깨닫는다.
6 came to Korea to look for
7 grew up to be
8 was delighted to discover
9 are free to choose
10 ③ understanding → to understand
[해석] 철학 책에 사용된 그 단어들은 이해하기에 무척 쉽다.
[해설] 앞의 형용사 easy를 수식하는 to부정사의 부사적 용법으로 고쳐야 한다.
11 ③ to doing → to do
[해석] 수십 명의 학생들이 안전한 곳에서 숙제를 하기 위해 도서관으로 온다.
[해설] '~하기 위해'라는 의미로 목적을 나타내는 to부정사의 부사적 용법으로 고쳐야 한다.

구문 적용 독해 » pp. 76~77

1 ③ 2 ④ 3 ②

내신·서술형
1 you should reflect a lack of excitement on your face
2 Mistake, Invasion 3 ②

1 ③

지문해석

수화 통역자가 되길 원하는 대학생들은 종종 연기 수업을 듣는 것이 요구된다. 이것은 구어를 수화로 통역하는 것이 눈, 얼굴, 몸 전체를 가지고 정보를 전달할 능력을 요구하기 때문이다. 훌륭한 수화 통역자가 되기 위해서 여러분은 자신의 개성을 잠시 포기하고 통역하고자 하는 각 사람의 성격을 취할 수 있어야 한다. 예를 들어, 만약 어떤 사람이 웃기고 극적인 방식으로 이야기한다면, 여러분은 웃기고 극적인 방식으로 수화를 해야 한다. 반면에, 그 사람이 단조롭고 지루한 말하기 방식을 갖고 있다면, 여러분은 얼굴에 흥분기가 없도록 반영해야만 한다. 이것은 청중들에게는 흥

미롭거나 재미있지 않을 수도 있지만, 이야기뿐만 아니라 말하고 있는 것의 본질도 통역하는 것이 중요하다.

구문해설

1행 College students / [who want to become sign-language interpreters] / are often required to take acting classes.

S / 주격 관계대명사절 / 「require+목적어+목적격보어(to부정사)」의 수동태

대학생들은 / 수화 통역자가 되길 원하는 / 종종 연기 수업을 듣는 것이 요구된다

4행 [To be a good sign-language interpreter], / you must be able to temporarily abandon your own personality / and adopt the personality of each person / [you interpret for].

to부정사 부사적 용법(목적) / 병렬 구조 V1, V2 / (whom) 목적격 관계대명사절

훌륭한 수화 통역자가 되기 위해서 / 여러분은 자신의 개성을 잠시 포기하고 / 각 사람의 성격을 취할 수 있어야 한다 / 통역하고자 하는

10행 This may not be interesting or fun / for the audience, / but it is important [to interpret / not only the words but also the essence of {what is being said}].

가주어 / 진주어(to부정사구) / not only A but also B: A뿐만 아니라 B도 / 전치사 of의 목적어(관계대명사절)

이것은 흥미롭거나 재미있지 않을 수도 있다 / 청중들에게는 / 하지만 통역하는 것이 중요하다 / 이야기뿐만 아니라 말하고 있는 것의 본질도

문제해설

이야기의 내용뿐만 아니라 그 이야기가 전해지는 방식도 수화로 통역되어야 한다는 내용이므로 빈칸에 들어갈 말로 가장 적절한 것은 ③ '말하고 있는 것의 본질'이다.

① 다른 언어에서의 의미
② 그 이야기를 중요하게 만드는 것
④ 화자가 여러분에 대해 어떻게 느끼는지
⑤ 청중 회원들의 분위기

내신·서술형 you should reflect a lack of excitement on your face

This는 문맥상 앞 문장의 일부 내용인 '얼굴에 흥분기가 없도록 반영해야 한다'를 가리킨다.

---

2 ④

지문해석

1812년 Napoleon은 40만 명의 군대를 이끌고 파리에서 진격했는데, 그의 목표는 러시아가 영국과의 통상 금지를 어겼다는 이유로 응징하기 위해 러시아를 침략하는 것이었다. 이것은 엄청난 실수로 판명되었다. 그는 몹시 추운 날씨에 제대로 준비되지 않은 병사들을 데리고 러시아와 전투를 벌이며 6개월을 보냈는데, 결국 패배하고 30만 명이 넘는 병사를 잃었다. 거의 130년 후, 유사한 신중하지 못한 결정이 내려졌다. 폴란드와 프랑스를 쉽게 물리친 후, Hitler는 러시아의 농토와 유전을 빼앗기 위해 러시아를 침략할 계획을 세웠다. 그의 장군들은 Hitler에게 Napoleon에게 일어났던 것을 상기시키면서 러시아의 혹독한 겨울에 대해 경고했지만, Hitler는 Napoleon이 실패했던 곳에서 자신은 성공할 수 있을 것이라고 확신했다. 물론 그의 침략은 Napoleon의 침략만큼이나 나쁘게 흘러갔다. 러시아의 겨울의 기상 조건은 이겨낼 수 없음을 다시 한번 증명했고, 나치는 패배했다.

구문해설

1행 In 1812, / Napoleon marched from Paris / with an army of 400,000 soldiers, / [his objective being to invade Russia / to punish it / for breaking his trade embargo on Great Britain].

분사구문(= and his objective was to invade ~) / to부정사 부사적 용법(목적) / 동명사(전치사 for의 목적어)

1812년 / Napoleon은 파리에서 진격했는데 / 40만 명의 군대를 이끌고 / 그의 목표는 러시아를 침략하는 것이었다 / 러시아를 응징하기 위해 / 영국과의 통상 금지를 어겼다는 이유로

3행 He spent six months battling the Russians / with soldiers ill-prepared for the frigid weather, / only to be defeated / and lose more than 300,000 men.

spend+시간+v-ing: ~하는 데 시간을 쓰다 / to부정사 부사적 용법(결과) / (only to)

그는 러시아와 전투를 벌이며 6개월을 보냈는데 / 몹시 추운 날씨에 제대로 준비되지 않은 병사들을 데리고 / 결국 패배하고 / 30만 명이 넘는 병사를 잃었다

8행 His generals warned him / about Russia's harsh winters, / [reminding him / of {what had happened to Napoleon}], / but Hitler was convinced / [that he would be able to succeed / {where Napoleon had failed}].

분사구문(부대상황) / 전치사 of의 목적어(관계사대명절) / remind A of B: A에게 B를 상기시키다 / 과거완료 / was convinced의 목적어(명사절) / 관계부사절 / 과거완료

그의 장군들은 Hitler에게 경고했다 / 러시아의 혹독한 겨울에 대해 / 그에게 상기시키면서 / Napoleon에게 일어났던 것을 / 하지만 Hitler는 확신했다 / 자신은 성공할 수 있을 것이라고 / Napoleon이 실패했던 곳에서

문제해설

④ 동사 went가 '일이 진전되다, 되어가다'라는 완전자동사로 쓰여 부사가 수식해야 하므로 부사인 poorly로 고쳐야 한다.

① 주절의 주어(Napoleon)와 부사절의 주어(his objective)가 달라 주어를 생략하지 않고 분사 앞에 주어를 쓴 독립분사구문이다.

② '결정이 내려진 것'이고 과거의 사건이므로 수동태의 과거(was p.p.)를 쓴다.

③ '~하면서'의 부대상황을 나타내는 분사구문이므로 reminding이 적절하다.

⑤ prove는 불완전자동사이므로 형용사를 보어로 취한다.

내신·서술형 Mistake, Invasion

Napoleon의 러시아 침략이 혹독한 기상 조건 때문에 실패한 것을 알고도 Hitler가 또다시 잘못된 결정을 내렸다는 내용이므로 제목으로 '역사적으로 반복된 실수: 러시아 침략'이 적절하다.

3 ②

지문해석

알려드립니다:

우리 지역에 위치한 지역 노인 센터가 막 6개월간의 수리를 마쳤습니다. 많은 분들이 재개관을 간절히 기다려 오셨고, 저희도 센터가 훌륭히 개선되었음을 알리게 되어 기쁩니다. 재개관은 본래 11월 1일로 예정되어 있음을 기억하실 것입니다. 모든 시설들은 여러분을 맞이할 준비가 완벽하게 되어 있습니다만, 미술 공예를 포함한 몇몇 프로그램들이 아직 운영할 준비가 되지 않았습니다. 부분 개관을 하는 대신에 저희는 문을 여는 데 12월 1일까지 기다리기로 결정했습니다. 그때 지역 노인 센터는 완벽하게 기능을 할 것이며 여러분의 요구를 충족시킬 준비가 될 것입니다. 이번 일로 불편을 끼쳐 드려 죄송합니다. 하지만 저희는 저희가 만든 변화에 만족하시리라 확신합니다.

Jenny Kwon
Newton 지역 노인 센터 이사

구문해설

2행 The senior community center / [**located** in our neighborhood] / has just completed / a six-month renovation.
(S: The senior community center / 과거분사구: located in our neighborhood / 현재완료(완료): has just completed / 「숫자-단수명사」 형용사 역할: six-month)

지역 노인 센터가 / 우리 지역에 위치한 / 막 마쳤습니다 / 6개월간의 수리를

3행 Many people / have been eagerly waiting for its reopening, / and we are happy to report / [**that** it has been greatly improved].
(현재완료 진행형: have been eagerly waiting / to부정사 부사적 용법 (감정의 원인): to report / report의 목적어 (명사절): that절 / 현재완료 수동태: has been greatly improved)

많은 분들이 / 재개관을 간절히 기다려 오셨고 / 그리고 저희도 알리게 되어 기쁩니다 / 센터가 훌륭히 개선되었음을

6행 [**Although** all of our facilities are perfectly ready / for welcoming you], / a few programs, / including arts and crafts, / are not ready to run.
(<양보>의 부사절: Although / 동명사(전치사 for의 목적어): welcoming / a few+복수명사: a few programs / ~을 포함하여: including / to부정사 부사적용법 (형용사 수식): to run)

모든 시설들은 완벽하게 준비가 되어 있지만 / 여러분을 맞이할 / 몇몇 프로그램들이 / 미술 공예를 포함한 / 운영할 준비가 되지 않았습니다

9행 At that time, / the senior community center will be fully functional / and ready to meet your needs.
(= completely: fully / to부정사 부사적 용법(형용사 수식): to meet)

그때 / 지역 노인 센터는 완벽하게 기능을 할 것이며 / 여러분의 요구를 충족시킬 준비가 될 것입니다

문제해설

노인 센터의 수리는 완료되었으나 몇몇 프로그램이 운영할 준비가 되지 않아 개관 날짜를 12월 1일로 미룬다는 내용이므로, 글의 목적으로 적절한 것은 ②이다.

내신·서술형 ②

'충족시키다'의 뜻을 나타내므로 ②의 fulfill과 바꿔 쓸 수 있다.
① 묻다 ③ 알다 ④ 듣다 ⑤ 기억하다

Chapter

5 동사의 이해

16 완료 시제

구문 연습 » p. 81

1 우리 가족은 대영박물관과 하이드 공원을 여러 번 방문한 적이 있다.
2 다음 달까지는 아카데미 위원들이 후보자들을 선정했을 것이다.
3 그들은 지진으로 인해 많은 도로가 파괴되었다고 보도했다.
4 오늘날 차량 공유 운동이 전 세계적으로 나타났다.
5 그 고고학자들은 역대 가장 중요한 장소들 중 하나를 발견했다.
6 has passed a bill
7 will have received your order
8 the first woman who had flown
9 have experienced more competition
10 started
이유: 명확한 과거를 나타내는 부사구인 2 months ago가 쓰였으므로 과거 시제가 알맞다.
해석 그 밴드는 두 달 전에 첫 앨범 녹음을 시작했다.
11 had
이유: 주절의 didn't send back보다 앞선 대과거가 와야 하므로 과거완료 시제가 알맞다.
해석 그들은 내가 대회에 제출했던 작품을 돌려보내지 않았다.

구문 적용 독해 » pp. 82~83

1 ⑤ 2 ④ 3 ⑤

내신·서술형
1 his boat was damaged in a collision with a whale
2 breathing 3 느린 생식 속도, 적은 새끼 수

1 ⑤

지문해석

16세 때부터 눈이 멀게 되었던 Mitsuhiro Iwamoto는 눈이 안 보이는 것이 그의 능력을 제한하지 않는다는 것을 증명하고 싶어 한다. 2019년에, Doug Smith라는 항해사와 함께 Iwamoto는 태평양을 멈추지 않고 횡단하여 그렇게 한 첫 번째 시각 장애인이 되었다. Iwamoto는 2013년에도 같은 위업을 시도했었지만, 그의 배가 고래와의 충돌로 파손된 후 여행을 포기해야만 했다. Iwamoto가 같은 위업을 다시 시도하는 것은 많

은 용기를 필요로 했지만, 그는 단호했다. 그는 중요한 무언가를 깨달았었다고 설명했다. "실패는 시도하는 것을 멈추면 실패일 뿐이다." 두 번째 여행은 2019년 2월 24일에 캘리포니아의 샌디에이고에서 시작되었다. 그 배에는 태양 전지판, GPS, 위성 전화가 설치되어 있었고, Iwamoto와 Smith는 60일 동안 버틸 수 있는 충분한 물과 음식을 가지고 왔다. 두 사람은 14,000킬로미터를 멈추지 않고 항해했고, 55일 후에 일본의 이와카에 성공적으로 도착했다.

구문해설

1행 Mitsuhiro Iwamoto, / [**who** has been blind since the age of 16], / wants to prove / {**that** blindness doesn't limit his abilities}.
(현재완료(계속) / S / 주격 관계대명사절 / V / prove의 목적어(명사절))

Mitsuhiro Iwamoto는 / 16세 때부터 눈이 멀게 되었던 / 증명하고 싶어 한다 / 눈이 안 보이는 것이 그의 능력을 제한하지 않는다는 것을

4행 Iwamoto had attempted the same feat in 2013, / but (he) had to abandon his journey / [**after** his boat was damaged / in a collision with a whale].
(과거완료(포기한 것보다 더 이전의 일) / <시간>의 부사절 / ~와 충돌하여)

Iwamoto는 2013년에도 같은 위업을 시도했었다 / 그러나 여행을 포기해야만 했다 / 그의 배가 파손된 후 / 고래와의 충돌로

6행 It took a lot of courage / for Iwamoto to try the same feat again, / but he was determined.
(to부정사 의미상 주어 / it takes+시간/노력+to부정사: ~하느라 (시간, 노력 등)이 들다)

많은 용기가 필요했다 / Iwamoto가 같은 위업을 다시 시도하는 것은 / 그러나 그는 단호했다

7행 He explained / [**that** he had realized something important]: / "Failure is only failure / if you stop trying."
(explained의 목적어(명사절) / 과거완료 / 「-thing+형용사」의 어순 / stop v-ing: ~하는 것을 멈추다)

그는 설명했다 / 그가 중요한 무언가를 깨달았었다고 / "실패는 실패일 뿐이다 / 시도하는 것을 멈추면"

9행 The boat had been equipped / with solar panels, GPS and a satellite phone, / and Iwamoto and Smith brought enough water and food / to last them for 60 days.
(과거완료 수동태 / enough+명사+to-v: ~하기에 충분한 …)

그 배에는 설치되어 있었다 / 태양 전지판, GPS, 위성 전화가 / 그리고 Iwamoto와 Smith는 충분한 물과 음식을 가지고 왔다 / 60일 동안 버틸 수 있는

문제해설

60일을 버틸 수 있는 물과 음식을 준비했지만, 실제로는 55일만에 횡단에 성공했으므로 ⑤가 글의 내용과 일치하지 않는다.

내신·서술형 his boat was damaged in a collision with a whale

2013년에 Iwamoto는 항해 중 그의 배가 고래와 충돌하여 파손되었으므로 횡단을 포기할 수밖에 없었다.

2 ④

지문해석

Sharon이란 이름의 한 여인이 수년 동안 만나지 못했던 한 오랜 친구를 우연히 만났다. 그녀의 친구는 항상 목소리가 크고 재미있고 활기찬 사람이었으나 지금 그녀는 좀 더 차분하고 진지해 보였다. 인사를 교환한 후, Sharon은 친구에게 그들이 서로 마지막으로 본 이래로 어떻게 지냈는지 물었다. 그녀의 친구는 깊은 숨을 쉬고는 지난 5년이 그녀에게는 매우 힘든 시간이었다고 말했다. 아무런 예고 없이, 그녀의 어린 딸이 어떤 약에 대한 알레르기 반응으로 인해 숨 쉬기를 멈췄었다. 의사들이 그녀의 생명을 구하긴 했으나, 길고 힘든 회복 과정이었다. 두 여자는 서로 껴안고 몇 분 동안 거기에 서서 울었다. 마침내, Sharon이 친구에게 말했다. "미안해. 난 몰랐어." "미안해 하지 마." 그녀가 대답했다. "오랜 친구와 함께 울고 나니 훨씬 나아진 기분이야."

구문해설

2행 Her friend / had always been loud, funny and lively, / but now / she seemed quieter and more serious.
(과거완료(계속))

그녀의 친구는 / 항상 목소리가 크고 재미있고 활기찬 사람이었으나 / 지금 / 그녀는 좀 더 차분하고 진지해 보였다

3행 [After exchanging greetings], / Sharon asked her friend / [**how** she'd been / {**since** they'd last seen each other}].
(<시간>의 부사구 / asked의 직접목적어(의문사절) / 간접목적어 / 과거완료(계속) / <시간>의 부사절 / 과거완료)

인사를 교환한 후 / Sharon은 친구에게 물었다 / 그녀가 어떻게 지냈는지 / 그들이 서로 마지막으로 본 이래로

4행 Her friend took a deep breath / and said / [**that** the last five years / had been a very difficult time for her].
(take a breath: 숨을 쉬다 / said의 목적어(명사절) / 과거완료(계속))

그녀의 친구는 깊은 숨을 쉬었다 / 그리고는 말했다 / 지난 5년이 / 그녀에게는 매우 힘든 시간이었다고

6행 [Without any warning], / her young daughter had stopped breathing / [due to an allergic reaction to some medicine].
(부사구(~ 없이) / 과거완료 / stop+v-ing: ~하는 것을 멈추다 / <이유>의 부사구)

아무런 예고 없이 / 그녀의 어린 딸이 숨 쉬기를 멈췄었다 / 어떤 약에 대한 알레르기 반응으로 인해

7행 The doctors had saved her life, / but it was a long and difficult recovery.
(과거완료)

의사들이 그녀의 생명을 구했다 / 그러나 길고 힘든 회복 과정이었다

문제해설

④는 Sharon의 친구의 딸을 가리키고, 나머지는 모두 Sharon의 친구를 가리킨다.

내신·서술형 breathing

동사 stopped의 목적어로 '숨 쉬는 것을 멈췄다'가 되어야 하므로 동명사

breathing이 와야 한다.

3 ⑤

지문해석

일부 과학자들은 야생의 많은 포유류 종들이 앞으로 다가올 수십 년 안에 멸종이 될 가능성이 있다고 경고해 왔다. 보르네오 오랑우탄과 수마트라 코뿔소와 같은 특정 종의 야생 개체군은 생존할 가능성이 거의 없다. 심지어 아시아 코끼리조차 다음 세기까지 생존할 가능성이 33퍼센트에 불과하다. 전문가들은 이러한 멸종 위기가 너무 심각해서 지구가 포유류에 대한 생물의 다양성의 손실을 회복하는 데 수백만 년이 걸릴 것이라고 믿고 있다. 몸집이 큰 포유류는 더 느린 생식 속도와 더 적은 수의 새끼들 때문에 더 위험하다. 일단 이 종들이 멸종으로 내몰리게 되면, 그것들을 되돌릴 수 있는 방법은 없을 것이다. 그것들은 이 행성의 표면에서 영원히 사라져 버리게 될 것이다. 그것들이 생존할 유일한 가능성은 사람들이 이미 행해진 손상을 되돌리기 위해 세계적인 보존 노력을 시작하는 것에 달려 있다.

구문해설

1행 Some scientists have warned / [**that** many species of mammals in the wild / are likely to become extinct / in the coming decades].
(have warned: 현재완료 / that절: have warned의 목적어(명사절) / be likely+to-v: ~할 가능성이 있다)

일부 과학자들은 경고해 왔다 / 야생의 많은 포유류 종들이 / 멸종이 될 가능성이 있다고 / 다가올 수십 년 안에

4행 Even the Asian elephant / has been given only a 33% chance / of making it through the next century.
(has been given: 현재완료 수동태 / make it through: 헤쳐 나가다)

심지어 아시아 코끼리조차 / 가능성이 33퍼센트에 불과하다 / 다음 세기까지 생존할

9행 [**Once** these species have been driven into extinction], / there will be no way / of bringing them back.
(Once: <조건>의 부사절 / have been driven: 현재완료 수동태 / there: 유도부사, will be: V, no way: S → 도치 / them = these species)

일단 이 종들이 멸종으로 내몰리게 되면 / 방법은 없을 것이다/ 그것들을 되돌릴 수 있는

10행 They will have been wiped / from the face of the planet / forever.
(will have been wiped: 미래완료 수동태 / face: 표면, 겉면)

그것들은 사라져 버리게 될 것이다 / 이 행성의 표면에서 / 영원히

11행 Their only chance of survival / depends on / human beings launching global conservation efforts / to undo the harm / [**that** has already been done].
(human beings: 동명사의 의미상 주어 / launching: 동명사 / to undo: to부정사 부사적 용법(목적) / that: 주격 관계대명사절 / has already been done: 현재완료(완료))

그것들이 생존할 유일한 가능성은 / 달려 있다 / 사람들이 세계적인 보존 노력을 시작하는 것에 / 손상을 되돌리기 위해 / 이미 행해진

문제해설

본문은 야생의 많은 포유류 종들이 곧 멸종될 가능성이 높다고 경고하는 내용이므로, 글의 제목으로 ⑤ '광범위한 포유류 멸종의 심각한 위기'가 가장 적절하다.
① 큰 동물들: 생태계의 파괴자들
② 오랑우탄과 코뿔소의 생존하고자 하는 노력
③ 큰 포유류들은 지구에서 없어져야 한다
④ 포유류 생물 다양성: 인간을 향한 경고

내신·서술형 느린 생식 속도, 적은 새끼 수
큰 포유류들은 생식 속도가 느리고, 적은 수의 새끼 때문에 다른 종들보다 멸종될 위험이 더 크다.

17 진행 시제

구문 연습

» p. 85

1 많은 학교에서 학생들에게 양성평등을 가르치고 있다.
2 싱가포르는 1965년부터 영어를 공용어로서 사용하고 있다.
3 내 친구 Cindy는 10년 동안 의료 담당 비서로 일해 오고 있었다.
4 역사를 통틀어 인간은 한 곳에서 다른 곳으로 이동하고 있다.
5 다음 주부터 당신은 마케팅 부서에서 일하고 있을 것입니다.
6 were flying to the south
7 have been gaining popularity
8 will be getting shorter and shorter
9 had been practicing very hard
10 ① has been disappeared → has been disappearing
해석 열대우림은 최근 몇 년 동안 인간의 탐욕 때문에 사라지고 있다.
해설 과거부터 현재까지 계속되고 있는 현상이므로 현재완료진행형(have/has been+v-ing)을 써야 한다.
11 ② is talking → was talking
해석 내가 사무실을 방문했을 때, 모든 사람들이 다가오는 프로젝트에 대해 이야기하고 있었다.
해설 when이 이끄는 부사절의 시제가 과거이므로, 주절의 시제도 현재진행형이 아닌 과거진행형으로 써야 한다.

구문 적용 독해

» pp. 86~87

1 ⑤ 2 ① 3 ③

내신·서술형
1 Cubs가 월드 시리즈에서 우승하지 못할 것이다. 2 ④
3 drawbacks

1 ⑤

지문해석

1945년 월드 시리즈에서, Chicago Cubs가 Detroit Tigers와 경기를 하고 있었다. Cubs가 처음 세 경기 중 두 경기를 이긴 후에, William Sianis라는 지역 술집 주인이 네 번째 경기를 위해 두 장의 표를 샀다. 한 장은 자신을 위한 것이었고, 다른 하나는 Murphy라는 자신의 애완 염소를 위한 것이었다. 하지만 Sianis가 Murphy와 함께 경기장에 들어가려고 기다리고 있을 때, 동물은 안으로 들어갈 수 없다는 말을 들었다. Sianis가 구단주인 P.K. Wrigley에게 Murphy가 경기에 들어갈 수 없는 이유를 물었을 때, Wrigley는 "그 염소는 고약한 냄새가 나기 때문입니다."라고 대답했다. Sianis는 화를 내면서 Cubs는 월드 시리즈에서 결코 우승하지 못할 것이라고 단언했다. 이것이 Billy Goat의 저주라고 알려지게 되었다. Tigers가 그 해 월드 시리즈에서 우승을 했고, Cubs가 월드 시리즈에 복귀하는 데는 71년이 걸렸다. 마침내, 2016년에 Cubs는 Cleveland Indians를 이겨서 월드 시리즈에서 우승했다. 그 저주가 깨진 것이었다!

구문해설

1행 In the 1945 World Series, / the Chicago Cubs / were playing the Detroit Tigers.
(were playing: 과거진행형)

1945년 월드 시리즈에서 / Chicago Cubs가 / Detroit Tigers와 경기를 하고 있었다

4행 However, / [**while** Sianis was waiting / to enter the stadium with Murphy], / he was told / [**that** animals were not allowed inside].
(while ~: <시간>의 부사절 / was waiting: 과거진행형 / to enter: to부정사 부사적 용법(목적) / was told: = heard / that ~: told의 목적어(명사절) / were not allowed: 수동태)

하지만 / Sianis가 기다리고 있을 때 / Murphy와 함께 경기장에 들어가려고 / 그는 들었다 / 동물은 안으로 들어갈 수 없다는 말을

7행 [**Growing** angry], / Sianis declared / [**that** the Cubs would never win the World Series].
(Growing angry: <부대상황>의 분사구문(= As he grew angry) / that ~: declared의 목적어(명사절) / never: 결코 ~하지 않다)

화를 내면서 / Sianis는 단언했다 / Cubs는 월드 시리즈에서 결코 우승하지 못할 것이라고

문제해설

염소의 입장을 금지함으로써 생긴 Billy Goat의 저주 때문에 Cubs가 오랫동안 월드 시리즈에서 우승하지 못했다는 내용이므로, 글의 제목으로 ⑤ '염소를 금지시킨 것의 예상치 못한 결과'가 가장 적절하다.

① 미국 야구 팀이 어떻게 만들어졌는가
② 동물들이 야구장에 입장이 금지되는 이유
③ 팀에 승리를 가져온 염소
④ 동물을 위해 월드 시리즈 표를 구입하지 마라

내신·서술형 Cubs가 월드 시리즈에서 우승하지 못할 것이다.

2 ①

지문해석

어느 날, 팀의 나머지 구성원들이 발표 작업을 하고 있을 때 서류를 재검토하고 있었던 나의 상사가 갑자기 나를 자신의 책상으로 불렀다. 내가 그녀에게 무언가 잘못된 것이 있는지를 물었을 때, 그녀는 내가 최근에 제출한 보고서를 들어 보이고는 천천히 고개를 가로저었다. 그녀는 내 보고서는 그녀의 기준에 부합하지 않으며 내 통계에서 몇 가지 실수를 확인했다고 나에게 말했다. 그 순간 그녀의 목소리는 점점 더 커지기 시작했고, 사무실 전체가 들릴 정도의 목소리에 도달했다. 그녀는 나에게 발표 작업을 멈추고 보고서 전체를 다시 쓰라고 명령했다. 나의 모든 동료들이 조용해졌고 그녀가 하는 모든 말을 듣고 있었다. 내 얼굴은 뜨거워졌고, 나는 배가 아프기 시작했다. 내 자리로 천천히 돌아올 때 내 다리는 떨리고 있었고, 나 자신이 사라지기를 바랐다.

구문해설

1행 One day, / my boss, / [**who** had been reviewing documents / {**while** the rest of the team / was working on a presentation}], / suddenly called me to her desk.
(my boss: S / who ~: 주격 관계대명사절 / had been reviewing: 과거완료진행형 / while ~: <시간>의 부사절 / was working: 과거진행형 / called: V)

어느 날 / 나의 상사가 / 서류를 재검토하고 있었던 / 팀의 나머지 구성원들이 / 발표 작업을 하고 있을 때 / 갑자기 나를 자신의 책상으로 불렀다

4행 She told me / [**that** my report was not up to her standards] / and [**that** she had identified several errors / in my statistics].
(that ~: told의 직접목적어1(명사절) / that ~: told의 직접목적어2(명사절) / had identified: 과거완료 / several: several+복수명사: 몇몇의 ~)

그녀는 나에게 말했다 / 내 보고서는 그녀의 기준에 부합하지 않는다고 / 그리고 그녀는 몇 가지 실수를 확인했다고 / 내 통계에서

8행 All of my coworkers / had grown silent / and were listening / to every word [**that** she said].
(had grown: 과거완료 / were listening: 과거진행형 / that ~: 목적격 관계대명사절)

나의 모든 동료들이 / 조용해졌고 / 듣고 있었다 / 그녀가 하는 모든 말을

10행 My legs were shaking / [**as** I slowly made my way back to my seat], / [**wishing** I could disappear].
(were shaking: 과거진행형 / as ~: <시간>의 부사절 / make one's way back to: ~로 돌아오다 / wishing ~: 분사구문(부대상황))

내 다리는 떨리고 있었고 / 내 자리로 천천히 돌아올 때 / 나 자신이 사라지기를 바랐다

문제해설

상사한테 불려 가서 제출한 보고서에 대해 비난을 받고 있으며 모든 동료들이 주목하고 있는 상황으로 다리가 떨리고 자신이 사라지기를 바랐다고 했으므로, 필자의 심경으로는 ① '당황하고 굴욕감을 느끼는'이 가장 적절하다.

② 궁금하고 신이 난
③ 자랑스럽고 만족스러운
④ 놀랍고 즐거운
⑤ 지루하고 무관심한

내신·서술형 ④

submit은 '제출하다'의 의미이므로 hand in과 바꾸어 쓸 수 있다.

① drop in: 들르다 ② run into: 우연히 만나다
③ put up with: 견디다 ⑤ give in: 굴복하다

3 ③

지문해석

바람은 해로운 부산물과 가스 배출을 만드는 석탄과 천연가스처럼 공기를 오염시키지 않기 때문에 재생 가능한 청정 에너지원으로 여겨진다. (B) 또 다른 이점은 풍력은 비용 효율이 높다는 것이다. 바람 자체가 공짜이므로 터빈을 설치하고 나면 풍력 발전을 위한 운영 비용이 거의 없다. 그리고 대량 생산과 기술 발전 덕분에 터빈 가격은 하락해 오고 있다. (C) 그러나 몇 가지 단점들도 있다. 지역 주민들은 종종 풍력 발전 터빈이 보기 흉하고 시끄럽다고 불평을 한다. 터빈의 회전 날개는 또한 새와 박쥐를 죽일 수 있다. 그리고 바람은 변수가 있어서 바람이 거의 없는 날에는 전기가 전혀 발생되지 않는다. (A) 그럼에도 불구하고, 풍력 발전 산업은 빠르게 성장하고 있다. 파리 협정과 같은 기후 변화를 해결하려는 전 세계적인 노력은 이러한 성장을 가속화하고 있다. 전문가들은 2050년까지 전 세계 전기의 1/3 이상이 풍력 발전에서 생길 것이라고 예측한다.

구문해설

1행 Wind is considered / a clean source of renewable energy / [**because** it doesn't pollute the air / like coal and natural gas, / {**which** produce harmful byproducts and gas emissions}].
(<이유>의 부사절 / ~처럼 / 선행사 / 계속적 용법의 주격 관계대명사절)
바람은 여겨진다 / 재생 가능한 청정 에너지원으로 / 공기를 오염시키지 않기 때문에 / 석탄과 천연가스처럼 / 해로운 부산물과 가스 배출을 만드는

4행 Global efforts / [to combat climate change], / such as the Paris Agreement, / are accelerating this growth.
(to부정사 형용사적 용법 / ~와 같은 / 현재진행형)
전 세계적인 노력은 / 기후 변화를 해결하려는 / 파리 협정과 같은 / 이러한 성장을 가속화하고 있다

10행 And turbine prices have been dropping / due to mass production and technology advancements.
(현재완료진행형 / ~ 때문에)
그리고 터빈 가격은 하락해 오고 있다 / 대량 생산과 기술 발전 덕분에

14행 And the wind is variable: / On days [**when** there is little wind],/ no electricity can be generated.
(관계부사절 / little+셀 수 없는 명사: ~이 거의 없는 / 조동사 수동태)
그리고 바람은 변수가 있다 / 바람이 거의 없는 날에는 / 전기가 전혀 발생되지 않는다

문제해설

풍력 발전이 공기를 오염시키지 않아서 깨끗한 에너지원으로 여겨진다는 주어진 글에 이어, 비용이 효율적이라는 추가 장점을 설명하는 (B)가 나오고, 그 다음에 지역 주민들의 불만과 바람이 변수가 있다는 단점을 언급하는 (C)가 이어진 후, 그럼에도 풍력 발전은 계속 성장할 것이라는 전문가들의 예측을 제시한 (A)가 나오는 것이 자연스럽다.

내신·서술형 drawbacks

풍력 발전의 장점과 단점에 대한 글이므로 drawbacks가 적절하다.

18 수동태 (1)

구문 연습

» p. 89

1 will be remade
몇몇 한국 영화들이 할리우드에서 다시 만들어질 것이다.

2 were blocked
예상치 못한 폭설로 인해 몇몇 도로가 봉쇄되었다.

3 is being shared
사회적 정보가 과거보다 훨씬 더 널리 공유되고 있다.

4 have been preserved
공룡의 뼈가 화석으로 보존되어 왔기 때문에 우리는 공룡에 대해 안다.

5 to be carried
우리의 몸이 느끼는 모든 감각은 뇌로 전달되는 정보를 기다려야 한다.

6 will be broadcasted[broadcast] live

7 should be submitted

8 were surrounded by walls

9 has been believed

10 protected
이유: 주어 All of your private information이 동사 protect의 대상(보호되어야 하는)이므로 수동태가 되어야 한다.
해석 당신의 모든 사적인 정보는 법에 의해 보호된다.

11 been
이유: 주어 Spanish가 동사 speak의 대상(말을 하게 되는)이므로 수동태가 되어야 하는데, 앞의 has로 보아 현재완료 수동태가 되어야 한다.
해석 16세기부터 멕시코에서 스페인어가 사용되어 왔다.

구문 적용 독해

» pp. 90~91

1 ④ 2 ④ 3 ②

내신·서술형

1 the French government finally recognized his life's work
2 추위뿐만 아니라 더위에도 신체를 보호해 주기 때문에
3 관광업이 지역 경제에 도움이 되지만 환경을 파괴할 수도 있다는 것

1 ④

지문해석

Louis Braille은 1809년에 프랑스에서 태어났다. 겨우 3살일 때, 그는 아버지의 가게에서 도구 중 하나를 가지고 놀다가 잘못하여 한쪽 눈을 찔렀다. 의사들은 그의 눈을 치료하려고 노력했지만 상처는 감염되었다. 감염

은 결국 다른 눈으로 퍼졌고 Braille은 5살 때 완전히 눈이 멀게 되었다. 12살 때 Braille은 Charles Barbier 대위에 의해 만들어져 프랑스 군대에서 사용되는 의사소통 체계인 야간 점자(night writing)에 대해 알게 되었다. 그것은 두꺼운 종이에 점과 대시를 눌러서 쓰여졌는데, 그것은 군인들이 밤에 전쟁터에서 어떤 불빛도 없이 의사소통을 할 수 있게 했다. Braille은 Barbier 체계를 단순화하여 시각 장애인들에 의해 쉽게 읽힐 수 있는 철자를 만들었다. 1852년에 Braille이 사망한 지 100년 후, 그의 평생의 업적은 마침내 프랑스 정부에 의해 인정받았다. 경의를 표하기 위해, 그의 시신은 프랑스의 국가적 영웅들을 위해 따로 마련된 특별한 건물인 파리 판테온에 다시 묻혔다.

구문해설

1행 [**When** he was just three years old], / he accidentally poked himself in the eye / [**while** playing with one of the tools / in his father's shop].

<시간>의 부사절 / 재귀대명사(재귀 용법) / (he was)

겨우 3살일 때 / 그는 잘못하여 한쪽 눈을 찔렀다 / 도구 중 하나를 가지고 놀다가 / 아버지의 가게에서

5행 [**When** he was 12], / Braille learned about "night writing," / [a communication system / {**created** by Captain Charles Barbier} / and {**used** by the French army}].

<시간>의 부사절 / 동격 / 과거분사구 / 과거분사구가 and로 병렬 연결됨 / 과거분사구

12살 때 / Braille은 야간 점자(night writing)에 대해 알게 되었다 / 의사소통 체계인 / Charles Barbier 대위에 의해 만들어져 / 프랑스 군대에서 사용되는

7행 It was written / by pressing dots and dashes into thick paper, / [**which** let soldiers communicate / on the battlefield at night / without any light].

과거 수동태 / let+목적어+목적격보어(동사원형) / 계속적 용법의 주격 관계대명사절(선행사는 앞 문장 전체)

그것은 쓰여졌다 / 두꺼운 종이에 점과 대시를 눌러서 / 그것은 군인들이 의사소통을 할 수 있게 했다 / 밤에 전쟁터에서 / 어떤 불빛도 없이

9행 Braille simplified Barbier's system, / [**creating** an alphabet / {**that** could easily be read by the blind}].

주격 관계대명사절 / 분사구문(부대상황) / 조동사 수동태

Braille은 Barbier 체계를 단순화하여 / 철자를 만들었다 / 시각 장애인들에 의해 쉽게 읽힐 수 있는

10행 One hundred years after Braille's death in 1852, / his life's work was finally recognized / by the French government.

전치사(~후에) / 과거 수동태

1852년에 Braille이 사망한 지 100년 후 / 그의 평생의 업적은 마침내 인정받았다 / 프랑스 정부에 의해

12행 To honor him, / his body was reburied in the Pantheon in Paris, / a special building / [**reserved** for French national heroes].

to부정사 부사적 용법(목적) / 과거 수동태 / 동격 / 과거분사구

경의를 표하기 위해 / 그의 시신은 파리 판테온에 다시 묻혔다 / 특별한 건물인 / 프랑스의 국가적 영웅들을 위해 따로 마련된

문제해설

야간 점자를 단순화했다고 했으므로 ④가 글의 내용과 일치하지 않는다.

내신·서술형 the French government finally recognized his life's work

수동태를 능동태로 바꾸기 위해서는 by 이후를 주어 자리로 보내고, 수동태의 주어를 목적어 자리로 보낸 후 동사를 능동형으로 바꾼다.

2 ④

지문해석

양모는 동물의 가죽 다음으로 옷을 만들기 위해 사용되는 가장 오래된 물질 중 하나이다. 양모가 언제 처음으로 초기 인류에 의해 사용되었는지는 정확히 알려져 있지 않지만 꽤 오래 전이었던 것으로 생각된다. 양모는 동물의 털로 만들어지므로 특정 지역에서 발견되는 어떤 종류의 동물도 어쩌면 사용되었을 것이다. 양과 염소가 오늘날 가장 흔하게 양모를 만드는 데 사용되지만 양모는 때때로 사막에서는 낙타의 털로, 남아메리카 일부에서는 라마의 털로 만들어진다. (라마는 대개 가축으로 길러지거나 산악 지역에서 짐을 나르는 동물로 사용된다.) 모든 종류의 양모는 다르지만 모두 한 가지 공통점이 있는데, 그것은 외부 온도의 변화로부터 사람을 보호한다는 것이다. 양모 옷은 실제로 추위뿐만 아니라 더위로부터도 신체를 보호해 준다. 이것이 양모 의류가 전 세계에서 사용되는 이유이다.

구문해설

2행 **It** is not known exactly / [**when** wool was first used by early humans], / but it is believed / to have been quite some time ago.

목적어가 절인 문장의 수동태 / 가주어 / 현재 수동태 / 진주어(의문사절) / 과거 수동태 / 현재 수동태 / 완료부정사

정확히 알려져 있지 않다 / 양모가 언제 처음으로 초기 인류에 의해 사용되었는지 / 하지만 생각된다 / 꽤 오래 전이었던 것으로

→ it is believed to have been ~은 it is believed that it was ~로 주절의 시제(is)보다 앞서므로(was) 완료부정사 to have been이 된다.

3행 Wool is made from the hair of animals, / so [**whatever** animals / were found in a particular area] / were probably used.

현재 수동태 / 복합관계사절(= any animals that) / 과거 수동태 / 과거 수동태

양모는 동물의 털로 만들어진다 / 그래서 어떤 종류의 동물도 / 특정 지역에서 발견되는 / 어쩌면 사용되었을 것이다

5행 Sheep and goats are most commonly used / to make wool today, / but wool is sometimes made / from camel hair in the desert / and from llama hair in parts of South America.

현재 수동태 / to부정사 부사적 용법(목적) / 현재 수동태

양과 염소가 가장 흔하게 사용된다 / 오늘날 양모를 만드는 데 / 하지만 양모는 때때로 만들어진다 / 사막에서는 낙타의 털로 / 그리고 남아메리카 일부에서는 라마의 털로

7행 Llamas are usually kept as livestock / or used as pack animals / in mountainous areas.
(are usually kept: 현재 수동태 / kept ~ or used: 등위접속사 or로 병렬 연결됨 / (are) used: 현재 수동태)

라마는 대개 가축으로 길러진다 / 또는 짐을 나르는 동물로 사용된다 / 산악 지역에서

11행 This is / [**why** it is used / all around the world].
(why: 관계부사절 / is used: 현재 수동태)

이것이 / 양모 의류가 사용되는 이유이다 / 전 세계에서

문제해설

양모의 역사와 종류, 기능을 설명하는 글이므로, 특정 동물인 라마의 다른 기능을 소개하는 ④는 글의 흐름과 관계가 없다.

내신·서술형 추위뿐만 아니라 더위에도 신체를 보호해 주기 때문에

마지막 부분에서 양모가 추위와 더위로부터 신체를 보호해 준다고 했다.

3 ②

지문해석

몇몇 세계의 가장 아름다운 장소들이 영원히 파괴될 위험에 처해 있다. 예를 들어, 태국의 Maya Bay는 그곳이 입은 환경적 손상으로부터 그 지역을 회복하도록 하기 위해 폐쇄되었다. 폐쇄 전에 그곳은 하루에 200대의 배와 5천 명의 관광객들을 받으며 방문객들로 뒤덮였었다. 남겨진 쓰레기와 오염 때문에 May Bay 산호초의 약 80%가 파괴되었다. 오랫동안 한가로운 여행지로 여겨졌던 작은 섬인 보라카이 또한 폐쇄되어 수리와 복구를 위해 6개월간 닫혀 있었다. 그 지역은 과도한 관광으로 인해 범람하는 쓰레기와 하수로 손상을 입었었다. 비록 보라카이는 다시 열리긴 했지만, 지금은 관광에 엄격한 제한이 있다. 이러한 예들은 왜 관광이 양날의 검으로 여겨지는지를 보여준다. 관광은 지역 경제에 도움이 될 수 있지만, 또한 결국은 환경을 망가뜨릴지도 모르는 관광객 무리를 불러온다.

구문해설

1행 Some of the world's most beautiful places / are at risk of being ruined / forever.
(the+최상급: 가장 ~한 / be at risk of: ~할 위험에 처하다 / being ruined: 동명사 수동태)

몇몇 세계의 가장 아름다운 장소들이 / 파괴될 위험에 처해 있다 / 영원히

2행 Thailand's Maya Bay, / for example, / has been shut down / to allow the area to recover / from the environmental damage / [it has sustained].
(has been shut down: 현재완료 수동태 / allow+목적어+목적격보어(to부정사): ~가 …하게 내버려두다[허락하다] / damage (which) it has sustained: 목적격 관계대명사절)

태국의 Maya Bay는 / 예를 들어 / 폐쇄되었다 / 그 지역을 회복하도록 하기 위해 / 환경적 손상으로부터 / 그곳이 입은

3행 Before the shutdown, / it had been overwhelmed with visitors, / [**receiving** / up to 200 boats and 5,000 tourists a day].
(had been overwhelmed: 과거완료 수동태 / receiving: 분사구문(부대상황) / up to: ~까지 / a day: 하루에)

폐쇄 전에 / 그곳은 방문객들로 뒤덮였었다 / 받으며 / 하루에 200대의 배와 5천 명의 관광객들을

5행 Due to the litter and pollution / [**left** behind], / an estimated 80% of May Bay's coral / has been destroyed.
(Due to: ~ 때문에 / left behind: 과거분사구 / has been destroyed: 현재완료 수동태)

쓰레기와 오염 때문에 / 남겨진 / May Bay 산호초의 약 80%가 / 파괴되었다

6행 Boracay, [a tiny island / {long **considered** an idyllic tourist destination}], / was also shut down, / [**remaining** closed for six months / for repair and restoration].
(Boracay, a tiny island: 동격 / long considered ~: 과거분사구 / was also shut down: 과거 수동태 / remaining: 분사구문(부대상황) / for+기간: ~ 동안)

작은 섬인 보라카이는 / 오랫동안 한가로운 여행지로 여겨졌던 / 또한 폐쇄되었다 / 6개월간 닫혀 있었다 / 수리와 복구를 위해

8행 The area had been damaged / by an overflow of waste and sewage / from excessive tourism.
(had been damaged: 과거완료 수동태)

그 지역은 손상을 입었었다 / 범람하는 쓰레기와 하수로 / 과도한 관광으로 인해

11행 These examples show / [**why** tourism is considered a double-edge sword].
(why ~: show의 목적어(의문사절) / is considered: 현재 수동태)

이러한 예들은 보여준다 / 왜 관광이 양날의 검으로 여겨지는지를

문제해설

범람하는 관광객으로 인해 환경이 파괴되어 폐쇄된 두 곳의 여행지를 예로 들면서 관광업의 부정적인 이면을 보여주는 내용이므로, 글의 제목으로 ② '관광업 호황의 어두운 면'이 가장 적절하다.

① 예의 바른 관광객이 되는 법
③ 환경에 도움이 되는 관광업
④ 세계 최고의 여행지
⑤ 피해를 복구하는 데 관광 수익 이용하기

내신·서술형 관광업이 지역 경제에 도움이 되지만 환경을 파괴할 수도 있다는 것

바로 뒷문장에서 관광업이 지역 경제에 도움이 되지만 환경을 망가뜨릴 많은 관광객들을 불러 들이게 된다고 설명하고 있다.

19 수동태 (2)

구문 연습 » p. 93

1 were heard
몇몇 구경꾼들이 "그건 사실이 아니야!"라고 외치는 소리가 들렸다.

2 were forced
승객들은 공항에서 간이 침대에서 잘 것을 강요 받았다.

3 was looked after
그는 부모가 죽은 후, 누이에게 보살핌을 받았다.

4 was crowded
2012년에 에베레스트산 정상은 5백 명 이상의 사람들로 붐볐다.

5 were made
그들은 호텔 직원들에 의해 편안함을 느끼게 되었다.

6 has been called Myanmar

7 will be shown to the public

8 is made up of fifteen countries

9 was satisfied with himself

10 ② enter → to enter 또는 entering
해석 용의자가 CCTV가 있는 건물 안으로 들어가는 것이 경찰에 의해 목격되었다.
해설 5형식 문장이 수동태가 될 때 목적격보어가 원형부정사인 경우 to부정사의 형태가 된다. 단, 지각동사는 목적격보어로 현재분사를 취하기도 하므로 현재분사가 될 수도 있다.

11 ② are being taken care → are being taken care of
해석 많은 유기견들이 동물보호단체에 의해 보살핌을 받고 있다.
해설 구동사는 하나의 동사로 취급하여 수동태로 쓸 때 붙여 쓰므로 take care of의 of를 써 주어야 한다.

구문 적용 독해 » pp. 94~95

1 ④ 2 ⑤ 3 ④

내신·서술형
1 is considered that trees 2 ② 3 concern

1 ④

지문해석

대기 오염은 많은 도시 지역에서 큰 문제가 되었다. 나무는 대기 오염을 억제하는 것으로 여겨져서, 도시 안에 더 많은 나무를 심는 것이 일반적으로 효과적인 해결책으로 보인다. 그러나, 나무를 심는 것은 대부분의 사람들이 생각하는 것만큼 효과적이지 않다. 나무는 많은 양의 땅을 필요로 하는데, 대부분의 도시에서는 제한된 양의 사용 가능한 땅이 있다. 이것이 City Tree가 개발된 이유이다. 오염 물질을 걸러낼 수 있는 이 혁신적인 것은 대기 오염 문제를 없애 줄 것으로 기대된다. 독일 회사에 의해 개발된 그것은 도시 환경에서 잘 자라도록 특별히 경작된 이끼의 조합을 사용한다. 이끼는 입자를 붙잡아서 생물량에 흡수함으로써 공기를 정화한다. 이끼가 어려운 환경에서도 살아남을 수 있도록 돕기 위해서, IoT 기술이 물과 영양분을 공급하는 데 사용된다. City Tree의 개발자들에 따르면, 그것은 주변 지역의 대기 오염 물질을 30%까지 줄일 수 있다고 한다.

구문해설

1행 Trees are considered to be a deterrent to air pollution, / so [planting more trees within cities] / is commonly seen to be an effective solution.
(are considered: 수동태(5형식) / to be a deterrent to air: 주격보어(능동태의 목적격보어) / planting more trees within cities: S(동명사구) / is … seen: 수동태)
나무는 대기 오염을 억제하는 것으로 여겨진다 / 그래서 도시 안에 더 많은 나무를 심는 것이 / 일반적으로 효과적인 해결책으로 보인다

6행 This innovation, / [which is capable of filtering out pollutants], / is expected [to relieve the problem / of air pollution].
(This innovation: S / which: 주격 관계대명사절 / is expected: 수동태(5형식) / to relieve the problem: 주격보어(능동태의 목적격보어))
이 혁신적인 것은 / 오염 물질을 걸러낼 수 있는 / 문제를 없애 줄 것으로 기대된다 / 대기 오염의

10행 In order to help the mosses survive / under difficult conditions, / IoT technology is used / [to supply water and nutrients].
(help the mosses survive: help(준사역동사)+목적어+목적격보어(동사원형) / is used: 수동태 / to supply: to부정사 부사적 용법(목적))
cf. be used to+v-ing: ~하는 데 익숙하다
이끼가 살아남을 수 있도록 돕기 위해서 / 어려운 환경에서도 / IoT 기술이 사용된다 / 물과 영양분을 공급하는 데

문제해설

④ 도시 환경에서 잘 자라도록 특별히 '경작된' 이끼를 말하므로, 수동의 의미를 갖는 과거분사 cultivated로 고쳐야 한다.
① 지금까지 계속 문제가 이어지고 있기 때문에 현재완료 계속 용법이 쓰였다.
② 원급 비교 as ~ as 사이에는 형용사나 부사가 필요한데, be동사 뒤의 보어가 필요하므로 형용사를 사용하는 것이 적절하다.
③ 앞 문장이 이유에 해당하고 뒤의 내용이 결과이므로 This is why ~가 적절하다.
⑤ use 동사의 수동태에 목적의 의미를 가진 to부정사의 부사적 용법으로 사용되었다.

내신·서술형 is considered that trees
that절이 목적어인 경우 가주어 It을 사용한 수동태 문장으로 쓸 수 있다.
People consider that trees are a deterrent to air pollution
→ It is considered that trees are a deterrent to air pollution
→ Trees are considered to be a deterrent to air pollution

2 ⑤

지문해석

사문석은 독특한 외관으로 유명한 바위의 한 종류이다. 그 이름은 표면의 특이한 무늬에서 따왔는데, 그것은 뱀의 피부를 닮았다고 한다. 수억 년 전에 지구의 맨틀 속 깊은 곳에서 형성되어, 이 바위는 점차 지구의 표

면으로 뚫고 나왔다. 사문석은 미끄러운 질감을 갖고 있으며 많은 양의 철, 마그네슘과 물로 구성된다. 사문석은 주로 대리석 같은 특성 때문에 수백 년 동안 건물을 짓는 재료로 역사적으로 사용되어 왔다. 예를 들어, Pennsylvania 대학교의 College Hall은 19세기 후반에 사문석으로 지어졌다. 그것은 현재 국가 사적지에 등재되어 있다. 초록, 노랑, 검정을 포함하는 아름다운 색깔들 때문에, 사문석은 또한 예술가들에 의해 조각품을 만드는 데 사용되며 때때로 준보석으로 잘린다.

구문해설

4행 Serpentinite / is a type of rock / [**that** is known for its unique appearance].
(주격 관계대명사절 / be known for: ~로 유명하다)

사문석은 / 바위의 한 종류이다 / 독특한 외관으로 유명한

5행 Its name comes / from the unusual pattern on its surface, / [**which** is said to resemble the skin of a serpent].
(come from: ~에서 나오다, 유래하다 / 선행사 / 계속적 용법의 주격 관계대명사절)

그 이름은 따왔는데 / 표면의 특이한 무늬에서 / 뱀의 피부를 닮았다고 한다

6행 (Being) [**Formed** deep within Earth's mantle / hundreds of millions of years ago], / these rocks gradually found their way / [to the planet's surface].
(수동 분사구문(시간) / 수억의 / 부사구)

지구의 맨틀 속 깊은 곳에서 형성되어 / 수억 년 전에 / 이 바위는 점차 뚫고 나왔다 / 지구의 표면으로

9행 It has historically been used / as a material for constructing buildings / for hundreds of years, / mostly due to its marble-like characteristics.
(현재완료 수동태 / 전치사(~로써) / 동명사(전치사 for의 목적어) / ~ 때문에)

사문석은 역사적으로 사용되어 왔다 / 건물을 짓는 재료로 / 수백 년 동안 / 주로 대리석 같은 특성 때문에

11행 Because of its beautiful range of colors, / [**including** green, yellow and black], / serpentinite is also used by artists / to make sculptures / and is sometimes cut into gemstones.
(~ 때문에 / 현재분사구 / 현재 수동태 / to부정사 부사적 용법(목적) / 현재 수동태)

아름다운 색깔들 때문에 / 초록, 노랑, 검정을 포함하는 / 사문석은 또한 예술가들에 의해 사용되며 / 조각품을 만드는 데 / 때때로 준보석으로 잘린다

문제해설

주어진 글은 사문석으로 지어진 건물의 예를 소개하는 내용이므로, 역사적으로 수백 년 동안 사문석이 건물을 짓는 데 사용되어 왔다는 내용 뒤인 ⑤에 들어가는 것이 가장 적절하다.

내신·서술형 ②

'주로, 대개'라는 뜻을 나타내므로, ② mainly가 적절하다.
① 드물게 ③ 특히 ④ 근본적으로 ⑤ 이상하게

3 ④

지문해석

페루 산맥에 거의 해발 2,500m에 위치한 고대 잉카의 도시인 마추픽추는 그 아름다움뿐만 아니라 가파른 계단과 험준한 지형으로도 유명하다. Alvaro Silberstein은 2001년에 마추픽추를 방문했고, 두 번째로 다시 오는 것에 관심이 있었다. 그러나, 첫 번째 방문 후 차 사고로 인해 휠체어 신세를 지게 되어, 그는 오르는 것을 걱정했다. 그럼에도 불구하고, 그의 가족과 특별한 경량 휠체어의 도움으로, 그는 마침내 그 여행길에 다시 오를 수 있었다. 이런 경험 후에, 그는 휠체어로 접근 가능한 여행을 전문으로 하는 회사를 공동 설립했다. 오늘날, Silberstein의 회사는 여행자들에게 5개의 나라에서 40개의 다른 여행을 제공한다. 신체적으로 장애가 있는 사람들은 보통 다른 여행자들과 같은 기회를 받지 못하기 때문에, 그 회사는 이러한 여행이 그의 모든 고객들에게 가능하게 하기 위해 할 수 있는 모든 것을 한다.

구문해설

1행 The ancient Inca city of Machu Picchu, / (which is) [**located** nearly 2,500 meters above sea level / in the mountains of Peru], / is known **not only** for its beauty / **but also** for its steep steps and rugged terrain.
(과거분사구 / 해발 / be known for: ~로 유명하다 / not only A but also B: A뿐만 아니라 B도)

고대 잉카의 도시인 마추픽추는 / 거의 해발 2,500m에 위치한 / 페루 산맥에 / 그 아름다움으로 유명할 뿐만 아니라 / 가파른 계단과 험준한 지형으로도 유명하다

3행 Alvaro Silberstein visited Machu Picchu in 2001 / and was interested in returning / for a second time.
(V1 / V2 be interested in: ~에 관심이 있다)

Alvaro Silberstein은 2001년에 마추픽추를 방문했다 / 그리고 다시 오는 것에 관심이 있었다 / 두 번째로

4행 However, / a car accident after his first visit / had left him in a wheelchair, / so he was concerned about making the climb.
(S / 전치사구 / 과거완료 / be concerned about: ~을 걱정하다 / 동명사(전치사 about의 목적어))

그러나 / 첫 번째 방문 후 차 사고로 인해 / 휠체어 신세를 지게 되었다 / 그래서 그는 오르는 것을 걱정했다

10행 [**As** people with physical disabilities / are not usually given / the same opportunities as other travelers], / the company does everything (that) [it can (do)] / [to make these trips possible for all of its clients].
(<이유>의 부사절 / 간접목적어를 주어로 한 수동태 / 수동태(4형식) / 목적격 관계대명사절 / to부정사 부사적 용법(목적))

신체적으로 장애가 있는 사람들은 / 보통 받지 못하기 때문에 / 다른 여행자들과 같은 기회를 / 그 회사는 할 수 있는 모든 것을 한다 / 이러한 여행이 그의 모든 고객들에게 가능하게 하기 위해

문제해설

그는 휠체어로 접근 가능한 여행을 전문으로 하는 회사를 설립했다고 했으므로 ④가 글의 내용과 일치하지 않는다.

내신·서술형 concern
'누군가를 걱정시키거나 속상하게 하다'를 뜻하는 단어는 '걱정시키다'라는 뜻의 concern이다.

20 조동사

구문 연습

» p. 97

1 공룡은 지구상에 살았었지만 멸종했다.
2 그는 아침 식사로 딸기와 버섯을 먹었을지도 모른다.
3 그런 열정이 없었다면, 그들은 아무런 성과도 거두지 못했을 것이다.
4 우리는 택시를 타고 경기장으로 갈 수 있었지만, 나는 그곳까지 차라리 걸어가겠다.
5 오랜 가뭄으로 인해 많은 사람들이 물 부족으로 고통 받고 있음이 틀림없다.
6 ought not to touch
7 shouldn't have passed
8 had better not put off
9 must have forgotten
10 have returned
이유: 과거(yesterday)에 해야 할 일을 하지 못한 것에 대한 아쉬움을 나타내야 하므로 have returned를 써야 한다.
해석 너는 어제 도서관에 그 책을 반납했어야 했다.
11 used to observe
이유: 의미상 과거의 습관을 나타내야 하므로 조동사 used to를 써야 한다.
해석 나는 어릴 때 밤에 별을 관찰하곤 했다.

구문 적용 독해

» pp. 98~99

1② 2③ 3①
내신·서술형
1③ 2 impact crater(s), ocean 3 Passive, Active

1 ②

지문해석
영국의 달리기 선수 Roger Bannister는 4분 내로 1마일을 달리는 첫 번째 선수가 되겠다는 인상적인 목표를 세웠다. Bannister는 신경과 의사가 되기 위해 공부 중이었기 때문에, 훈련할 충분한 시간이 없었다. 그는 계획을 생각하는 편이 좋다는 것을 알았다. 그는 자신의 몸을 단련하고 자신감과 비전에 의지하기 위해 매일 30분짜리 간단한 일과를 이용하기로 결심했다. Bannister는 눈을 감고 레이스의 모든 순간을 마음에 떠올리곤 했다. 그는 결승선을 보고, 환호하는 군중의 소리를 듣고, 역사를 만드는 자신을 느낄 수 있었다. 시도했지만 실패했었던 다른 선수들과 Bannister를 구별시켜 준 것은 그는 진정으로 자신이 해낼 수 있다고 믿은 것이었다. 그는 심지어 종이 조각에 3분 58초라고 적고 그것을 레이스 전에 한쪽 신발에 넣기도 했다. 1954년 5월 6일, Bannister의 모든 정신적 준비는 결실을 맺었다. 그는 3분 59.4초로 1마일을 달려 세계 기록을 세웠다.

구문해설

3행 He knew / (that) he had better (~하는 게 좋겠다) / come up with a plan.
그는 알았다 / 좋다는 것을 / 계획을 생각하는 편이

6행 Bannister / used to (~하곤 했다(과거의 습관)) / close his eyes and / visualize every moment (every+단수명사) of the race.
Bannister는 / 했다 / 눈을 감고 / 레이스의 모든 순간을 마음에 떠올리곤

6행 He could (조동사) see (V1) the finish line, / hear (V2) the cheering crowd, / and feel (V3) himself making history.
그는 결승선을 보고 / 환호하는 군중의 소리를 듣고 / 역사를 만드는 자신을 느낄 수 있었다

8행 [**What** separated Bannister / from the other runners / {**who** had tried and failed}] / was [**that** he truly believed / {(that) he could do it}].
S(선행사를 포함한 관계대명사절) / 주격 관계대명사절 / 과거완료 / V / 주격보어(명사절) / believed의 목적어(명사절)
Bannister를 구별시켜 준 것은 / 다른 선수들과 / 시도했지만 실패했었던 / 그는 진정으로 믿은 것이었다 / 자신이 해낼 수 있다고

9행 He would (~하곤 했다(과거의 습관)) even / write "3:58" on a piece of paper / and place it in his shoe before (전치사(~ 전에)) races.
그는 심지어 했다 / 종이 조각에 3분 58초라고 적고 / 그것을 레이스 전에 한쪽 신발에 넣기도

문제해설
신경과 의사가 되기 위해 공부를 하느라 연습할 시간이 부족했다고 했으므로 전문의가 아니라 학생이었으므로 ②가 글의 내용과 일치하지 않는다.

내신·서술형 ③
pay off는 '성과를 올리다, 성공하다'의 뜻을 나타내므로 succeeded와 바꿔 쓸 수 있다.
① 끝냈다 ② 제공했다 ④ 도전했다 ⑤ 사라졌다

2 ③

지문해석
화성은 현재 춥고 건조하지만, 과학자들은 먼 옛날에는 화성에 물이 있었다고 믿는다. 화성 표면에서 발견된 충돌 분화구들에 대한 최근의 연구는

큰 운석이 고대 바다에 충돌했을 때 그것이 '메가 쓰나미'를 경험했을지도 모른다고 말한다. Lomonosov라고 알려진 충돌 분화구는 지구의 해양 충돌 지점들과 매우 닮았다. 연구원들은 Lomonosov 분화구가 화성의 표면을 가로질렀을 '메가 쓰나미'가 발생한 곳이었음에 틀림없다고 믿는다. (메가 쓰나미 파도의 속도는 파도의 근원으로부터의 거리보다는 오히려 바다의 깊이에 달려 있다.) 또한 그들은 분화구의 남쪽 테두리에 있는 구멍이 그 방향으로부터 바다의 물이 급격히 돌아들어간 결과였을 수 있다고 추정한다. 물론 이것은 이론일 뿐인데, 과학자들은 여전히 화성에 한때 바다가 있었다는 증거를 발견하지 못했기 때문이다. 그러나 만약 그랬다면, Lomonosov 분화구는 바다가 위치했던 곳이었을 수 있다.

구문해설

2행 A recent study on the impact craters / [**found** on the surface of Mars] / suggests / [it may have experienced a "mega-tsunami" / {**when** a large meteor crashed into its ancient ocean}].
(S / 과거분사구 / V / (that) suggests의 목적어(명사절) / may have p.p.: ~했을지도 모른다 / <시간>의 부사절)

충돌 분화구들에 대한 최근의 연구는 / 화성 표면에서 발견된 / 말한다 / 그것이 '메가 쓰나미'를 경험했을지도 모른다 / 큰 운석이 고대 바다에 충돌했을 때

5행 The researchers believe / [**that** the Lomonosov crater must have been the place / {**where** the "mega-tsunami," / (**which** would have plowed across the surface of Mars), / originated}].
(believe의 목적어(명사절) / must have p.p.: ~했음이 틀림없다 / 관계부사절 / 선행사 / 계속적 용법의 주격 관계대명사절 / would have p.p.: ~이었을 것이다 / V)

연구원들은 믿는다 / Lomonosov 분화구가 곳이었음에 틀림없다고 / '메가 쓰나미'가 / 화성의 표면을 가로질렀을 / 발생한

9행 They also suspect / [**that** a hole in the southern rim of the crater / could have been the result / of the ocean's water {**rushing** back / from that direction}].
(suspect의 목적어(명사절) / could have p.p.: ~했을 수도 있다 / 현재분사구)

또한 그들은 추정한다 / 분화구의 남쪽 테두리에 있는 구멍이 / 결과였을 수 있다고 / 바다의 물이 급격히 돌아들어간 / 그 방향으로부터

문제해설

지금은 춥고 건조한 화성이지만 충돌 분화구 연구를 통해 과거에는 바다가 있었을 것이라고 추정하는 글이므로, 쓰나미 파도의 속도가 바다의 깊이와 관련이 있다는 ③은 글의 흐름과 관계가 없다.

내신·서술형 impact crater(s), ocean

본문은 충돌 분화구에 대한 연구가 화성에 오래 전에는 바다가 있었다는 증거가 될 수 있다는 내용을 다루고 있으므로, '화성의 충돌 분화구에 관한 최근의 연구는 오래 전에 그 행성에 바다가 있었다는 증거를 제공할 수 있다.'가 주제로 적절하다.

3 ①

지문해석

사람들이 "그건 제 잘못이 아니에요,"라고 말할 때, 그것은 대개 그들의 잘못이다. 예를 들어, 여러분은 "제가 늦은 건 제 잘못이 아니에요. 교통량이 많았어요."라고 말할 수 있다. 하지만, 여러분은 교통량에 대한 계획을 세웠어야 했다. 또 다른 상투적인 표현은 "저는 할 수 없어요."이다. 대부분의 경우에는, 여러분은 실제로 할 수 있다. 여러분은 단지 애쓰고 싶지 않을 뿐이다. 이 두 가지 표현 모두가 수동적인 사고방식의 예이다. 수동적인 사고방식을 가진 사람들은 인생이 자신이 어찌할 수 없는 것이라고 믿는다. 소극적인 언어를 사용하는 것은 여러분이 수동적인 사고방식을 발전시키도록 유발할 수 있다. 여러분은 자신이 하는 말을 믿고 아무것도 자신의 책임이 아니라고 확신하기 시작한다. 이런 식으로 느끼는 것은 여러분이 통제할 수 없기 때문에, 여러분이 변화할 필요가 없다는 것을 의미한다. 반면에, 능동적인 사고방식은 여러분이 자신의 실패에 대한 주인 의식을 갖고 자신의 인생에 대해 정말로 통제할 수 있다는 것을 인식한다. 여러분이 수동적인 사고방식을 갖고 있다면, 그것을 능동적인 것으로 변화시켜야만 한다.

구문해설

2행 However, / you should have planned / for traffic.
(should have p.p.: ~했어야 했다)

하지만, / 여러분은 계획을 세웠어야 했다 / 교통량에 대한

6행 Using passive language / can cause you to develop / a passive mindset.
(S(동명사구) / cause+목적어+목적격보어(to부정사): ~가 …하도록 유발하다)

소극적인 언어를 사용하는 것은 / 여러분이 발전시키도록 유발할 수 있다 / 수동적인 사고방식을

7행 You start / to believe the words [(that) you say] / and to convince yourself / [**that** nothing is your responsibility].
(접속사 and로 병렬 연결된 to부정사 / 목적격 관계대명사절 / convince의 목적어(명사절))

여러분은 시작한다 / 자신이 하는 말을 믿고 / 확신하기 / 아무것도 자신의 책임이 아니라고

8행 Feeling this way / means [**that** you don't have to make changes, / {**since** you're not in control}].
(S(동명사구) / ~할 필요가 없다 / means의 목적어(명사절) / <이유>의 부사절)

이런 식으로 느끼는 것은 / 여러분이 변화할 필요가 없다는 것을 의미한다 / 여러분이 통제할 수 없기 때문에

문제해설

수동적인 사고방식을 가진 사람들은 인생을 자신이 통제하지 못한다고 믿으므로 변화할 필요가 없다고 여기는 반면, 능동적인 사고방식은 실패에 대한 주인 의식을 갖게 하고 자신의 인생을 통제할 수 있게 한다고 하면서 능동적인 사고방식을 가질 것을 권하고 있다. 그러므로 빈칸에 들어갈 말로 가장 적절한 것은 ① '책임'이다.
② 규율 ③ 유효성 ④ 칭찬 ⑤ 자격

내신·서술형 Passive, Active

수동적인 사고방식을 능동적인 사고방식으로 바꾸라는 내용이므로 글의 제목으로는 '수동적인 것에서 능동적인 것으로 너의 사고방식을 바꾸라'가 적절하다.

21 가정법 (1)

구문 연습

» p. 101

1 너와 함께 전자 상가에 갔었다면 좋을 텐데.
2 많은 사람들이 마치 그 부상당한 여성을 보지 못했던 것처럼 지나쳤다.
3 그 단체가 더 많은 돈을 모금한다면, 어려움에 처한 더 많은 아이들을 도울 수 있을 텐데.
4 그 신약이 더 일찍 개발되었다면, 많은 사람들이 살 수 있었을 텐데.
5 많은 회사가 마치 경쟁자가 존재하지 않는 것처럼 제품을 홍보한다.
6 you were more confident
7 might find an unexpected answer
8 could have caught the thief
9 would have never seen it
10 ③ were sick → had been sick
해석 그녀는 너무 야위어서 마치 오랫동안 아팠던 것처럼 보였다.
해설 주절보다 앞선 시점의 일을 반대로 가정하고 있으므로 「as if+주어+had p.p.」의 형태로 써야 한다.
11 ① started → had started
해석 만약 그들이 더 일찍 공사를 시작했다면, 그것은 더 빨리 완성될 수 있었을 텐데.
해설 과거 사실을 반대로 가정하는 「if+주어+had p.p., 주어+조동사의 과거형+have p.p.」 형태의 가정법 과거완료로 써야 한다.

구문 적용 독해

» pp. 102~103

1 ④ 2 ③ 3 ④

내신·서술형
1 the highway was covered in a layer of invisible ice
2 this had not 3 ②

1 ④

지문해석

Britney가 우리 집 앞에 차를 세웠고, 나는 조수석에 탔다. 우리는 앞으로 차를 타고 갈 것이어서, 나는 자리를 잡고는 창밖을 바라봤다. 볼 것이 전혀 없었다 — 단지 빈 들판만이 계속 펼쳐져 있었다. 약 20분쯤 후에, 우리는 고속 도로에 들어섰고, Britney는 경쟁에 통과하려고 애쓰는 경주용 운전자처럼 가속 페달을 밟았다. 몇 분 지나서, 나는 고속 도로가 눈에 안 보이는 얼음층으로 덮여 있는 것을 알았다. Britney는 여전히 너무 빠르게 운전하고 있었고, 내가 미처 경고하기 전에 차가 왼쪽으로 미끄러지기 시작했다. Britney는 즉시 브레이크를 세게 밟았고, 그것은 상황을 더욱 악화시켰을 뿐이었다. 그녀는 그 순간에 비명을 질렀고, 완전히 차에 대한 제어를 잃었으며, 차가 거의 시속 120km의 속도로 고속 도로를 나는 듯이 움직이며 돌기 시작했다. 우리 둘 다 할 수 있는 것이 아무것도 없었다.

구문해설

4행 After about 20 minutes, / we came to the highway, / and Britney hit the accelerator / [**as if** she **were** a race car driver / {**trying** to pass the competition}].
(After: 전치사 / as if 가정법 과거 / 현재분사구)
약 20분쯤 후에 / 우리는 고속도로에 들어섰다 / 그리고 Britney는 가속 페달을 밟았다 / 마치 경주용 운전자처럼 / 경쟁에 통과하려고 애쓰는

8행 Britney immediately slammed on the brakes, / [**which** only made things worse].
(선행사 / 계속적 용법의 주격 관계대명사절)
Britney는 즉시 브레이크를 세게 밟았다 / 그것은 상황을 더욱 악화시킬 뿐이었다

9행 She was screaming at this point, / [**having** completely **lost** control of the car], / [**which** began to spin / {**as** it flew down the highway / at nearly 120 kilometers per hour}].
(완료 분사구문(부대상황) / 선행사 / 계속적 용법의 주격 관계대명사 / <시간>의 부사절(~하면서) / 시속(= km/h))
그녀는 그 순간에 비명을 질렀고 / 완전히 차에 대한 제어를 잃었으며 / 차가 돌기 시작했다 / 고속도로를 나는 듯이 움직였다 / 거의 시속 120km의 속도로

문제해설

④ 처음에 차를 탔을 때는 아무것도 구경할 것이 없어서 '지루한' 기분이었다가 차가 고속 도로에서 미끄러져 위험에 처한 상황에서는 '두려웠을' 것이다.
① 불안한 → 편안한 ② 감사하는 → 후회하는
③ 실망한 → 흥분한 ⑤ 기쁜 → 좌절한

내신·서술형 the highway was covered in a layer of invisible ice
필자는 도로가 보이지 않는 얼음으로 뒤덮여 있는 것을 보았지만 Britney는 보지 못한 채 운전을 했고, 이후 차가 미끄러지기 시작했다고 했다.

2 ③

지문해석

소행성은 태양계를 통과해 움직이는 커다란 암석들이다. 몇몇은 지름이 불과 1미터이지만, 다른 것들은 너무 커서 작은 행성으로 간주된다. 수백만 개의 소행성이 있으며, 많은 것들이 지구 가까이 지나간다. 커다란 소행성 하나가 지구와 충돌하면 어떤 영향이 있을까? 이것은 NASA가 답하고자 하는 질문이다. 그들은 학회를 열고 주요 소행성 충돌의 영향을 모의 실험을 하기 위해 연습을 행하고 있다. 다행히도, 그들은 가까운 시기에 이것이 발생할 가능성은 매우 낮은 것으로 추정한다. 하지만, 그것은 광범위한 파괴를 일으킬 수 있다. 그러한 재앙적인 소행성 충돌이 6천 5백만 년 전에 발생했다. 그것은 너무 많은 습기와 먼지가 대기 중에 유입되어 햇빛의 상당 부분이 차단되게 하였으며, 전 세계의 기온을 낮추고 공룡의 멸망을 유발했다고 여겨진다. 이런 일이 발생하지 않았더라면, 공룡은 멸

종되지 않았을 것이다.

구문해설

4행 What would be the effects / of a large one(= asteroid) / [colliding with Earth]? (현재분사구)

어떤 영향이 있을까 / 커다란 소행성 하나가 / 지구와 충돌하면

9행 It(가주어) is believed(~라고 믿어지다) / [that(진주어(that절)) it caused so much moisture and dust to enter(caused의 목적격보어) the atmosphere / that(<결과>의 부사절) much of the sun's light was blocked(수동태)], / [lowering(분사구문(부대상황)) temperatures worldwide / and causing the extinction of the dinosaurs]. (so ~ that ...: 너무 ~해서 …하다 / 접속사 and로 분사구문 lowering ~과 causing ~이 병렬 연결됨)

여겨진다 / 그것은 너무 많은 습기와 먼지가 대기 중에 유입되어 / 햇빛의 상당 부분이 차단되게 하였으며 / 전 세계의 기온을 낮추고 / 공룡의 멸망을 유발했다고

12행 **Had** this **not occurred**, / dinosaurs **wouldn't have been** extinct. (가정법 과거완료(if가 생략되면서 주어와 동사가 도치됨))

이것이 발생하지 않았더라면 / 공룡은 멸종되지 않았을 것이다

문제해설

③ '주요 소행성 충돌의 영향을 모의 실험하기 위해' 연습한다는 것이 자연스러우므로 목적을 나타내는 부사적 용법의 to부정사가 적절하다. 또한 simulated 다음에 목적어가 나오는 것으로 보아 과거분사 형태는 부적절하므로 to부정사 to simulate로 고쳐야 한다.

① '태양계를 통과해 움직이는 암석'이라는 뜻으로 앞의 명사를 수식해 주는 현재분사의 쓰임은 적절하다.

② many는 앞에 나온 millions of asteroids를 뜻한다.

④ 형용사 low를 수식하는 부사 extremely의 쓰임은 적절하다.

⑤「so ~ that ...」은 '너무 ~해서 …하다'라는 뜻의 접속사 구문으로 so 뒤에 형용사 much가 있으므로 so의 쓰임은 적절하다.

내신·서술형 this had not

가정법 과거완료에서 접속사 If가 생략되고 주어와 동사가 도치되면서 조동사(had)가 문두로 나온 문장이므로, If로 시작하면 원래대로「주어+조동사+부정어」의 어순이 되어야 한다.

3 ④

지문해석

내 남자친구 Peter는 한 가지만 제외하고는 모든 면에서 완벽했는데, 그는 종종 늦었고 나를 계속 기다리게 했다. 그가 그렇게 할 때마다, 나는 친구들에게 그에 대해서 불평했다. 나는 그가 바뀌기를 바랐지만, 그것에 관해 실제로는 아무것도 하지 않았다. 마침내, 내가 더 이상 참을 수 없게 되었을 때, 나는 마음을 털어 놓았다. Peter는 즉시 사과하면서 "그게 널 괴롭히는 줄 몰랐어. 나에게 진작 말해 주었으면 좋을 텐데."라고 말했다. 단지 우리가 시간에 관해 다른 태도를 갖고 있음이 밝혀졌다. 나는 지나치게 시간을 엄수하였고, Peter는 일정보다 몇 분 늦는 것에 사실상 편하게 생각했다. 그는 그것이 나를 괴롭히고 있다는 것을 전혀 몰랐다. 결국, 문제는 내가 어떻게 느꼈는지를 그가 알게 하는 것 대신에 나는 Peter가 내 마음을 읽어 주기를 기대했다는 것이었다. 문제를 처리하는 책임은 내 손에 달려 있었다.

구문해설

3행 [I wished / he would change], / but I didn't actually do anything about it. (과거 시제 동일 / I wish 가정법 과거)

나는 바랐다 / 그가 바뀌기를 / 그러나 그것에 관해 실제로는 아무것도 하지 않았다

6행 I wish / you would have told me sooner. (I wish 가정법 과거완료 / 주절보다 앞선 시제)

좋을 텐데 / 나에게 진작 말해 주었으면

9행 Ultimately, / the problem was / [**that** I was expecting Peter to read my mind / rather than letting him know / {**how** I felt}]. (주격보어(명사절) / expect+목적어+목적격보어(to부정사): ~가 …하기를 기대하다 / let+목적어+목적격보어(동사원형): ~가 …하게 하다 / know의 목적어(의문사절))

결국 / 문제는 ~이었다 / 나는 Peter가 내 마음을 읽어 주기를 기대했다 / 그가 알게 하는 것 대신에 / 내가 어떻게 느꼈는지를

➔「A rather than B」는 'B라기보다는 차라리 A'라는 뜻의 구문이며 A와 B 자리에 과거진행형 was expecting ~과 (was) letting ~이 병렬 연결되었다.

문제해설

상대방에게 불만이 있을 때는 그것을 상대방이 알아주기를 기대하기 보다는 상대방이 알 수 있도록 적극적으로 표현하라는 내용이므로 필자의 주장으로 가장 적절한 것은 ④이다.

내신·서술형 ②

stand는 '참다, 견디다'의 의미로 endure와 바꿔 쓸 수 있다.

① 벌하다 ③ 불평하다 ④ 부러워하다 ⑤ 탐구하다

22 가정법 (2)

구문 연습

» p. 105

1 그가 단순한 지시 사항만 따랐더라도.

2 내 차가 도로 위에서 고장 나지 않았다면, 나는 지금쯤 너와 함께 있을 텐데.

3 스마트폰이 없다면, 많은 사람들이 세상으로부터 고립된 느낌을 받을 텐데.

4 학생들이 도서관에 온다. 그렇지 않다면, 그들 중 많은 학생들이 텅 빈 집으로 갈 텐데.

5 사회적 유대가 없었더라면, 초기 인류는 환경에 적응할 수 없었을 텐데.

6 could survive

7 had not been for

8 had bought

9 would[could] have achieved nothing

10 would not be
이유: 조건절은 과거(yesterday)를 나타내고 주절은 현재(now)를 나타내는 혼합 가정법이 되어야 하므로 주절은 가정법 과거가 알맞다.
해석 어제 비가 오지 않았었더라면, 지금 길이 질퍽질퍽하지 않을 텐데.

11 Without
이유: 주절이 가정법 과거이므로 if절에도 가정법 과거인 If it were not for가 와야 하며, 이는 Without이나 But for로 바꿔 쓸 수 있다.
해석 만약 상상력과 창의력이 없다면, 오늘날 우리가 가진 놀라운 기술 혁신들 모두를 갖지 못할 텐데.

구문 적용 독해

» pp. 106~107

1 ① 2 ④ 3 ④

내신·서술형
1 cleaning, adding (special) chemicals 2 without
3 교체 비용을 지불하는 것

1 ①

지문해석

이번 여름에 동네에서 가장 깨끗한 수영장을 원하시나요? 그러시다면 Pool Masters가 완벽한 해결책입니다. 저희는 수영장 관리의 세 가지 C, 즉, 순환(circulation), 청소(cleaning), 그리고 화학 물질(chemicals)을 사용합니다. 순환은 첫 단계이고, 그것은 다른 단계들에도 중요한 역할을 합니다. 청소가 그 다음인데, 순환은 우리로 하여금 수영장의 물을 효과적으로 여과할 수 있게 해 주기 때문입니다. 마지막 단계는 저희의 특별한 화학 물질을 추가하는 것인데, 순환이 이것을 수영장에 퍼지게 해 줍니다. 그것은 마치 한 컵의 커피에 우유를 휘젓는 것과 같습니다! 적절한 수영장 관리를 위해서는 세 단계 모두가 필요하지만, 순환이 없다면 다른 두 단계는 불가능할 것입니다. 저희는 다가오는 여름 휴가 시즌을 위해 청소 서비스를 30% 할인하여 제공하고 있습니다. 관심이 있으시면, 저희 웹 사이트 www.poolmasters.com을 방문해 주세요. 이 기회를 놓치지 마세요!

구문해설

4행 Cleaning comes next, / [**as** circulation allows us to efficiently filter / your pool's water].
(<이유>의 부사절 / allow+목적어+목적격보어(to부정사): ~로 하여금 …하게 해 주다)
청소가 그 다음인데 / 순환은 우리로 하여금 효과적으로 여과할 수 있게 해 주기 때문입니다 / 수영장의 물을

5행 The final step is [**adding** our special chemicals], / [**which** circulation spreads throughout the pool].
(주격보어(동명사구) / 선행사 / 계속적 용법의 목적격 관계대명사절)
마지막 단계는 저희의 특별한 화학 물질을 추가하는 것인데 / 순환이 이것을 수영장에 퍼지게 해 줍니다

7행 All three steps are required / for proper pool care, / but **without** circulation, / the other two steps **would be** impossible.
(수동태 / ~을 위해(목적) / = if it were not for(가정법 과거) / 3단계 중에서 1개를 제외한 나머지 2단계)
세 단계 모두가 필요하다 / 적절한 수영장 관리를 위해서 / 그러나 순환이 없다면 / 다른 두 단계는 불가능할 것입니다

문제해설

세 가지 관리 방법을 통한 수영장 청소 서비스를 할인된 가격에 제공하고 있으니 웹 사이트를 방문해 달라는 내용이므로 글의 목적으로 적절한 것은 ①이다.

내신·서술형 cleaning, adding (special) chemicals
세 가지 C에 대해서 소개하고 있는데, 순환(circulation)이 없다면 나머지 두 개의 단계도 불가능하다고 했으므로, 다른 두 가지는 청소(cleaning)와 특별한 화학 물질을 추가하는 것(adding (special) chemicals)이다.

2 ④

지문해석

만약 인간이 존재하지 않았더라면, 세계의 대부분은 세렝게티와 닮았을 것이다. 사자들은 북아메리카에 살 것이고, 코끼리들은 유럽을 걸어 다닐 것이다. 한 연구의 일환으로, 연구원들은 인간의 영향이 없다면 포유류 종들의 분포가 어떠할지를 분석했다. 이전의 연구는 기후 변화가 아니라 인간의 확산이 지난 빙하기 동안의 대량 멸종의 원인이었음을 시사했다. 새로운 분석을 통해, 연구원들은 사하라 사막 이남의 아프리카가 실제로는 지구상에서 많은 다양성을 갖고 있고 몸집이 큰 포유류 개체수가 상당히 많은 유일한 곳이라고 결론지었다. 그 이유는 그곳의 환경이 특별히 불리하기(→ 유리하기) 때문은 아니다. 그것은 인간의 활동이 제한되었고 아직 대부분의 포유류 종을 쓸어버리지 않았다는 사실 때문이다. 인간이 이끌어낸 다양성의 손실과 멸종이 없다면, 세계의 대부분은 대형 포유류의 터전이 될 것이다.

구문해설

1행 If humans **had** never **existed**, / most of the world / **would resemble** the Serengeti.
(혼합 가정법 / 가정법 과거완료(과거 사실에 반대) / 가정법 과거(현재 사실에 반대))
만약 인간이 존재하지 않았더라면 / 세계의 대부분은 / 세렝게티와 닮았을 것이다
➔ resemble은 '~와 닮다'로 해석되지만 타동사이기 때문에 전치사 없이 목적어를 써야 한다.

3행 As part of a study, / researchers analyzed / [**what** the distribution of mammal species **would look** like / **if it were not for** the impact of humans].
(전치사(~로서) / what ~ like = how / analyzed의 목적어(의문사절) / 가정법 과거 / = without[but for])
한 연구의 일환으로 / 연구원들은 분석했다 / 포유류 종의 분포가 어땠을지를 / 인간의 영향이 없다면

9행 The reason / is not [**because** the environment there is particularly favorable]; / it is due to the fact / [**that** human activities are limited / and have not yet wiped out / most mammal species].
(주격보어 / sub-Saharan Africa / = because of / 동격 / 현재완료(완료))
그 이유는 / 그곳의 환경이 특별히 유리하기 때문은 아니다 / 그것은 사실 때문이다 / 인간의 활동이 제한되었고 / 아직 쓸어버리지 않았다는 / 대부분의 포유류 종을

11행 Large parts of the world / **would be** home to large mammals / **if it were not for** human-driven range losses and extinctions.
(가정법 과거 / = without[but for])
세계의 대부분은 / 대형 포유류의 터전이 될 것이다 / 인간이 이끌어낸 다양성의 손실과 멸종이 없다면

문제해설

사하라 사막 이남의 아프리카가 많은 다양성을 갖고 있고 큰 포유류가 많은 이유는 인간의 활동이 제한되었고, 아직 대부분의 포유류 종이 없어지지 않았기 때문이라고 했으므로 특별히 그곳의 환경이 '유리해서'가 아니라는 내용이 적절하므로, ④의 unfavorable을 favorable로 바꿔야 자연스럽다.

내신·서술형 without

if it were not for는 without이나 but for와 바꿔 쓸 수 있다.

---

3 ④

지문해석

Haverford 대학 도서관

Haverford 대학 도서관에 오신 것을 환영합니다! 캠퍼스 북서쪽 모퉁이에 위치해 있으며, 이용할 수 있는 3만 권 이상의 책들이 있고, 매일 오전 8시부터 오후 8시까지 문을 엽니다.

도서관 이용법 – 책을 빌리려면 여러분의 학생증이 필요합니다. 다른 사람이 그 품목을 요청하지 않는 한, 모든 품목에 대한 일반적인 대출 기간은 한 달까지입니다. 일단 다른 학생이 그 책에 대해 요청을 하면, 여러분은 그것을 5일 안에 도서관에 반납해야 합니다.

도서 분실 – 책을 분실하면, 여러분은 교체 비용을 지불해야 합니다. 그렇게 하지 않으면 모든 도서관 특권이 상실됩니다. 만약 그 책을 3개월 안에 좋은 상태로 찾아낸다면, 여러분의 돈은 환불될 것입니다.

도서 손상 – 손상되어 반환된 책도 역시 교체되어야 합니다. 분실 도서와 마찬가지로, 여러분이 교체 비용을 책임지게 됩니다.

구문해설

5행 The normal loan period / for all items / is up to a month, / provided that no one else requests them.
(~까지 / = if(~한다는 조건으로) / = items)
일반적인 대출 기간은 / 모든 품목에 대한 / 한 달까지입니다 / 다른 사람이 그 품목들을 요청하지 않는 한

9행 [**If** you **lose** a book], / you **will** be required / to pay for the cost of a replacement.
(미래 수동태 / <조건>의 부사절(조건의 부사절에서는 현재가 미래를 대신함))
책을 분실하면 / 여러분은 요구됩니다 / 교체 비용을 지불하는 것이

13행 Books [**that** are returned damaged] / will also need to be replaced.
(S / 주격 관계대명사절 / 과거분사(~한 채로) / V / to부정사 수동태)
손상되어 반환된 책은 / 역시 교체되어야 합니다

14행 As with lost books, / you will be responsible for the replacement cost.
(전치사구(~와 같이, 마찬가지로) / ~에 책임이 있다)
분실 도서와 마찬가지로 / 여러분이 교체 비용을 책임지게 됩니다

문제해설

분실한 책을 좋은 상태로 3개월 안에 반납했을 때 지불한 교체 비용을 환불 받을 수 있다고 했으므로 ④는 글의 내용과 일치하지 않는다.

내신·서술형 교체 비용을 지불하는 것

to do so는 앞 문장의 to pay for the cost of a replacement를 가리킨다.

Chapter
6 중요 구문의 이해

23 비교 구문

구문 연습

>> p. 111

1 as complex as
암호를 만드는 것은 암호를 푸는 것만큼 복잡하다.

2 the brightest
시리우스는 특히 겨울 밤하늘에 가장 밝은 별이다.

3 faster than
인터넷은 우리 생활을 과거보다 훨씬 더 빠르게 만들었다.

4 The higher, the more difficult
너의 기대가 높으면 높을수록 만족하기는 더 어렵다.

5 no more than
그가 쓴 것은 긴 글의 간단한 요약에 지나지 않는다.

6 as clearly as possible

7 are used much more frequently than

8 is as convenient as the cell phone

9 was twice as much as that of

10 The more generous
이유: 뒤에 오는 the more와 호응하여 '~하면 할수록 더 ...한'의 의미를 나타내야 하므로 The more generous가 알맞다.
해석 네가 너그러울수록 너는 더 많은 것을 돌려 받는다.

11 much
이유: 「not so much A as B」는 'A라기보다 오히려 B'라는 뜻이므로 much가 알맞다.
해석 나는 가장 좋은 것은 보습제라기보다 오히려 선크림이라는 것을 알았다.

구문 적용 독해

>> pp. 112~113

1 ① 2 ④ 3 ②

내신·서술형
1 ② 2 project 3 ⑤

1 ①

지문해석

36개의 OECD 국가 중에서 성인의 절반 이상과 아동의 거의 6명 중 1명이 과체중이거나 비만이다. 비록 속도는 이전보다 더 느리지만 비만의 유행은 지난 5년 동안 계속해서 확산되고 있다. (비만한 부모를 둔 아이들은 비만해지기 더 쉽지만, 이것이 비만이 유전적인 특성이라는 것을 의미하지는 않는다.) 게다가, OECD 국가들에서 비만과 과체중 비율에 있어 커다란 차이를 볼 수 있다. 예를 들어, 미국의 비만율은 일본의 10배 가까이 높다. 많은 국가들은 현재 사람들이 더 건강한 선택을 하도록 장려하는 정책을 통해 이 문제를 해결하고 있다. 이러한 것들은 이해하기에 더 쉬운 식품 라벨, 대중 인식 캠페인, 특히 어린이를 대상으로 하는 건강에 좋지 않은 제품 광고에 대한 더 엄격한 규제를 포함한다.

구문해설

2행 The obesity epidemic / has continued to spread / over the past five years, / [**although** the pace is / slower than before].
(has continued: 현재완료(계속) / although: <양보>의 부사절 / slower than: 비교급+than: ~보다 더 …한)
비만의 유행은 / 계속해서 확산되고 있다 / 지난 5년 동안 / 비록 속도는 / 이전보다 더 느리지만

4행 Children with obese parents / are more likely to be obese themselves, / but this doesn't mean / [(that) obesity is an inherited trait].
(be likely+to-v: ~하기 쉽다 / themselves: 재귀대명사 강조 용법 / mean의 목적어(명사절))
비만한 부모를 둔 아이들은 / 비만해지기 더 쉽지만 / 이것이 의미하지는 않는다 / 비만이 유전적인 특성이라는 것을

7행 For example, / the obesity rate of the United States / is nearly 10 times as high as / that of Japan.
(배수사+as+원급+as: ~보다 –배 …한 / that = the obesity rate)
예를 들어 / 미국의 비만율은 / 10배 가까이 높다 / 일본의 그것보다

8행 Many countries are now addressing the issue / through policies / [**that** encourage people / to make healthier choices].
(address the issue: 문제를 해결하다 / 주격 관계대명사절 / encourage+목적어+목적격보어(to부정사): ~이 …하도록 장려하다)
많은 국가들은 현재 이 문제를 해결하고 있다 / 정책을 통해 / 사람들을 장려하는 / 더 건강한 선택을 하도록

문제해설

OECD 국가에 있어서 비만에 대한 개괄 및 비만 예방을 위한 여러 정책들에 관한 글이므로, 비만의 유전적 특성에 대해 서술하는 ①은 글의 흐름과 관계가 없다.

내신·서술형 ②

본문의 address는 ② '사건이나 문제를 다루다'의 뜻으로 쓰였다.
① 직접 소통하다
③ 포장물에 배달 위치를 쓰다
④ 한 무리의 사람들에게 공식적인 연설을 하다
⑤ 누군가에게 무언가를 말하다

2 ④

지문해석

스코틀랜드 해변에서 20킬로미터 떨어진 곳에 물에 잠긴 암초 위에 위치

한 Bell Rock 등대는 이런 종류 중 가장 오래된 등대이다. 이것은 Robert Stevenson이라는 민간 공학자에 의해 지어졌다. 몇 척의 배가 암초에 충돌한 이후, 그는 1799년 등대에 관한 아이디어를 제안했다. 하지만 산출된 건설 비용 때문에 그의 제안은 거절당했다. 1804년 HMS York라는 이름의 전함이 그 암초에 충돌하여 침몰한 후 곧이어 Stevenson의 등대에 대한 작업이 시작되었다. 암초는 자주 파도 아래에 숨겨져 있기 때문에 등대를 짓는 것은 큰 난제였다. 구조물의 기반 작업은 오직 조류가 낮은 여름철 동안에만 할 수 있었다. 그럼에도 불구하고, 이 작업은 대 성공이었다. Bell Rock 등대는 여전히 서 있으며, 그 빛은 내륙에서 50킬로미터 이상 먼 곳에서도 보인다. 보기에 지지대도 없이 바다 위로 35미터 높이로 돌출되어 있는 이 등대는 오늘날 여전히 공학자들을 놀라게 한다.

구문해설

1행 [**Located** on a submerged reef / 20 kilometers off the coast of Scotland], / the Bell Rock Lighthouse is / the oldest lighthouse of its kind.
(Being) 수동 분사구문(부대상황) / off: ~에서 떨어져 / the+최상급+of: ~ 중에서 가장 …한

물에 잠긴 암초 위에 위치한 / 스코틀랜드 해변에서 20킬로미터 떨어진 곳에 / Bell Rock 등대는 / 이런 종류 중 가장 오래된 등대이다

7행 [**As** the reef is often hidden / below the ocean's waves], / building the lighthouse / was a great challenge.
As: <이유>의 부사절 / building the lighthouse: S(동명사구)–단수 취급 / was: V

암초는 자주 숨겨져 있기 때문에 / 파도 아래에 / 등대를 짓는 것은 / 큰 난제였다

8행 Work on the base of the structure / could only be done / during the summer months, [**when** the tide is low].
could only be done: 조동사 수동태 / the summer months: 선행사 / when: 계속적 용법의 관계부사절

구조물의 기반 작업은 / 오직 할 수 있었다 / 조류가 낮은 여름철 동안에

12행 [**Projecting** 35 meters out of the sea, / apparently without support], / it still astonishes engineers today.
분사구문(부대상황) / it = the Bell Rock Lighthouse

바다 위로 35미터 높이로 돌출되어 있는 / 보기에 지지대도 없이 / 이 등대는 오늘날 여전히 공학자들을 놀라게 한다

문제해설

(A) 등대 건설을 제안했으나 비용 때문에 '거절당했다'는 내용이므로 rejected가 적절하다

(B) 암초가 파도에 잠겨 있어서 조수가 '낮은', 즉 암초가 드러나는 여름철 동안에만 작업할 수 있었다는 내용이므로 low가 적절하다.

(C) 보통 때는 등대의 기반이 파도에 숨겨 있어서 보기에는 지지대 '없이' 돌출되어 있는 모습이라는 내용이므로 without이 적절하다.

내신·서술형 project

1 구체적인 계획이나 설계

2 한 주제에 관한 연구

3 표면에서 튀어나오거나 위로 돌출되다

3 ②

지문해석

대부분의 사람들처럼, 여러분도 아마 집안에 벌레가 있는 것을 싫어할 것이다. 만약 여러분이 화학 약품을 가지고 이러한 벌레와 싸우기를 결심한다면, 여러분은 아마 결국 지고 말 것이다. 우리가 특정한 화학 약품으로 한 벌레 종을 공격할 때마다, 그것은 자연 선택을 통해 방어 기제를 진화시킴으로써 대응한다. 우리가 그것을 더 적극적으로 공격하면 할수록, 그것은 더 빠르게 진화한다. 사실, 벌레는 우리가 그것의 변화에 반응하는 것보다 훨씬 더 빠르게 진화할 수 있다. 독일 바퀴벌레를 예로 들어 보자. 그것은 세상에서 가장 혐오스러운 가정 해충 중 하나이다. 1948년에 사람들은 그것을 죽이기 위해 클로르덴이라고 불리는 매우 강한 독성의 화학 약품을 사용하기 시작했다. 1951년에 텍사스의 가정에서 수거된 바퀴벌레가 실험되었다. 연구자들은 그것들이 실험실의 바퀴벌레보다 클로르덴에 100배나 더 내성이 있는 것을 밝혀냈다. 계속해서 벌레를 박멸하고자 하는 우리의 시도는 단지 그것들을 우리의 살충제에 면역이 되게 하였다.

구문해설

3행 [**Each time** we attack an insect species / with a certain chemical], / it responds by evolving defenses / through natural selection.
Each time: <시간>의 부사절(~할 때마다) / it = an insect species / evolving: 전치사 by의 목적어(동명사)

우리가 한 벌레 종을 공격할 때마다 / 특정한 화학 약품으로 / 그것은 방어 기제를 진화시킴으로써 대응한다 / 자연 선택을 통해

4행 The more aggressively we attack it, / the faster it evolves.
the+비교급 ~, the+비교급 …: ~하면 할수록, 더 …하다

우리가 그것을 더 적극적으로 공격하면 할수록 / 그것은 더 빠르게 진화한다

7행 It is one / of the most hated household pests / in the world.
one of the+최상급+복수명사: 가장 ~한 …들 중 하나

그것은 하나이다 / 가장 혐오스러운 가정 해충 중 / 세상에서

9행 The researchers found / [**that** they were 100 times more resistant to chlordane / than laboratory cockroaches].
that: found의 목적어(명사절) / 100 times more ~ than: 배수사+비교급+than: ~보다 -배 …한

연구자들은 밝혀냈다 / 그것들이 클로르덴에 100배나 더 내성이 있는 것을 / 실험실의 바퀴벌레보다

11행 Again and again, / our attempts to eliminate insects / have simply made them immune to our pesticides.
to eliminate: to부정사 형용사적 용법 / made them immune: 5형식 동사(made)+목적어+목적격보어(형용사)

계속해서 / 벌레를 박멸하고자 하는 우리의 시도는 / 단지 그것들을 우리의 살충제에 면역이 되게 하였다

문제해설

화학 약품을 가지고 벌레를 죽이고자 시도한다면, 단지 그 벌레의 내성만 키워 주게 된다는 내용이다. 그러므로 빈칸에 들어갈 말로 가장 적절한 것은 ② '그것들을 우리의 살충제에 면역이 되게 하였다'이다.
① 대신 다른 생물을 죽였다
③ 한 장소에서 다른 장소로 그것들을 밀어냈다
④ 다른 종이 그 자리를 차지하도록 했다
⑤ 인간들을 예상치 못한 방식으로 진화하도록 야기했다

내신·서술형 ⑤

'훨씬'의 의미로 비교급을 강조하는 표현으로는 much, still, far, even, a lot이 있다. very는 원급을 강조한다.

24 분사구문

구문 연습

» p. 115

1 Sitting in high places
높은 곳에 앉아 있을 때 고양이는 더 안전하고 더 편안하게 느낀다.

2 Not having completed the mission
임무를 완수하지 못했지만 군인들은 캠프로 복귀했다.

3 Published in 1986
1986년에 출판된 그녀의 책은 출간된 지 한 달 후에 베스트셀러가 되었다.

4 with its bright colors appealing to the eye
인상주의는 그것의 밝은 색상이 눈길을 끌면서 보기에 편하다.

5 Generally speaking
일반적으로 말해서, 중앙아메리카의 원주민들은 녹색 채소를 기르지 않는다.

6 with his eighth symphony unfinished

7 Touching the emergency icon on your smartphone

8 There being no hospitals nearby

9 Turning to the left at the next corner

10 ① Been attacked → (Having been) Attacked
해석 이전에 적에게 공격당했기 때문에, 이번에는 군대가 준비되었다.
해설 주절보다 앞서 일어난 일을 나타내므로 완료 분사구문이 되어야 한다. 완료 분사구문의 Having been은 생략해서 쓸 수 있다.

11 ① Locating → Located
해석 언덕에 위치한 그 호텔은 전망이 좋다.
해설 부대상황을 나타내는 분사구문으로 호텔이 '위치해있다'는 뜻이 되어야 하므로, Being located ~ 구문에서 Being이 생략된 형태가 되어야 한다.

구문 적용 독해

» pp. 116~117

1 ④ 2 ③ 3 ③

내신·서술형
1 10 2 That → What 3 ⓐ lake → lakes

1 ④

지문해석

번개를 보는 것과 천둥소리를 듣는 것 사이에 시간이 얼마나 지나갔는지를 세어 봄으로써 번개가 친 곳의 거리를 추정하는 것이 가능하다. 그런데 이 방법이 어째서 작동하는가? (C) 번개가 치면, 그것은 대기를 약 섭씨 2만도까지 가열하게 되는데, 이것은 태양의 표면보다 세 배 이상 뜨겁다. (A) 이 가열된 공기는 주위의 차가운 공기와 충돌하는 압력파의 파장을 일으켜 바깥으로 이동하는 음파를 만든다. 소리는 초당 약 340m로 공기를 통과한다. (B) 따라서, 당신이 번개와 천둥 사이의 초수를 340으로 곱하면, 그 결과는 번개가 몇 미터 떨어져 있는지를 알려 주게 된다. 예를 들어, 천둥소리를 듣는 데 10초가 걸린다면, 이것은 번개가 약 3.4km 떨어져 있었다는 것을 의미한다.

구문해설

1행 **It** is possible / [**to estimate** the distance of a lightning strike / by counting / {**how much** time passes / between seeing the lightning and hearing the thunder}].
(It: 가주어 / to estimate ~: 진주어(to부정사구) / by counting: by+v-ing: ~함으로써 / how much ~: counting의 목적어(의문사절) / seeing ~ and hearing ~: between A and B로 동명사구가 병렬 연결됨)
가능하다 / 번개가 친 곳의 거리를 추정하는 것이 / 세어봄으로써 / 시간이 얼마나 지나갔는지를 / 번개를 보는 것과 천둥소리를 듣는 것 사이에

4행 This heated air / creates a wave of pressure wave / [**that** collides with the cooler air around it], / [**creating** sound waves / {**that** travel outward}].
(that: 주격 관계대명사절 / it = this heated air / creating ~: 분사구문(부대상황) / that travel outward: 주격 관계대명사절)
이 가열된 공기는 / 압력파의 파장을 일으켜 / 주위의 차가운 공기와 충돌하는 / 음파를 만든다 / 바깥으로 이동하는

7행 Therefore, / [**if** you **multiply** / the number of seconds between the lightning and thunder / by 340], / the result **will tell** you / [**how many** meters away the lightning was].
(if ~: <조건>의 부사절 / 조건절에서는 현재가 미래를 대신함 / multiply A by B: A와 B를 곱하다 / how many ~: tell의 직접목적어(의문사절))
따라서 / 당신이 곱하면 / 번개와 천둥 사이의 초수를 / 340으로 / 그 결과는 알려 주게 된다 / 번개가 몇 미터 떨어져 있는지를

문제해설

번개와 천둥소리를 이용해 번개 친 곳까지의 거리를 계산하는 것에 대해 질문을 던지고 있는 주어진 글에 이어, 일단 번개가 대기의 온도를 끌어올리게 되는 것을 이야기하는 (C)가 나오고, 그 가열된 공기가 천둥소리를 만들며 그 소리가 초당 약 340미터 이동하는 것을 설명하는 (A)가 이어진 후, 번개와 천둥 사이의 초수에 340을 곱하면 된다는 계산식이 나오는

(B)가 나오는 것이 자연스럽다.

내신·서술형 10

소리는 초속 340m로 움직인다고 했는데, 약 3.4km 떨어져 있는 거리라고 했으므로 빈칸에는 10이 오는 것이 적절하다. 340m X 10초 = 3,400m (= 3.4km)

2 ③

지문해석

작년에 나는 새해 휴가를 혼자 보내기로 결정했다. 시끄러운 파티에 가고 싶지 않았다. 내가 필요했던 것은 며칠 간의 평화와 고요함이었고 그래서 나는 오래된 시골 집에 방 하나를 예약했다. 새해 전날에 도착했다. 비록 춥고 비가 오는 저녁이었지만 내 심장은 흥분으로 두근거리기 시작했다. 집은 멋져 보였다. 나는 서둘러 현관 계단을 올라가 문을 두드렸다. 잠시 후 문은 삐걱거리는 소리를 내며 천천히 열렸고, 찌푸린 얼굴의 나이든 여자가 나타났다. 말 한마디 없이 그녀는 나를 천천히 내 방으로 인도했다. 집은 어둡고 텅 비어 완전히 고요했다. 아무도 움직이거나 소리를 내지 않아 나는 방 2개 너머에서 째깍거리는 시계 소리를 들을 수 있었다. 마치 감옥에 있는 것 같았다. 그곳에 머무르는 것은 내 결정이었지만 좋은 결정은 아니었다.

구문해설

3행 [**It being** a cold and rainy evening], / my heart began to pound / with excitement.
(독립분사구문(= Although it was ~))
비록 춥고 비가 오는 저녁이었지만 / 내 심장은 두근거리기 시작했다 / 흥분으로

6행 After a while, / the door slowly opened with a creaking sound, / [**revealing** a frowning old woman].
(분사구문(부대상황))
잠시 후 / 문은 삐걱거리는 소리를 내며 천천히 열렸고 / 찌푸린 얼굴의 나이든 여자가 나타났다

8행 [**With no one moving or making** a sound], / I could hear a clock ticking / two rooms away.
(「with + 목적어 + 현재분사」의 분사구문(부대상황) — no one과 분사가 능동 관계; 지각동사 + 목적어 + 목적격보어(현재분사))
아무도 움직이거나 소리를 내지 않아 / 나는 째깍거리는 시계 소리를 들을 수 있었다 / 방 2개 너머에서

10행 [Staying there] / had been my decision, / but it was not a good one.
(S(동명사구); 과거완료; = decision)
그곳에 머무르는 것은 / 내 결정이었지만 / 좋은 결정은 아니었다

문제해설

③ 필자가 조용한 새해 휴가를 보내고 싶어서 예약한 시골의 오래된 멋진 집에 도착할 때까지는 '기대에 차' 있다가 아무 소리도 없는 적막한 집에서 마치 감옥에 있는 것 같다고 하며 자신의 결정이 좋지 않았다는 것으로 보아 '후회했을' 것이다.

① 감사하는 → 당혹스러운 ② 화가 난 → 만족스러운
④ 두려운 → 안도하는 ⑤ 동경하는 → 무관심한

내신·서술형 That → What

문장의 주어이면서 need의 목적어 역할을 하는 선행사가 포함된 관계대명사 What으로 고쳐야 한다.

3 ③

지문해석

타지키스탄의 Pamir 고산 지대에 해발 약 3,600m에 위치한 Karakul 호수는 전 지역에서 가장 높은 호수이다. 2,500만 년 전 지구에 충돌한 운석에 의해 형성되어 호수는 충돌 분화구 속에 자리하고 있다. 소금 매장층에 둘러 싸여 있고 흘러 나가는 강이 없기 때문에 호수는 아시아의 모든 호수 중에서 가장 염도가 높은 호수 중 하나이다. 사실 호수는 너무 짜서 유일한 해양 생물 종으로 호수의 모래 바닥에서 사는 물고기인 돌미꾸라지만이 이곳에서 살아남을 수 있다. 하지만 호수의 습지와 섬은 히말라야 독수리와 티베트 사계 등을 포함한 다양한 철새들을 끌어 당긴다. 호수의 높은 소금 함유량은 또한 사람들이 호수를 항해하기 힘들게 만든다. 이것은 배는 고밀도 물에서는 너무 높이 떠서 배가 계속 뒤집힐 위험이 있기 때문이다.

구문해설

1행 [(Being) **Located** at about 3,600 meters above sea level / in the High Pamir mountains of Tajikistan], / Lake Karakul is the highest lake / in the entire region.
(수동 분사구문(부대상황); the + 최상급 + in: ~에서 가장 …한)
해발 약 3,600m에 위치한 / 타지키스탄의 Pamir 고산 지대에 / Karakul 호수는 가장 높은 호수이다 / 전 지역에서

2행 [**Having been formed** by a meteorite / {**that** struck Earth about 25 million years ago}], / the lake sits inside an impact crater.
(생략 가능함; 완료 수동 분사구문(= Because it was formed); 주격 관계대명사절; sit: ~에 위치하다)
운석에 의해 형성되어 / 2,500만 년 전 지구에 충돌한 / 호수는 충돌 분화구 속에 자리하고 있다

4행 [(Being) **Surrounded** by salt deposits / and **having** no outflowing rivers], / it is one of the saltiest lakes / in all of Asia.
(수동 분사구문(이유); one of the + 최상급 + 복수명사: 가장 ~한 … 중 하나)
소금 매장층에 둘러 싸여 있고 / 흘러 나가는 강이 없기 때문에 / 호수는 가장 염도가 높은 호수 중 하나이다 / 아시아의 모든 호수 중에서

5행 It is **so** salty, / in fact, / [**that** only a single species of marine creature, the stone loach, a fish / {**that** lives on the sandy bottoms of lakes}, / is able to survive in it].
(so + 형용사 + that: 너무 ~해서 …하다; 동격; 주격 관계대명사절; it = the lake)
호수는 너무 짜서 / 사실 / 유일한 해양 생물 종으로 물고기인 돌미꾸라지만이 / 호수의 모래 바닥에서 사는 / 이곳에서 살아남을 수 있다

9행 The lake's high salt content / also makes it difficult / for humans to navigate it.
가목적어
to부정사의 의미상 주어 진목적어(to부정사구)
호수의 높은 소금 함유량은 / 또한 힘들게 만든다 / 사람들이 호수를 항해하기

문제해설

호수의 모래 바닥에서 사는 해양 생물인 돌미꾸라지만 유일하게 살아남는다고 했으므로 ③은 글의 내용과 일치하지 않는다.

내신·서술형 ⓐ lake → lakes

「one of the+최상급+복수명사」의 형태로 '가장 ~한 …들 중 하나'라는 뜻을 나타내야 하므로 lake를 복수명사 lakes로 고쳐야 한다.

25 등위접속사 구문

구문 연습

» p. 119

1 not, but
문제는 식량 부족이 아니라 그것의 불평등한 분배이다.

2 and, and
파란색과 빨간색을 함께 섞어라, 그러면 보라색을 얻게 될 것이다.

3 Both, and
독서와 스키 타기는 둘 다 우아하고 조화로운 활동이다.

4 Neither, nor
야구도 미식축구도 유럽에서는 미국에서만큼 인기 있지 않다.

5 not only, but also
여러분의 책임감은 여러분의 일뿐만 아니라 학습 능력에도 영향을 미친다.

6 either a heart attack or

7 energy as well as vitamins and minerals

8 not Christopher Columbus but Amerigo Vespucci

9 either to fight the danger or

10 needs
이유: 상관접속사 neither A nor B로 연결되어 있으므로 B에 해당하는 he에 동사의 수를 일치시켜야 한다.
해석 너와 그는 둘 다 영업 회의에 참석할 필요가 없다.

11 to understand
이유: 상관접속사 both A and B로 연결되어 있으므로 to learn과 문법적으로 동일한 형태인 to understand가 와야 한다.
해석 다른 문화를 배우는 것과 이해하는 것 둘 다 중요하다.

구문 적용 독해

» pp. 120~121

1 ⑤ 2 ③ 3 ④

내신·서술형
1 cause → causes 2 creation[establishment], awareness 3 (b)enefits

1 ⑤

지문해석

남아메리카가 원산지인 붉은불개미는 세계 많은 지역에서 이미 침입종이며, 가까운 미래에 새로운 지역으로 계속해서 확산될 수도 있다. 독성이 있는 침으로 인해 공공의 안전에 위협이 될 뿐만 아니라 농작물에 피해를 주고 필수적인 농업 활동을 방해하는 농업 해충이기도 하다. 그것의 침에서 나온 독은 타는 듯한 느낌을 유발하고, 피부 홍조와 부기를 일으키며, 심지어 극단적인 경우 사망에 이를 수도 있다. 이 종은 미국에서만 약 60억 달러의 경제 손실에 책임이 있으며 생태계에 또한 심각한 영향을 미치기도 한다. 그것은 지역의 토종 개미 개체 수를 감소시킬 뿐만 아니라 더 큰 규모로는 다른 개미 종의 상호 작용에도 영향을 미친다. 우리는 이 침입종을 보존하기(→ 제거하기) 위해 노력하거나 생태계의 재앙에 직면해야 한다.

구문해설

3행 It is **not only** a threat to public safety / due to its venomous sting, / **but also** an agricultural pest / [**that** damages crops / and interferes with vital farming activities].
not only A but also B: A뿐만 아니라 B도 / ~ 때문에 / 주격 관계대명사절 / interfere with: ~을 방해하다
그것은 공공의 안전에 위협이 될 뿐만 아니라 / 독성이 있는 침으로 인해 / 농업 해충이기도 하다 / 농작물에 피해를 주고 / 필수적인 농업 활동을 방해하는

9행 It **not only** reduces local native ant populations / **but also** affects the interactions / of other ant species / on a larger scale.
상관접속사 not only A but also B로 동사 reduces와 affects가 병렬 연결됨
그것은 지역의 토종 개미 개체 수를 감소시킬 뿐만 아니라 / 상호 작용에도 영향을 미친다 / 다른 개미 종의 / 더 큰 규모로는

10행 We must **either** work to eliminate / this invasive species / **or** face an ecological disaster.
상관접속사 either A or B로 동사 work와 face가 병렬 연결됨
우리는 제거하기 위해 노력해야만 한다 / 이 침입종을 / 또는 생태계의 재앙에 직면해야 한다

문제해설

붉은불개미는 농업에 피해를 주고 생태계에 악영향을 끼친다는 내용이므로, ⑤의 preserve는 eliminate로 바꿔야 자연스럽다.

내신·서술형 cause → causes

주어가 The venom으로 3인칭 단수이고 동사 creates, cause, can lead가 접속사 and로 병렬 연결된 구문이므로 cause는 3인칭 단수형인

causes가 되어야 한다.

2 ③

지문해석

고도로 발달된 두뇌를 가진 생명체와 덜 발달된 두뇌를 가진 생명체 모두, 살아있는 생명체들은 익숙한 사건에 빠르게 반응하기 위해 습관을 이용한다. 습관은 우리로 하여금 그것에 집중하지 않고 일을 할 수 있도록 해 주기 때문에 이것은 편리하다. 예를 들어, 우리가 동료에게 중요한 점을 설명하는 것뿐만 아니라 문을 열어야 한다면, 우리는 동시에 둘 다 할 수 있다. 뇌의 구조는 우리가 하고 있는 것을 완전히 인식하지 않고도 행동하는 것을 가능하게 해 준다. 다시 말해서, 우리가 항상 우리의 행동을 통제하고 있는 것은 아니다. 이러한 통제력 상실은 의도적인 것으로, 습관의 생성은 뇌가 소모해야 하는 인지 에너지를 감소시키는 방법이기 때문이다. 습관을 생성하기 위해서는 과업의 많은 반복이 필요하지만, 일단 습관이 형성되면 깨기 어렵다. 습관의 결정적인 특징 중에 하나는 그것이 소멸에 저항하는 것이다.

구문해설

1행 Living creatures(S) / —[**both** those with highly developed brains / **and** those with less-developed brains]— / use(V) habits to quickly respond / to familiar events.
(= living creatures; both A and B(삽입구); to부정사 부사적 용법(목적))

살아있는 생명체들은 / 고도로 발달된 두뇌를 가진 생명체와 / 덜 발달된 두뇌를 가진 생명체 모두 / 빠르게 반응하기 위해 / 습관을 이용한다 / 익숙한 사건에

2행 This(앞 문장 전체) is convenient, / [**as** they(= habits) allow us to perform tasks / without focusing on them(= tasks)].
(<이유>의 부사절; allow+목적어+목적격보어(to부정사))

이것은 편리하다 / 습관은 우리로 하여금 일을 할 수 있도록 해 주기 때문에 / 그것에 집중하지 않고

4행 For example, / [**if** we need to unlock a door / **as well as** (to) explain an important point to a companion], / we can do both at the same time.
(<조건>의 부사절; B as well as A: A뿐만 아니라 B도; 앞의 밑줄 친 두가지; 동시에)

예를 들어 / 우리가 문을 열어야 할 필요가 있다면 / 동료에게 중요한 점을 설명하는 것뿐만 아니라 / 우리는 동시에 둘 다 할 수 있다

5행 The structure of the brain / makes **it**(가목적어) possible / for us [**to act**(진목적어(to부정사구)) / without being fully aware of {**what** we are doing}].
(전치사 without의 목적어(동명사); 전치사 of의 목적어(관계대명사절))

뇌의 구조는 / 가능하게 해 준다 / 우리가 행동하는 것을 / 하고 있는 것을 완전히 인식하지 않고도

7행 This loss of control is intentional, / [**for** the creation of a habit / is the brain's way of reducing the cognitive energy / {(that) it must expend}].
(<이유>의 등위절; 목적격 관계대명사절)

이러한 통제력 상실은 의도적인 것으로 / 왜냐하면 습관의 생성은 / 인지 에너지를 감소시키는 방법이다 / 뇌가 소모해야 하는

문제해설

습관은 무의식중에 우리가 과업을 할 수 있도록 도와주는데, 일단 형성된 습관은 깨기 어렵다는 내용이다. 빈칸에 들어갈 말로 가장 적절한 것은 ③ '소멸에 저항하는'이다.

① 끊임없이 변화하는
② 실용성이 거의 없는
④ 두뇌의 부담
⑤ 흔하지 않고 일시적인

내신·서술형 creation[establishment], awareness

습관의 '형성'은 우리가 일을 '의식'하지 않고 할 수 있도록 해 준다는 내용이다.

3 ④

지문해석

미술공예 프로젝트를 하는 것은 아이들에게 재미있고 유익한데, 그것은 아이들에게 다양한 능력을 발달시키는 데 도움이 되기 때문이다. 이것들 중 가장 중요한 것 중 하나는 소근육 운동이다. 붓을 쥐고, 모양대로 자르고, 구슬을 줄에 꿰는 것 같은 활동들은 소근육들의 협동을 요구하여 아이들에게 이러한 기술들을 연습하고 정교화하도록 독려한다. 아주 어린 아이들에게는 크기가 큰 구슬 같은 조작하기 더 쉬운 더 큰 물건들을 제공하는 것이 좋고, 반면에 좀더 큰 아이들에게는 작은 물건들을 주는 것이 좋을 것이다. 게다가 미술공예 프로젝트는 인지 능력을 향상시킨다. 그들은 패턴을 만들거나 색을 고르고 혹은 모양을 결정하는 것과 같은 어떤 계획을 요구한다. 그들의 프로젝트가 어떻게 보이길 원하는지를 결정할 세부사항을 결정하는 것은 아이들에게 계획하기와 문제 해결 능력을 연습하도록 촉진시킬 것이다. 이것은 어린 나이에는 도전이 될 수 있지만 이런 것들은 나중에 인생에서 사용하게 될 필수적인 능력들이다.

구문해설

1행 [**Working** on arts and crafts projects](S(동명사구)—단수 취급) / is(V) **both** fun **and** beneficial for children, / as it helps them / develop a wide range of skills.
(both A and B 구문으로 형용사가 병렬 연결됨; 준사역동사(help)+목적어+목적격보어(동사원형); 다양한)

미술공예 프로젝트를 하는 것은 / 아이들에게 재미있고 유익한데 / 그것은 아이들에게 도움이 되기 때문이다 / 다양한 능력을 발달시키는 데

3행 Activities(S) / such as [holding a paintbrush, / cutting out shapes, / **and** threading beads onto a piece of string] / require(V) fine motor coordination, / [**encouraging** children / to exercise and (to) refine these skills].
(전치사구 such as의 목적어가 되는 세 개의 동명사구가 and로 병렬 연결됨; 분사구문(부대상황); encourage+목적어+목적격보어(to부정사))

활동들은 / 붓을 쥐고 / 모양대로 자르고 / 구슬을 줄에 꿰는 것 같은 / 소근육들의 협동을 요구하여 / 아이들에게 독려한다 / 이러한 기술들을 연습하고 정교화하도록

9행 They require some planning, / such as [making patterns, / choosing colors, / **or** deciding on shapes].
전치사구 such as의
목적어가 되는 세 개의 동명사구가 or로 병렬 연결됨
그들은 어떤 계획을 요구한다 / 패턴을 만들고 / 색을 고르고 / 혹은 모양을 결정하는 것과 같은

10행 [**Deciding** on the details / {**that** will determine / (**how** they want their project to look)}] / will encourage them to exercise / their planning and problem-solving skills.
S(동명사구) 주격 관계대명사절 V
determine의 목적어(의문사절)
세부 사항을 결정하는 것은 / 결정할 / 그들의 프로젝트가 어떻게 보이길 원하는지를 / 아이들에게 연습하도록 촉진시킬 것이다 / 계획하기와 문제 해결 능력을

문제해설

④ look은 자동사이므로 의문대명사 What이 쓰이려면 look 뒤에 전치사 like가 와야 하므로 의문부사 how로 고쳐야 한다.
① 앞에 나온 주어인 동명사구 Working on ~ projects를 가리키므로 단수 대명사 it이 온다.
② 주어가 such as의 수식을 받는 Activities이므로 복수동사 require가 온다.
③ 형용사 easier를 수식하는 부사적 용법의 to부정사이다.
⑤ 뒤에 오는 to부정사구 to use later in life의 의미상 주어로 「for+목적격」의 형태로 쓴다.

내신·서술형 (b)enefits
'아이들에 대한 미술공예 프로젝트의 두 가지 이점들'을 설명하는 글이다.

26 종속접속사 구문

구문 연습

» p. 123

1 although they have wings and can fly
박쥐는 날개가 있고 날 수 있지만, 포유류이다.

2 whereas the winter is getting shorter and warmer
여름은 점점 더 더워지는 반면, 겨울은 점점 더 짧아지고 따뜻해지고 있다.

3 If there's a disagreement between the employer and workers
고용자와 노동자 사이에서 분규가 있으면, 위원회와 상의하라.

4 As soon as the white ray hit the prism
백색 광선은 프리즘에 닿자마자, 그것은 무지개 빛깔로 갈라졌다.

5 so that they can get a good laugh
그들이 크게 웃을 수 있도록 당신이 가장 좋아하는 것을 가족과 공유하시오.

6 until the spring has come

7 Next time you visit Vietnam

8 so that he can win a gold medal

9 was so exhausted that

10 ③ unless → if
해석 빛은 방해받지 않는다면 항상 일직선으로 이동한다.
해설 빛이 일직선으로 이동하기 위한 조건으로 적절하려면 unless가 아닌 if를 써야 한다.

11 ③ because of → because
해석 두 나라는 그 땅을 원해서 수십 년간 싸워 왔다.
해설 because of 뒤에 「주어+동사」의 절이 오므로, 접속사 because를 써야 한다.

구문 적용 독해

» pp. 124~125

1 ③ 2 ③ 3 ①

내신·서술형
1 bliss point 2 ② 3 ③

1 ③

지문해석

과자를 먹기 시작했다가 너무 맛있어서 과자 봉지가 다 빌 때까지 멈추지 못했던 적이 있는가? 당신은 아마 자신의 의지력 부족을 탓할지도 모르지만 당신이 멈출 수 없었던 진짜 이유는 '만족 지점'이라고 불리는 것 때문이다. 이것은 우리의 몸이 갈망하는 지방, 소금, 설탕의 정확한 균형을 찾는 순간이다. 선사 시대에 이 세 요소는 우리의 생존에 매우 중요했고 너무나 구하기 어려웠기 때문에 우리의 몸은 세 요소의 딱 맞는 조합에 저항하기 매우 쉽도록(→ 어렵도록) 진화했다. 모든 성인은 약 만 개의 미뢰가 있는데, 이들 각각은 뇌의 쾌감 지대를 자극함으로써 지방, 소금, 설탕에 반응하는 수용체를 가지고 있다. 결과적으로, 뇌는 우리 앞에 있는 것은 무엇이든지 가능한 한 많이 먹도록 촉진한다. 지방, 소금, 설탕은 합쳐졌을 때 훨씬 더 맛있도록 서로 보완한다.

구문해설

1행 Have you ever started eating some cookies / and (have you ever) found them **so** delicious / **that** you couldn't stop / [**until** the entire bag was empty]?
현재완료(경험)
so ~ that: 너무 ~해서 …하다(결과)
<시간>의 부사절
과자를 먹기 시작했다가 / 너무 맛있어서 / 멈추지 못했던 적이 있는가 / 과자 봉지가 다 빌 때까지

5행 During prehistoric times, / these three elements / were **so** crucial to our survival / and **so** exceedingly hard to acquire / **that** our bodies evolved / to make the right combination of them extremely difficult to resist.
so ~ that: 너무 ~해서 …하다(결과)
to부정사 부사적 용법(형용사 수식)
make+목적어+목적격보어(형용사) = three elements
to부정사 부사적 용법(형용사 수식)

선사 시대에 / 이 세 요소는 / 우리의 생존에 매우 중요했고 / 너무나 구하기 어려웠기 때문에 / 우리의 몸은 진화했다 / 세 요소의 딱 맞는 조합에 저항하기 매우 어렵도록

8행 Every adult human has about 10,000 taste buds, / [**each of which** has receptors / {**that** respond to fat, salt and sugar / by stimulating the brain's pleasure zone}].

계속적 용법의 주격 관계대명사절(= and each of them) / 선행사 / 주격 관계대명사절 / by+v-ing: ~함으로써

모든 성인은 약 만 개의 미뢰가 있는데 / 이들 각각은 수용체를 가지고 있다 / 지방, 소금, 설탕에 반응하는 / 뇌의 쾌감 지대를 자극함으로써

10행 As a result, / the brain encourages us to eat / **as much** of [**whatever** is in front of us] **as possible**.

전치사 of의 목적어(복합관계사절) / as ~ as possible: 가능한 한 ~하게

결과적으로 / 뇌는 먹도록 촉진한다 / 우리 앞에 있는 것은 무엇이든지 가능한 한 많이

11행 Fat, salt and sugar complement one another, / **so that** they are even more enjoyable / [**when** combined].

서로 / so that: ~하기 위해(목적) / 비교급 강조 / 부사절의 「주어+be동사(they are)」가 생략됨

지방, 소금, 설탕은 서로 보완한다 / 훨씬 더 맛있도록 / 합쳐졌을 때

문제해설

선사 시대에 지방, 소금, 설탕이 생존에 필수적이지만 구하기가 어려워 우리의 몸이 그것들을 갈망하고 먹고 싶도록 진화했다는 내용으로 그들의 조합을 저항하기 '어렵다'는 내용이 적절하므로 ③의 easy는 hard나 difficult로 바꿔야 자연스럽다.

내신·서술형 bliss point

우리의 몸이 지방, 소금, 설탕의 균형된 조합, 즉 '만족 지점'을 갈망하도록 진화했다는 내용이다.

2 ③

지문해석

1907년에 태어난 Frida Kahlo는 강렬하고 화려한 색상의 자화상으로 알려진 멕시코 화가였다. 10대 때, 그녀는 의사가 되고 싶다는 생각으로 교육을 시작했다. 불행하게도, 그녀는 18세의 나이에 끔찍한 교통사고를 당했다. 그녀는 결국 회복했지만, 그 사고는 그녀의 여생 동안 그녀를 허약하고 고통스럽게 만들었다. 그러나 Kahlo는 회복하는 동안 스스로 그림 그리는 법을 익혔다. 1928년 Kahlo는 유명한 멕시코 화가인 Diego Rivera에게 그녀의 작품 일부를 보여 줬고, 그는 그녀에게 그림을 계속 그리라고 격려해 주었다. 1년 후, 그들은 결혼했다. Kahlo는 1938년에 그녀의 첫 번째 공개 전시회를 열었고, 다음 해에 그녀의 작품은 파리에서 전시되었다. 루브르 박물관도 그녀의 작품들 중 하나를 얻게 되었는데, 이것이 Kahlo를 그 박물관 소장품에 포함되게 한 최초의 20세기 멕시코 화가가 되게 했다. 그녀가 1954년에 죽었을 때, 그녀는 남편보다 훨씬 더 유명했다.

구문해설

4행 [**Although** she eventually recovered], / the accident left her weak and in pain / for the rest of her life.

<양보>의 부사절 / leave+목적어+목적격보어(형용사/형용사구)

그녀는 결국 회복했지만 / 그 사고는 그녀를 허약하고 고통스럽게 만들었다 / 그녀의 여생 동안

5행 [**While** she was recovering], / however, / Kahlo taught herself to paint.

<시간>의 부사절 / 재귀대명사 재귀 용법(생략 불가)

그녀는 회복하는 동안 / 그러나 / Kahlo는 스스로 그림 그리는 법을 익혔다

6행 In 1928, / Kahlo showed some of her work to Diego Rivera, / a famous Mexican painter, / and he encouraged her to continue to paint.

수여동사+직접목적어+to+간접목적어 / 동격 / encourage+목적어+목적격보어(to부정사)

1928년 / Kahlo는 Diego Rivera에게 그녀의 작품 일부를 보여 줬고 / 유명한 멕시코 화가인 / 그는 그녀에게 그림을 계속 그리라고 격려해 주었다

11행 [**By the time** she died in 1954], / she was even more famous / than her husband.

<시간>의 부사절 / 비교급 강조

그녀가 1954년에 죽었을 때 / 그녀는 훨씬 더 유명했다 / 그녀의 남편보다

문제해설

Kahlo는 그림 그리는 것을 스스로 익혔고 Diego는 Kahlo의 그림을 보고 그림 그리기를 계속하라고 격려했으므로, ③은 글의 내용과 일치하지 않는다.

내신·서술형 ②

앞 문장과 역접의 의미를 갖는 문장이 이어지므로 빈칸에는 ② however(그러나)가 들어가는 것이 적절하다.

3 ①

지문해석

Alice in Wonderland의 후속작인 Through the Looking Glass에서 Red Queen과 Alice는 달리기를 한다. 하지만 아무리 그들이 빨리 달려도 그들은 어디에도 가지 못한다. 이것은 그들의 주변이 그만큼 빨리 움직이고 있기 때문이다. 이것은 '붉은 여왕 가설'의 이름이 유래한 곳이다. 이 가설은 모든 생물 종들은 끊임없이 변화하는 환경에서 존재하며 살아남기 위해서 그들은 그 환경에 적응할 필요가 있다고 말한다. 예를 들어, 개구리가 더 긴 혀를 발달시킬 때 파리는 더 빨리 날 수 있는 능력을 발달시켜야 한다. 이 변화가 둘 다 동일한 속도로 발생하는 한, 두 종 사이의 상호 작용에 어떠한 변화도 일으키지 않고 두 종 모두 살아남을 것이다. 즉, 계속 변화하는 세상에서 우리의 위치를 유지하는 것은 우리가 변화에 대응할 때 가능하다.

구문해설

2행 However, / [no matter how fast they run], / they don't get anywhere.
(= however / <양보>의 부사절(아무리 ~해도))

하지만 / 아무리 그들이 빨리 달려도 / 그들은 어디에도 가지 못한다

4행 It states / [that all species exist / in an environment {which is constantly changing}] / and [that in order to survive they need to adapt with it].
(It = the hypothesis / states의 목적어 1 / 주격 관계대명사절 / 목적어 2 / to부정사 부사적 용법(목적) / ~에 적응하다)

이 가설은 말한다 / 모든 생물 종들은 존재하며 / 끊임없이 변화하는 환경에서 / 살아남기 위해서는 그 환경에 적응할 필요가 있다고

6행 For example, / [when frogs develop longer tongues], / flies must develop the ability / to fly faster.
(<시간>의 부사절 / to부정사 형용사적 용법)

예를 들어 / 개구리가 더 긴 혀를 발달시킬 때 / 파리는 능력을 발달시켜야 한다 / 더 빨리 날 수 있는

7행 [As long as both of these changes take place / at the same rate], / both species will survive, / [leading to no change / in the relative interactions between them].
(<조건>의 부사절(~하는 한) / 분사구문(부대상황) / them = both species)

이 변화가 둘 다 발생하는 한 / 동일한 속도로 / 두 종 모두 살아남을 것이다 / 어떠한 변화도 일으키지 않고 / 두 종 사이의 상호 작용에

문제해설

붉은 여왕 가설은 모든 생명체가 끊임없이 변화하는 환경에서 존재하며 살아남기 위해서는 그런 환경에 적응해야 한다는 것이다. 그러므로 빈칸에 들어갈 말로 가장 적절한 것은 ① '변화에 대응할'이다.

② 경쟁자에 무관심할 ③ 진화에 저항할 수 있을
④ 그것의 잠재적 위험을 인식할 ⑤ 우리의 환경에 만족할

내신·서술형 ②

본문의 rate는 '속도'의 뜻을 나타내므로, ③의 speed와 바꿔 쓸 수 있다.
① 비율 ② 가격 ④ 등급 ⑤ 위치

27 to부정사/동명사 관용 구문

구문 연습

» p. 127

1 어떤 책도 여러 번 읽을 가치가 없다면 한 번 읽을 가치도 없다.
2 유제품은 빨리 상하기 쉽기 때문에 냉장고에 보관되어야 한다.
3 요약하자면, 너와 너의 부모님이 필요로 하는 것은 대화할 수 있는 양질의 시간이다.
4 미세 플라스틱은 그것들을 모으는 데 사용되는 그물을 통과할 만큼 충분히 작다.
5 위대한 예술가들은 셀 수 없이 많은 시간을 자신의 생각이나 경험을 탐구하는 데 보낸다.
6 could not help crying out
7 too busy to attend
8 be used to living
9 was reluctant to admit
10 On
이유: 뒤에 동명사 crossing이 온 것으로 보아 전치사 On이 알맞다.
해석 결승선을 통과하자마자 그 선수는 땅에 쓰러졌다.
11 helping
이유: devoted oneself to에서 to는 전치사이므로 뒤에 동명사 helping이 와야 알맞다.
해석 Hunter "Patch" Adams는 유머 요법으로 사람들을 돕는 데 헌신했다.

구문 적용 독해

» pp. 128~129

1 ④ 2 ④ 3 ⑤

내신·서술형
1 to go[they should go] 2 플라스틱과 플라스틱이 아닌 것을 구분할 수 없어서 (플라스틱을 먹었기 때문에)
3 (판매자가 보내는 메시지를 소비자가 받는) 일방향의 전통적인 광고 방식

1 ④

지문해석

자유는 보통의 십 대들에게 있어서 그것이 자신의 옷을 고르는 자유든, 언제 잠자리에 들지를 결정하는 자유이든 간에, 세상에서 가장 중요한 것이다. 사실, 십 대들은 많은 성인들이 부와 권력을 열망하는 것과 똑같이 자유를 열망한다. 자유를 갖는다는 것은 십 대들이 자신의 삶에 통제권을 갖는 듯한 기분을 들게 하며, 따라서 그들은 가능한 한 많은 자유를 원한다. 다행히, 십 대들이 요구하는 절대적인 자유와 부모들이 본능적으로 바라는 엄격한 통제 사이에는 만족스러운 매개점이 있다. 일단 이러한 중간 지점이 발견되면, 십 대와 부모들 사이의 관계는 훨씬 덜 격렬해질 것 같다.

십 대들에게 너무 많은 자유를 준다는 생각은 부모들이 잠을 이루지 못하게 만들 정도로 무시무시하다. 반면에, 부모들의 모든 명령에 복종할 수밖에 없는 십 대들은 결국에는 더욱 반항하기 쉽다.

구문해설

1행 Freedom is the most important thing in the world / to the average teen, / [**whether** it is the freedom to choose their own clothes / **or** the freedom to decide / **when to go to bed**].
the+최상급: 가장 ~한
<양보>의 부사절
whether it is A or B: A이든 B이든지 간에
when+to부정사: 언제 ~해야 할지
자유는 세상에서 가장 중요한 것이다 / 보통의 십 대들에게 있어서 / 그것이 자신의 옷을 고르는 자유든 / 결정하는 자유이든 간에 / 언제 잠자리에 들지를

6행 Fortunately, / there is a happy medium / between the absolute freedom [(that) teenagers demand] / and the strict control / [**that** parents instinctively desire].
목적격 관계대명사절
목적격 관계대명사절
다행히 / 만족스러운 매개점이 있다 / 십 대들이 요구하는 절대적인 자유와 / 엄격한 통제 사이에는 / 부모들이 본능적으로 바라는

9행 The idea / [**of** giving teens too much freedom] / is terrifying enough to make parents lose sleep.
동격
사역동사(make)+목적어+목적격보어(동사원형)
형용사+enough+to-v: ~하기에 충분히 …하다
생각은 / 십 대들에게 너무 많은 자유를 준다는 / 부모들이 잠을 이루지 못하게 만들 정도로 무시무시하다

11행 On the other hand, / teenagers / [**who** have no choice but to obey / every order of their parents] / are more likely to eventually rebel.
주격 관계대명사절
have no choice but+to-v: ~할 수밖에 없다
be likely+to-v: ~할 것 같다
반면에 / 십 대들은 / 복종할 수밖에 없는 / 부모들의 모든 명령에 / 결국에는 더욱 반항하기 쉽다

문제해설

(A) 십 대에게 있어서 자유가 가장 중요하다고 했고 가능한 한 '많은' 자유를 원한다는 내용이므로 much가 적절하다.
(B) 다행히 중간 지점이 있으면 십 대와 부모의 관계는 '덜 격렬하게' 될 것이라는 내용이므로 stormy가 적절하다.
(C) 부모에게 반항하게 되는 것은 자유 없이 모든 명령에 '복종'해야만 하는 상황이므로 obey가 적절하다.

내신·서술형 to go
문맥상 「의문사(when)+to부정사」의 형태가 되어 '언제 ~할지'의 의미를 나타내야 한다.

2 ④

지문해석

BBC 팀은 최근 플라스틱 오염이 바닷새에 미치는 파괴적인 영향을 보도했다. 호주와 뉴질랜드 사이에 있는 Tasman 해에서 촬영한 그들은 위장이 플라스틱으로 너무 가득 차 어떤 음식도 소화할 수가 없어서 죽은 수많은 새들을 기록했다. 그 팀은 또한 그 새들을 구하려고 노력하는 한 그룹의 과학자들을 촬영했다. 그 과학자들은 어린 새들을 잡아서 이것이 그들이 생존할 수 있게 해 줄 것이라는 희망으로 위장에서 플라스틱을 물리적으로 제거하고 있었다. 과학자들에 따르면, 문제는 그 새들이 가능한 모든 것을 먹는 포식자들이라는 것이다. 그들은 플라스틱과 플라스틱이 아닌 것을 구분할 수 있는 능력을 가지고 있지 않기 때문에, 위장에 다량의 플라스틱을 채우게 될 것이다. 설상가상으로, 플라스틱이 새끼들을 죽일 수 있다는 것을 깨닫지 못한 채, 어른 새가 그들의 새끼들에게 플라스틱을 먹이기도 한다.

구문해설

1행 According to the scientists, / the problem is / [**that** the birds are predators / {**that** will eat anything / (**that** is available)}].
주격보어(명사절)
주격 관계대명사절
주격 관계대명사절
과학자들에 따르면 / 문제는 ~이다 / 그 새들이 포식자들이라는 것 / 모든 것을 먹는 / 가능한

4행 [**Filming** in the Tasman Sea, / {**which** lies between Australia and New Zealand}], / they recorded numerous birds / [**that** had died / {**because** their stomachs were too full of plastic / to be able to digest any food}].
분사구문(부대상황)
선행사
계속적 용법의 주격 관계대명사절
주격 관계대명사절
<이유>의 부사절
too+형용사+to-v: 너무 ~해서 …할 수 없다
Tasman 해에서 촬영한 / 호주와 뉴질랜드 사이에 있는 / 그들은 수많은 새들을 기록했다 / 죽은 / 그들의 위장이 플라스틱으로 너무 가득 차 / 어떤 음식도 소화할 수가 없어서

10행 [**As** they don't have the ability / to tell plastic from non-plastic], / they are likely to end up with large amounts of plastic / in their stomachs.
<이유>의 부사절
to부정사 형용사적 용법
결국 ~하게 되다
그들은 능력을 가지고 있지 않기 때문에 / 플라스틱과 플라스틱이 아닌 것을 구분할 / 그들은 다량의 플라스틱을 채우게 될 것이다 / 위장에

11행 To make matters worse, / adult birds also feed plastic / to their young, / [**not realizing** {**that** it is killing them}].
설상가상으로
분사구문(부대상황)의 부정
realizing의 목적어(명사절)
설상가상으로 / 어른 새가 플라스틱을 먹이기도 한다 / 그들의 새끼들에게 / 플라스틱이 새끼들을 죽일 수 있다는 것을 깨닫지 못한 채

문제해설

주어진 문장은 새들이 모든 것을 먹어버려서 문제가 된다는 과학자의 의견을 제시하는 내용이므로, 플라스틱과 플라스틱이 아닌 것을 구분할 수 없어서 다량의 플라스틱을 먹는다는 내용 앞인 ④에 들어가는 것이 가장 적절하다.

내신·서술형 플라스틱과 플라스틱이 아닌 것을 구분할 수 없어서 (플라스틱을 먹었기 때문에)

3 ⑤

지문해석

전통적인 광고는 일방통행로이다. 판매자와 소비자 사이의 대화라기보다는 판매자가 보내고 소비자가 받는 메시지이다. 많은 현대 회사들은 이 모델이 더 이상 효과적이지 않다는 것을 알아가고 있다. 오늘날의 소비자들은 그들이 선호하는 브랜드와의 상호 작용에 더 큰 기대를 갖고 있다. 그들은 단순히 어떤 제품이 살만한 가치가 있다고 설득당하는 것을 원하지 않는다. 대신에, 그들은 브랜드의 제품을 향상시키는 것에 기여하고 싶어 한다. 이 변화는 대개 어디에나 있는 인터넷의 유용성에 기인한다. 오늘날 사람들은 손 끝으로 하는 매우 다양한 의사소통 도구들을 가지고 있어서, 그들의 제안과 비판에 직접적인 반응을 받는 것에 익숙해졌다. 실제로 소비자들을 대화에 끌어들이기 위해 노력하는 브랜드들이 보통 더 큰 소비자 만족과 충성심으로 보답받는다는 것은 부인할 수 없다. 양방향 마케팅의 한 예로는 소비자들이 어떤 제품에 대한 그들의 경험을 소셜 미디어에 공유하도록 초대하는 것이다.

구문해설

5행 They don't want to simply be persuaded / [**that** a product is worth buying].
(to부정사의 수동태 / persuaded의 목적어(명사절) / be worth v-ing: ~할 가치가 있다)
그들은 단순히 설득당하는 것을 원하지 않는다 / 어떤 제품이 살만한 가치가 있다고

6행 Instead, / they want to contribute to / improving the brand's products.
(contribute to v-ing: ~에 기여하다)
대신에 / 그들은 기여하고 싶어 한다 / 브랜드의 제품을 향상시키는 것에

8행 People / now have a wide variety of communication tools at their fingertips, / so they are used to receiving direct responses / to their suggestions and criticisms.
(a variety of: 다양한(= various) / be used to v-ing: ~에 익숙해지다)
사람들은 / 이제 손 끝으로 하는 매우 다양한 의사소통 도구들을 가지고 있다 / 그래서 그들은 직접적인 반응을 받는 것에 익숙해졌다 / 그들의 제안과 비판에

10행 There is no denying / [**that** brands {**that** actually make an effort to engage consumers in a conversation} / are usually rewarded / with greater customer satisfaction and loyalty].
(there is no v-ing: ~하는 것은 불가능하다 / denying의 목적어(명사절) / 주격 관계대명사절 / 노력하다 / engage ~ in: ~을 …에 끌어들이다 / reward with: ~로 보답하다)
부인할 수 없다 / 실제로 소비자들을 대화에 끌어들이기 위해 노력하는 브랜드들이 / 보통 보답받는다 / 더 큰 소비자 만족과 충성심으로

문제해설

오늘날의 소비자들은 일방향으로만 받는 광고가 아니라 양방향을 통해 브랜드 제품을 향상시키는 것에 기여하는 것까지 원하고 있으며, 이것은 어디에서나 인터넷을 사용할 수 있게 되어 브랜드와 소비자가 상호 작용하는 것이 가능해졌기 때문이라는 내용이다. 따라서 빈칸에 들어갈 말로 가장 적절한 것은 ⑤ '그들이 선호하는 브랜드와의 상호 작용'이다.

① 그들이 온라인으로 보는 광고들
② 그들이 구입하는 제품의 품질
③ 그들이 보내는 불만에 대한 답변
④ 그들이 의사소통하는 데 사용하는 기술

내신·서술형 (판매자가 보내는 메시지를 소비자가 받는) 일방향의 전통적인 광고 방식

앞에서 언급한 전통 광고의 일방향의 방식을 가리키고 있다.

28 도치 구문 / 강조 구문

구문 연습

» p. 131

1 아이티는 카리브 해에 위치해 있고, 자메이카도 마찬가지이다.
2 서울의 거리 밑에 여러 개의 지하철 노선이 뻗어 있다.
3 어떤 쉽게 상하는 약품들은 냉장 보관이 정말로 필요하다.
4 인류가 최초로 달에 착륙한 것은 바로 1969년이었다.
5 세상을 아주 흥미롭게 만드는 다양성을 보호하는 것이 바로 관용이다.
6 does play an important role
7 and neither was the second
8 It is in Latin America that
9 Rare are the musical organizations
10 boycott
이유: 강조를 위한 조동사 did가 앞에 있으므로 동사원형이 와야 알맞다.
해석 미국은 소비에트의 아프가니스탄 침공에 항의하기 위해 1980년 올림픽에 정말로 불참했다.
11 which
이유: 강조하고자 하는 주어 부분이 사물이므로 which가 와야 알맞다.
해석 19세기 초에 수백 만 명의 생명을 구했던 것은 바로 페니실린이었다.

구문 적용 독해

» pp. 132~133

1 ④ 2 ④ 3 ⑤

내신·서술형
1 abuse 2 while walking 3 connected

1 ④

지문해석

다섯 살짜리 소년 앞에 마시멜로가 있었다. 그는 그것을 먹기 전에 15분을 기다리라는 말을 들었다. 만약 그가 그렇게 한다면, 그는 두 번째 마시멜로를 받을 것이다. 만약 그가 기다리지 않으면, 두 번째 마시멜로는 없을 것이다. 14년이 지난 후, 15분을 기다릴 만큼 충분히 참을성 있던 아이들은 마시멜로를 바로 먹었던 아이들보다 더 좋은 성적을 받았고 사회적으로 더 성공했다. 어떤 사람들은 이 실험의 결과들이 자기 통제와 관련 있다고 믿었다. 그러나 아이들의 행동에 영향을 미쳤을 가능성이 있는 많은 다른 요인들이 있었다. 예를 들면, 가난과 학대를 겪으며 자란 아이들은 그들이 기다린다면 실제로 두 번째 마시멜로를 받을 수 있을 것이라고 믿지 않았을지도 모른다. 그들의 경우, 자기 통제의 부족이라기보다는 신뢰의 부족이 그들의 행동의 원인이었을 수 있다.

구문해설

3행 In front of a five-year-old boy / was a marshmallow.
장소의 부사구 / V / S
다섯 살짜리 소년 앞에 / 마시멜로가 있었다

3행 He had been told / to wait 15 minutes / [**before** eating it].
과거완료 수동태(먹은 것보다 이야기를 들은 것이 먼저임을 표현) / 분사구문 (= before he ate it)
그는 말을 들었다 / 15분을 기다리라는 / 그것을 먹기 전에

6행 Fourteen years later, / the children [**who** had been patient enough to wait 15 minutes] / had better grades / and were more socially successful / than the children [**who** ate the marshmallow right away].
주격 관계대명사절 / 형용사+enough+to-v: ~하기에 충분히 …하다 / 주격 관계대명사절
14년이 지난 후 / 15분을 기다릴 만큼 충분히 참을성 있던 아이들은 / 더 좋은 성적을 받았다 / 그리고 사회적으로 더 성공했다 / 마시멜로를 바로 먹었던 아이들보다

10행 For example, / children [**who** grew up dealing with poverty and abuse] / may not have believed / [**that** they really would have been given / a second marshmallow / {had they waited}].
주격 관계대명사절 / may have+p.p.: (과거에) ~했을지도 모른다 / have believed의 목적어(명사절) / if가 생략된 가정법으로 if가 생략되면서 주어와 동사가 도치됨 (= if they had waited)
예를 들면 / 가난과 학대를 겪으며 자란 아이들은 / 믿지 않았을지도 모른다 / 그들이 실제로 받을 수 있을 것이라고 / 두 번째 마시멜로를 / 그들이 기다린다면

문제해설

주어진 문장은 아이들의 행동에 영향을 미쳤을지도 모르는 다른 요인들이 있었다는 내용이므로, '참을성'이라는 한 가지 요인에 대해 설명하는 내용과 '가난과 학대'라는 추가적인 요인에 대해 설명하는 내용 사이인 ④에 들어가는 것이 가장 적절하다.

내신·서술형 abuse

'어떤 사람에 대한 잔인하고 폭력적이거나 부당한 대우'라는 뜻을 갖는 단어는 abuse(학대)이다.

2 ④

지문해석

스마트폰에 정신이 팔린 채 운전을 하는 것은 술에 취한 상태로 운전하는 것만큼 위험한 것으로 여겨진다. 다행히도, 더 엄격한 법 시행과 더 높아진 대중들의 인식이 이런 안전하지 않은 행동과 관련된 사고를 줄이는 것을 도왔다. 그러나 그러는 동안에 걸으면서 스마트폰을 사용함으로써 발생한 사고들은 이전보다 더 빠르게 증가하고 있다. 점점 더 많은 보행자들, 특히 젊은 사람들은 걸으면서 문자 메시지를 보내고, 음악을 듣고, 소셜 미디어 화면을 확인하고 있다. 뉴저지의 포트리와 같은 몇몇 도시들은 걸으면서 동시에 스마트폰을 사용하는 사람들에게 벌금을 부과하는 법을 통과시켰다. 결과적으로, 이 위험한 행동은 극적으로 줄어들었다. 여러분의 도시에 아직 비슷한 법이 없다고 할지라도, 여러분들은 걸으면서 스마트폰을 내려다보기 전에 숙고해야 한다. 결국, 우리가 이런 장치들로부터 얻고자 하는 것은 위험이 아니라 편리함이다.

구문해설

1행 [**Driving** {while (being) distracted by a smartphone}] / is considered to be just as dangerous / as driving [while (being) drunk].
분사구문 / 주어(동명사구) / as+원급+as: ~만큼 …한 / 「consider+목적어+목적격보어(to부정사)」의 수동태 / 분사구문
스마트폰에 정신이 팔린 채 운전을 하는 것은 / 위험한 것으로 여겨진다 / 술에 취한 상태로 운전하는 것만큼

4행 Meanwhile, / however, / accidents [**caused** by using a smartphone {**while walking**}] / have been increasing more rapidly than ever.
과거분사구 / 분사구문(부대상황) / 현재완료진행형 / 비교급+than: ~보다 더 …하게
그러는 동안에 / 그러나 / 걸으면서 스마트폰을 사용함으로써 발생한 사고들은 / 이전보다 더 빠르게 증가하고 있다

8행 Some cities, / [such as Fort Lee, New Jersey], / have passed laws / [**that** fine people {**who** walk and use their smartphones / at the same time}].
Some cities에 대한 구체적인 예시를 제시하는 삽입 구문 / 주격 관계대명사절 / 주격 관계대명사절
몇몇 도시들은 / 뉴저지의 포트리와 같은 / 법을 통과시켰다 / 걸으면서 스마트폰을 사용하는 사람들에게 벌금을 부과하는 / 동시에

12행 After all, / it is convenience, not danger, / that we want to get / from these devices.
「it is ~ that」의 강조 구문으로 get의 목적어를 강조하고 있음
결국 / 위험이 아니라 편리함이다 / 우리가 얻고자 하는 것은 / 이런 장치들로부터

문제해설

④ 접속사 and로 현재진행 시제의 동사 sending, listening과 병렬 연결되어 있으므로 현재분사 checking으로 고쳐야 한다.
① 「consider+목적어+목적격보어(to부정사)」 5형식 문장의 수동태이다.
② 이어지는 어구와 함께 accidents를 뒤에서 수식하는 과거분사구이다.
③ 「have been v-ing」 형태의 현재완료진행 시제이다.
⑤ 선행사가 laws이므로 복수동사 fine이 온다.

내신·서술형 while walking

본문은 길을 걸으면서 스마트폰을 사용하는 것의 위험성을 다루고 있다.

3 ⑤

지문해석

비밀번호가 더 이상 효과적인 보호 장치가 아니라는 것이 명백해졌다. (C) 취약하고 도난 당한 비밀번호는 대부분의 데이터 침해의 원인일 뿐 아니라, 또한 시간 낭비이고 종종 좌절하는 원인이 된다. 다행히, 사용자 이름과 비밀번호는 곧 과거의 일이 될 것 같아 보인다. (B) 우리는 더 이상 방문하는 모든 사이트에서 로그인하는 과정을 겪는 성가심을 마주하지 않아도 될 것이다. 이것은 웹 인증이라고 알려진 더 안전한 형태의 로그인 시스템이 자리를 잡을 예정이기 때문이다. 이 시스템은 사용자들이 비밀번호 대신에 '인증자'를 사용해서 웹 사이트와 앱에 접속하게 해 준다. (A) 인증자는 전화기나 컴퓨터, 또는 지문이나 얼굴 스캔과 같은 생체 인식 ID와 연결된 하드웨어 보안 키가 될 수 있다. 웹 인증은 비밀번호보다 더 안전하고, 여러 문자열을 외울 필요를 없애 주었다.

구문해설

2행 The authenticator can be a hardware security key / [**connectd** to a phone or a computer, or a biometric ID, / such as a fingerprint or a face scan].
(connectd: 과거분사구 / such as ~: a biometric ID의 구체적인 예시들)

인증자는 하드웨어 보안 키가 될 수 있다 / 전화기나 컴퓨터, 생체 인식 ID와 연결된 / 지문이나 얼굴 스캔과 같은

6행 No longer will we have to face the annoyance / of [**going** through a login process / for every site {(that) we visit}].
(부정어구 No longer가 문장의 맨 앞으로 가면서 주어와 동사가 도치됨 / No longer: 부정어구, will: V, we: S / going ~: the annoyance와 동격 / (that) we visit: 목적격 관계대명사절)

우리는 더 이상 성가심을 마주하지 않아도 될 것이다 / 로그인하는 과정을 겪는 / 우리가 방문하는 모든 사이트에서

7행 This is [**because** a more secure type of login system, / {**known** as web authentication}, / is set to take their place].
(because ~: 주격보어 / known ~: 과거분사구 / be set to: ~하도록 예정되어 있다)

이것은 더 안전한 형태의 로그인 시스템이 ~ 때문이다 / 웹 인증이라고 알려진 / 자리를 잡을 예정이기

11행 Not only are weak or stolen passwords the cause of most data breaches, / they are also a waste of our time / and often a source of frustration.
(부정어구 Not only가 문장의 맨 앞으로 가면서 주어와 동사가 도치됨 / Not only: 부정어구, are: V, weak or stolen passwords: S / not only ~ (but) also: ~ 뿐만 아니라 …도)

취약하고 도난 당한 비밀번호는 대부분의 데이터 침해의 원인일 뿐 아니라 / 또한 시간 낭비이고 / 그리고 종종 좌절하는 원인이 된다

문제해설

비밀번호는 더 이상 효과적이지 않다는 주어진 문장에 이어, 비밀번호가 과거의 일이 될 것이라고 예측하는 (C)가 나오고, 그 다음에 비밀번호보다 더 안전한 형태의 로그인 시스템인 웹 인증에 대해 소개하는 내용의 (B)가 온 후, 인증자에 대해 구체적으로 설명하는 (A)가 나오는 것이 자연스럽다.

내신·서술형 connected

a hardware security key를 수식하는 분사가 필요한데, 이것은 전화기나 컴퓨터, 또는 지문, 얼굴 스캔 등과 같은 생체 인식 ID와 연결되는 대상이므로 수동의 의미를 갖는 과거분사로 써야 한다.

29 생략 구문 / 동격 구문 / 부정 구문

구문 연습

>> p. 135

1 hardly
고양이는 혼자 있는 것을 좋아하고 자신의 감정을 거의 드러내지 않는다.

2 the dream of setting the world record
많은 선수들이 세계 기록을 세우려는 희망을 품고 경주에 참가한다.

3 they were
아이들은 공룡을 그려 보라는 요청을 받았을 때 자신이 강하다고 느꼈다.

4 not
아이들이 자신의 부모가 왜 특정한 규칙을 만드는지를 항상 이해하는 것은 아니다.

5 that is
그 남자는 적도에 가까이 있는 섬에서 태어났다.

6 No country can impose

7 the habit of speaking English

8 Though small and poor

9 the fact that not all boys like

10 ② hard → hardly
해석 야근이 너무 많아서 애들 얼굴 보기가 힘들다.
해설 야근이 많다고 했으므로 '열심히'라는 의미의 hard는 '거의 ~ 아니다'라는 부정의 의미를 가진 부사 hardly로 고쳐야 한다.

11 ① of → that
해석 많은 사람들이 폭격으로 다쳤다는 소식은 우리 모두를 놀라게 했다.
해설 The news를 부연 설명하는 「주어+동사」의 동격절이 이어지므로 전치사 of가 아닌 접속사 that으로 고쳐야 한다.

구문 적용 독해

» pp. 136~137

1 ④ 2 ⑤ 3 ③

내신·서술형

1 (1) 쉬지 않고 장시간 컴퓨터 사용하지 않기
(2) 눈을 더 자주 깜빡이기
(3) 세수할 때 눈꺼풀 닦기
(4) 컴퓨터 화면을 눈높이보다 아래에 놓기

2 etchings

3 천과 고무로 만들어진 어미에게 우유병이 갖춰져 있고, 철사와 나무로 만들어진 어미는 그렇지 않았다.

1 ④

지문해석

유난히 건조한 기후, 선풍기나 에어컨의 사용, 컴퓨터 화면 앞에서 오랜 시간을 보내는 것 등을 포함한 지나친 안구 건조증의 많은 원인들이 있다. 오메가3 지방산과 다른 영양소들의 충분한 양이 부족한 식단은 상태를 훨씬 더 악화시킬 수 있다. 안구 건조증의 주된 증상들 중 하나는 눈 안에 무엇인가가 있다는 느낌이다. 다른 증상들로는 타는 듯한 느낌, 과도한 양의 눈물 생성, 통증, 그리고 빨개짐이 있다. 또한 건조한 눈은 사람들로 하여금 흐릿한 시야를 경험하고 눈꺼풀이 점점 더 무거워지는 듯한 느낌을 갖게 할 수 있다. 상태가 완전히 치료되지는 않지만, 그것을 성공적으로 관리할 수 있다. 취해야 할 조치들로는 쉬지 않고 장시간 동안의 컴퓨터 사용을 확보하는(→ 피하는) 것, 눈을 더 자주 깜빡이는 것, 그리고 세수할 때 눈꺼풀을 닦는 것이 있다. 눈이 너무 크게 떠지지 않도록 컴퓨터 화면을 눈높이보다 아래에 두는 것도 도움이 된다.

구문해설

3행 A diet / [**lacking** sufficient amounts of omega-3 fatty acids and other nutrients] / can make the condition even worse.
(S; 현재분사구; make+목적어+목적격보어(형용사); 비교급 강조)

식단은 / 오메가3 지방산과 다른 영양소들의 충분한 양이 부족한 / 상태를 훨씬 더 악화시킬 수 있다

4행 One of the primary symptoms of eye dryness / is a feeling / [**that** there is something in the eye].
(one of+복수명사(~ 중의 하나): 주어가 one이므로 단수동사를 씀; V; 동격)

안구 건조증의 주된 증상들 중 하나는 / 느낌이다 / 눈 안에 무엇인가가 있다는

7행 Dry eyes can also cause people to experience blurry vision / and feel as though their eyelids are growing heavier.
(cause+목적어+목적격보어(to부정사): ~로 하여금 …하게 하다; (to); 마치 ~인 것처럼(= as if); grow+비교급: 점점 더 ~해지다)

또한 건조한 눈은 사람들로 하여금 흐릿한 시야를 경험하고 / 그리고 눈꺼풀이 더 무거워지는 듯한 느낌을 갖게 할 수 있다

10행 Steps to take / include avoiding prolonged periods of uninterrupted computer use, / blinking more frequently, / and cleaning your eyelids [**while** washing your face].
(to부정사 형용사적 용법; include의 목적어로 동명사구 avoiding, blinking, cleaning이 and로 병렬 연결됨; (they are) <시간>의 부사절에서 「주어+be동사」가 생략됨)

취해야 할 조치들로는 / 쉬지 않고 장시간 동안의 컴퓨터 사용을 피하는 것을 포함한다 / 눈을 더 자주 깜빡이는 것 / 그리고 세수할 때 눈꺼풀을 닦는 것

문제해설

글의 시작에서 컴퓨터 앞에서 오랜 시간을 보내는 것이 안구 건조증의 원인 중 하나라고 했으므로 장시간 동안의 컴퓨터 사용을 피해야 한다는 내용이 적절하다. ④의 ensuring은 avoiding으로 바꿔야 자연스럽다.

내신·서술형 (1) 쉬지 않고 장시간 컴퓨터 사용하지 않기 (2) 눈을 더 자주 깜빡이기 (3) 세수할 때 눈꺼풀 닦기 (4) 컴퓨터 화면을 눈높이보다 아래에 놓기

2 ⑤

지문해석

DNA가 오랫동안 항상 손상되지 않고 보존되는 것은 아니므로, 동물의 화석화된 유해를 조사하는 과학자들이 어떤 종류의 포식자가 그것의 죽음에 책임이 있는지를 알아내는 것은 때때로 불가능하다. 하지만, 과학자들이 고대의 킬러들을 식별하는 데 도움을 줄 수 있는 새로운 방법이 있다. 그것은 포식자가 먹이의 뼈를 삼킬 때, 포식자의 위에서 발견되는 소화액이 희생양의 뼈의 표면에 미세한 에칭을 남긴다는 사실에 의존한다. 이러한 아주 작은 에칭이 배열된 패턴은 포식자의 각 종에 따라 독특하다. 이것은 사건을 해결하기 위해 경찰이 지문을 사용하는 것과 같이 그 패턴들이 사용될 수 있다는 것을 의미한다고 고생물학자 Rebecca Terry가 설명했다. 그녀는 이러한 새로운 기술의 사용 덕분에 과학자들이 다양한 고대 생태계, 특히 화석이 거의 발견되지 않는 지역에서 어떤 종의 포식자들이 존재했는지를 더 잘 이해하는 데 도움이 될 것이라고 덧붙였다.

구문해설

1행 DNA does not always stay intact / for long periods of time, / so **it** is sometimes impossible / for scientists [**examining** the fossilized remains of an animal] / [**to figure out** / {**what type** of predator was responsible for its death}].
(부분 부정(항상 ~한 것은 아니다); to부정사의 의미상 주어; 가주어; 현재분사구; 진주어(to부정사구); figure out의 목적어(의문사절))

DNA가 항상 손상되지 않고 보존되는 것은 아니다 / 오랫동안 / 그러므로 때때로 불가능하다 / 동물의 화석화된 유해를 조사하는 과학자들이 / 알아내는 것은 / 어떤 종류의 포식자가 그것의 죽음에 책임이 있는지를

4행 It relies on the fact [that / {when predators swallow the bones of their prey}, / the digestive juices {found in their stomach} / leave behind microscopic etchings / on the surface of the victim's bones].

= a new method / 동격 / <시간>의 부사절 / 과거분사구 / ~을 남기다

그것은 사실에 의존한다 / 포식자가 먹이의 뼈를 삼킬 때 / 포식자의 위에서 발견되는 소화액이 / 미세한 에칭을 남긴다는 / 희생양의 뼈의 표면에

8행 This means / [they can be used / much like {fingerprints are used by the police / to solve cases}], / explained Rebecca Terry, a paleontologist.

앞 문장 전체 / means의 목적어(명사절) / (that) / = the patterns / like의 목적어(명사절) / to부정사 부사적 용법(목적) / 동격

이것은 의미한다 / 그 패턴들이 쓰일 수 있다는 것을 / 경찰이 지문을 사용하는 것과 같이 / 사건을 해결하기 위해 / 고생물학자 Rebecca Terry가 설명했다

10행 She added / [that the use of this new technique / will help scientists better understand / {which species of predators were present / in various ancient ecosystems, / especially in areas (where there are few fossils to be found)}].

added의 목적어(명사절) / 준사역동사(help)+목적어+목적격보어(동사원형) / understand의 목적어 (의문사절) / 관계부사절 / to부정사 형용사적 용법

그녀는 덧붙였다 / 이러한 새로운 기술의 사용 덕분에 / 과학자들이 더 잘 이해하는 데 도움이 될 것이라고 / 어떤 종의 포식자들이 존재했는지를 / 다양한 고대 생태계에서 / 특히 화석이 거의 발견되지 않는 지역에서

문제해설

에칭이라는 새로운 방법 덕분에 화석이 발견되지 않는 지역에서도 생태계에 어떤 종의 포식자가 존재했는지를 알아낼 수 있게 되었다는 내용이므로, 글의 제목으로 ⑤ '새로운 기술이 무엇이 고대 동물을 죽였는지를 밝힌다'가 가장 적절하다.

① 한 과학자가 화석이 어떻게 형성되었는지를 발견하다
② 소화액이 동물 DNA의 모든 증거를 파괴하다
③ 화석은 경찰에 의해 사용될 수 있는 DNA를 담고 있다
④ 과학자들이 새로운 포식자의 화석화된 뼈를 발견하다

내신·서술형 etchings

희생양의 뼈에 남겨진 에칭을 경찰이 사건 해결을 위해 사용하는 지문에 비유하고 있다.

---

3 ③

지문해석

붉은털원숭이를 이용한 일련의 실험은 영장류 유아의 발달에 있어 접촉의 편안함의 중요성을 보여 주었다. 연구자들에 의해 고립되어 길러진 아기 원숭이들에게 두 개의 인공 어미에 대한 선택이 부여되었다. 첫 번째 인공 어미는 철사와 나무로만 구성되었고, 반면에 두 번째 것은 거품 고무와 부드러운 천으로 덮여 있었다. 몇몇 경우에 있어서, 철사와 나무로 만들어진 어미들은 먹이를 주기 위한 우유병을 갖추고 있었고, 천과 고무로 만들어진 어미는 그렇지 못했다. 다른 경우에 있어서는, 상황을 바꾸었다. 두 인공 어미 중에 누가 우유를 갖고 있는지와 상관없이, 아기 원숭이들은 철사와 나무로 만들어진 어미보다 천과 고무로 만들어진 어미와 훨씬 더 많은 시간을 보냈다. 철사와 나무로 만들어진 어미가 우유병을 갖고 있을 때면, 아기들은 먹기 위해서만 그녀에게 다가갔고, 다 먹고 나면 곧 그 부드러운 어미에게 돌아왔다.

➡ 실험은 새끼와 어미 사이의 유대감은 먹기 위한 욕구보다는 오히려 육체적인 접촉에 대한 욕구에 의해 추진되는 것으로 증명했다.

구문해설

2행 Baby monkeys / [that had been raised in isolation by the researchers] / were given / a choice of two artificial mothers.

과거완료 수동태(길러진 것이 부여 받은 것보다 이전임) / S / 주격 관계대명사절 / V

아기 원숭이들은 / 연구자들에 의해 고립되어 길러진 / 부여되었다 / 두 개의 인공 어미에 대한 선택이

4행 The first artificial mother / was constructed of only wire and wood, / [while the second / was covered in foam rubber and soft cloth].

be constructed of: ~로 구성되다 / <대조>의 부사절 / (artificial mother)

첫 번째 인공 어미는 / 철사와 나무로만 구성되었고 / 반면에 두 번째 것은 / 거품 고무와 부드러운 천으로 덮여 있었다

6행 In some cases, / the wire-and-wood mother / was equipped with a bottle of milk for feeding / and the cloth and rubber mother was not.

be equipped with: ~을 갖추고 있다 / (equipped with a bottle of milk for feeding)

몇몇 경우에 있어서 / 철사와 나무로 만들어진 어미들은 / 먹이를 주기 위한 우유병을 갖추고 있었고 / 천과 고무로 만들어진 어미는 그렇지 못했다

8행 [Regardless of {which of the two artificial mothers had the milk}], / the baby monkeys spent much more time / with the cloth-and-rubber mother / than with the one [made of wire and wood].

~와 상관없이 / 전치사구 regardless of의 목적어(의문사절) / 비교급 강조 / (they spent time) / 과거분사구

두 인공 어미 중에 누가 우유를 갖고 있는지와 상관없이 / 아기 원숭이들은 훨씬 더 많은 시간을 보냈다 / 천과 고무로 만들어진 어미와 / 철사와 나무로 만들어진 어미보다

문제해설

아기 원숭이들은 먹는 것보다도 부드러운 감촉이 있는 어미에게 더 끌렸다는 실험의 결과를 소개하는 내용이므로, 각 빈칸에 들어갈 말로는 ③ '유대감 ─ 육체적인'이 가장 적절하다.

① 차이 ─ 정신적인 ② 차이 ─ 육체적인
④ 유대감 ─ 간접적인 ⑤ 적대감 ─ 간접적인

내신·서술형 천과 고무로 만들어진 어미에게 우유병이 갖춰져 있고, 철사와 나무로 만들어진 어미는 그렇지 않았다.

상황이 반대라고 했으므로 앞 문장에서 말한 경우와 반대의 경우를 의미한다.

Memo

Memo

정답 및 해설

구문독해